yn y lle
hwn

Llyfrgell Genedlaethol Cymru

yn y lle hwn
Llyfrgell Genedlaethol Cymru

addasiad
MERERID HOPWOOD
o waith TREVOR FISHLOCK

ISBN: Clawr Meddal 978-1-86225-058-1
          Clawr Caled 978-1-86225-055-0

Testun: © Mererid Hopwood, 2007
Ymchwil: Trevor Fishlock
Cynllunio: Olwen Fowler
Lluniau: Casgliadau Llyfrgell Genedlaethol Cymru
www.llgc.org.uk

Ll GC   Llyfrgell Genedlaethol Cymru
NLW   The National Library of Wales

Argraffu: Argraffwyr Cambria
Cyhoeddir gan Lyfrgell Genedlaethol Cymru
Cyhoeddwyd gyntaf Mai 2007

Cynnwys

tudalen 6   Rhagair

9   Rhagymadrodd

RHAN 1

10   Yn y lle hwn

12   Gorynys y gorllewin

19   Goresgynwyr ac ymwelwyr

24   Tyrau'r teyrn

28   Y sêr wedi syrthio

30   Cymro yn Llundain

34   Gair i gall

36   Bonedd gwlad

40   Bro breuddwydion

42   Y deyrnas ddu

47   Yn ddu ac yn las

54   Hafau hyll a gaeafau blin

64   Colli ac ennill

70   Man cychwyn newydd

RHAN 2

76 Cariad oes
78 Y brenin heb fedd
79 Tân a brwmstan
80 Y Llyfr Gwyn a'r Llyfr Coch
82 Y deddfau da
84 Y ganrif euraid
85 Cyfrinach y cwpwrdd
86 Llên mewn lliw
88 Hen lais y canol oesoedd
89 Sŵn a synnwyr
91 Y bardd llawen
91 I dawel lwybrau gweddi
92 Prawf uwchfioled
93 Ffyrdd y sêr
94 Yn y dechreuad
95 Cân i Ddewi
96 Dros Gymru'n gwlad
97 Achau
97 O fan i fan
98 Enwau'r Cymry
99 Yn y llyfr hwn
100 William Morgan
102 Geiriau'r gell
102 Y casglwr
103 Yr ogof eiriau
104 Cilcyn o ddaear
106 Corn, pistol a chwip
107 Môr o gariad
107 Stori'r smyglwr
108 Almanaciau
108 Y goeden garu
109 Rwyf innau'n filwr bychan

110 Y Pêr Ganiedydd
113 Gwrthrych teilwng
113 Cawr y pulpud
114 Draw, draw yn Tseina
115 Enfys garreg
116 Y cychod copor
117 Y teithiwr talog
118 Dafydd, Dafi, Taffi
120 Dewin Morgannwg
121 Cyfrinach Iolo
122 Cymry ar wasgar?
123 Meddyg y môr
124 Lladd amser
125 Heidiau'r eidion
128 Gwŷdd a gwennol a gwlân
130 Twyll y tollau
131 Un ohonom ni
132 Mynd mawr
134 Y dyn di-nam
136 Tra môr yn fur
138 Coporopolis
139 'Prŵns'
143 Ar ganiad y chwiban
144 Yn canu yn y cwm
145 Draw dros y don
148 Gwenynen Gwent
149 Tad Myfanwy
151 A dyma'r penawdau ...
153 Cwmwd Kilvert
155 Amlosgi arloesol
156 Doctor Livingstone?
156 Miss Vulcana

158 O.M.
158 Y darbwyllwr
160 Y crys coch
161 Y diwygiwr
162 Hollti'r frenhines
164 Llythyrau'r lledrithiwr
166 Priodas drwy'r post
167 Cwrdd yn Bracchi's?
168 Uffern dân
169 Cameo'r cymoedd
170 Moron maethlon
172 Y Gadair Ddu
173 Annwyl frawd
174 Yn y dyfroedd mawr a'r tonnau
175 Dirgelwch y ffilm
176 Mab Honest Dave a Madame
177 Chwarae o ddifri
178 Y dyn cyflymaf ar wyneb
    y ddaear
178 Gweinyddiaeth llawenydd
181 Cymraeg yn y carchar
182 Trysor yr ogof
184 Y bocs yn y cornel
185 Y gwir yn gryno
186 Y genhedlaeth goll
188 Ar dir a daear Cymru
190 Y sgrin fawr
192 Y sŵn Cymreig
193 Dyrchafaf fy llygaid
194 Galeri
196 Ar waith
198 Yn y lle hwn

Rhagair

Sefydlwyd Llyfrgell Genedlaethol Cymru trwy Siarter Frenhinol yn 1907. Mae'n casglu, yn diogelu ac yn cynnal deunydd llawysgrif a deunydd printiedig, mapiau, ffotograffau, a deunydd gweledol a chlyweledol ac electronig sy'n perthyn i bobl Cymru a'r bobloedd Celtaidd, a deunydd tebyg sy'n hyrwyddo amcanion addysg ac ymchwil lenyddol a gwyddonol. Mae'n llyfrgell adnau cyfreithiol ac mae ganddi felly yr hawl i dderbyn copi o bob gwaith printiedig a gyhoeddir ym Mhrydain ac Iwerddon. Hi yw prif lyfrgell ymchwil a phrif archif Cymru, fe'i noddir gan y Cynulliad Cenedlaethol, ac mae iddi safle cydnabyddedig ymhlith llyfrgelloedd ymchwil eraill o fewn y Deyrnas Gyfunol a thu hwnt. O'i lleoliad urddasol sy'n edrych dros Fae Ceredigion, y mae wedi ei sefydlu ei hun yn un o lyfrgelloedd mawr y byd.

Ei nodwedd arbennig, wrth reswm, yw ei bod yn geidwad hanes a meddwl Cymru. Mae ei chasgliadau, yn eu hamryfal ffurfiau, yn crynhoi amrywiaeth y profiad Cymreig. Yn y llyfr hwn mae testun Mererid Hopwood, sy'n seiliedig ar ymchwil wreiddiol Trevor Fishlock a wnaed ar gyfer y chwaer gyfrol Saesneg *In This Place*, yn crisialu'r profiadau mewn ysgrif gryno a difyr ynghyd â chyfres o baneli darluniadol addas a sylwebaeth dreiddgar. Mae'r ddau yn tynnu'n ddwfn ar eu profiadau cyfoethog, y naill fel llenor a bardd cadeiriol a choronog, a'r llall fel newyddiadurwr a sylwebydd craff. Maent yn adnabod cryfderau ein pobl, ac fel dau deithiwr brwd, maent yn gyfarwydd â'n trefi a'n dinasoedd ac â bryniau a chilfachau ein cefn gwlad. O ganlyniad ceir yng nghyfrol Mererid Hopwood naratif eglur a bywiog, sy'n sylwebaeth ardderchog ar ddetholiad cynrychioliadol o'n casgliadau yn Llyfrgell Genedlaethol Cymru.

R Brinley Jones
Llywydd

Mawrth 2007

Supplementary Charter,
...utes of the Court of

...essed by a majority
...eeting of the Court,
...ting at an ordinary
...re than two years
...uncil, a certificate
...endorsed on the
...ll be sufficient

also any of the Articles
may be repealed, varie...
Governors of the Libra...

2. A Special Statu...
of two-thirds of the M...
confirmed by a similar...
meeting of the Court...
later and submitted t...

(3) Words importing
gender.

In witness whereof We have caused these Our Letters to be made Patent.

Witness Ourself at Westminster the *nineteenth* day of *March* in the
seventh year of Our Reign.

By Warrant under The King's Sign Manual.

Muir Mackenzie

Rhagymadrodd

Y mae Llyfrgell Genedlaethol Cymru yn llawer o bethau, ond i'r rhan fwyaf mae'n siŵr, y mae'n ddrych amlwynebog i fywyd Cymru trwy'r oesau.

Ers 100 mlynedd ein hamcan, yn systemataidd, yw i grynhoi a diogelu cofnod dogfennol Cymru a'r Cymry a rhoi i'r cyhoedd fynediad iddo. Y canlyniad yw cymysgedd cyfoethog o gyfryngau, o gyfnodau ac o leisiau. Beth bynnag y testun – y farddoniaeth gynharaf yn y Gymraeg, Terfysgoedd Beca, arwyr bocsio'r 1930au neu gerddoriaeth y Manic Street Preachers – mae ffrydiau casgliadau'r Llyfrgell Genedlaethol yn cyd-lifo i ffurfio cronfa ddihysbydd o wybodaeth a dychymyg.

Nid oes fawr o bwys â pha fwriad mae ein defnyddwyr yn dod at y casgliadau: mewn ysbryd o ymchwil academaidd ddisgybledig, i estyn gwybodaeth neu i ddysgu sgiliau newydd, neu o chwilfrydedd syml. Erbyn heddiw mae llawer llai o wahaniaeth am y dull o ddod: trwy ymweld ag Aberystwyth, trwy arddangosfeydd, sgyrsiau neu ddigwyddiadau addysgol mewn mannau

eraill, neu drwy'r rhyngrwyd. Yr hyn sy'n bwysig yw eu bod i gyd yn teimlo bod modd iddynt fanteisio ar yr hyn yr ydym yn ei ddal ar eu rhan.

Un o'n tasgau parhaus yn Llyfrgell Genedlaethol Cymru yw i dynnu sylw at y potensial sydd yn y casgliadau. Er inni droi fwyfwy yn y blynyddoedd diwethaf at ddulliau electronig o gyflawni'r amcan hwn, mae rhan hanfodol o hyd i un o ddyfeisiadau gorau a mwyaf hirhoedlog dynol-ryw, y ddyfais cof hapgyrch wreiddiol, sef y llyfr printiedig. Dyna sail y llyfr hwn gan Mererid Hopwood a Trevor Fishlock.

Megis pysgotwyr crefftus maent wedi bwrw eu rhwydau i ddyfroedd y Llyfrgell Genedlaethol ac wedi dwyn i'r lan ddalfa liwgar o bysgod Cymreig. Bydd rhai'n gyfarwydd, rhai'n fwy dieithr, ond mae gan bob un stori i'w dweud am Gymru a'i hanes. Ac yn wahanol i'r rhan fwyaf o gronfeydd mae'n annhebyg y bydd hon yn cael ei dihysbyddu trwy or-bysgota. Mae casgliadau'r Llyfrgell yn disgwyl pysgotwyr lawer eto, heddiw a, gobeithio, am ganrifoedd eto.

Andrew M.W. Green
Llyfrgellydd

Mawrth 2007

1. *Urddas y mynydd:*
Llyn Cau, Cadair Idris.
Kyffin Williams,
tua 1950.

Yn y lle hwn

Beth yw bod yn genedl? 'Dawn yn nwfn y galon', meddai Waldo. Yn sicr, mae bod yn un o genedl y Cymry yn gofyn am ddawn i rannu. Rhannu darn o dir, a hynny nid yn gymaint 'rhwng' ein gilydd â rhannu 'gyda' ein gilydd. Oherwydd daw'r gair 'Cymro' o'r hen air Brythoneg 'combrogos'. Ystyr 'com' yw cyd, a 'brogos' yw bro; y 'Cymro', felly, yw'r 'cyd-wladwr', a gwlad ar y cyd yw Cymru, gwlad sy'n perthyn nid i unigolion ynysig ond i gymdeithas o unigolion. Ac mewn cymdeithas, wrth reswm, mae aelodau'n rhannu mwy na thir; mae cymdeithas cenedl y Cymry'n rhannu hanes hefyd. A stori am oroesi yw'r hanes hwnnw'n bennaf.

Ar hyd y blynyddoedd, mae Cymru wedi gwrthsefyll concwest ar ôl concwest, a'r rheini wedi bygwth troi ei stori arbennig hi'n ddim ond ôl-nodyn ar gyrion tudalennau'r gorffennol. Ond, dro ar ôl tro, fe fu ein harwyr yn awduron ar benodau helaeth, ac mae'r stori'n dal i fynd. Ac os yw hi'n anodd dweud pryd yn union y dechreuodd y stori unigryw hon, yna, o leiaf nid oes sôn am ei diwedd. Boed i'r canol hwn barhau.

Mae ambell baragraff yn ein stori wedi bod yn ddigon cythryblus ar adegau, a sawl Cymro wedi gwangalonni wrth faglu dros frawddegau anodd. Yn aml, r'yn ni wedi cael ein dirmygu am fod yn genedl anghysbell, yn wlad ar ei hôl hi heb draddodiad o gymdeithas soffistigedig tref a dinas. Ond ystyr 'cefn gwlad' yw 'backbone' nid 'backside', ac er gwaethaf pawb a phopeth, mae'r Cymry gwydn wedi dal ati. Yn aml, bron na ellir dweud bod pob cymeriad yn ein stori, fel Lili'r Wyddfa, ar ei harddaf dan amodau geirwon.

Ar adegau anodd yn hanes y genedl, bu gan y beirdd a'r ysgolheigion waith pwysig. Eu tasg nhw oedd rhoi ail wynt i bob math o chwedlau ac arwyr, a hynny er mwyn rhoi min ar atgof a rhoi grym i orffennol a fyddai'n ysbrydoli dyfodol. Roedden nhw'n gwybod bod angen trwsio tyllau hanes â chwedlau. Wedi'r cyfan, mae ffydd yn gofyn am gryn dipyn o waith cynnal a chadw.

Dau brif rym sy'n gyfrifol am greu'r Gymru fodern. Y wythïen fawr, heb os, yw parhad yr iaith Gymraeg a'i thraddodiad llenyddol. Y gwaed yn y gwythiennau llai, wedyn, yw esblygiad cymdeithas y cymoedd diwydiannol yn nhwf enfawr y bedwaredd ganrif ar bymtheg a'r ugeinfed.

Yn ystod oes Fictoria yn arbennig, bu adfywiad yn ymwybyddiaeth y Cymry o'u hunaniaeth eu hunain, ac o'r adfywiad hwn y daeth galw am sefydliadau Cymreig i gefnogi dyheadau'r Cymry ac i godi pontydd i'r dyfodol. Y sefydliad cyntaf o'r math oedd Prifysgol Cymru. A phwy sydd heb glywed am ramant yr aberth ac am geiniogau prin y werin a wireddodd y freuddwyd honno ym 1872?

Un o brif amcanion y Brifysgol oedd creu arweinwyr dysgedig o blith y bobl gyffredin. Roedd derbyn ei siarter ym 1893 yn garreg filltir bwysig. Roedd yn arwydd o hunan-barch y genedl. Tua'r un adeg roedd yr Eisteddfod Genedlaethol hithau yn mynd o nerth i nerth, a thrwy gyfuniad unigryw o gystadlu brwd a seremonïau lliwgar, datblygodd yr Ŵyl hon i fod yn ddylanwad pwysig ym myd cerddoriaeth a llenyddiaeth.

Ffrwythau'r un gwreiddyn cenedlatholgar oedd y Llyfrgell a'r Amgueddfa Genedlaethol, a thyfodd canghennau'r ddwy yn hafan gysgodol i drysorau mwyaf y genedl. Ynghyd â'r Brifysgol, roedd y sefydliadau hyn wedi dechrau ailarchwilio hanes a diwylliant y genedl. Roedd megin ysgolheictod ar waith yn rhoi anadl newydd i'n chwedlau a'n traddodiadau.

Sefydlwyd y Llyfrgell Genedlaethol drwy rym siarter frenhinol ym 1907 ac fe'i hadeiladwyd ar ochr orllewinol rhiw Penglais, uwchben Aberystwyth, yn gaer â'i hwyneb tua Bae Ceredigion. Treuliwyd bron i hanner canrif yn codi'r prif adeilad ac mae hwnnw'n denu'r llygad i'w edmygu o bellter.

Cyfrannodd ceiniogau'r werin yn helaeth at fodolaeth y Llyfrgell, fel at y Brifysgol, a chafodd le cynnes yng nghalon y Cymry fel man sy'n gwarchod cof y genedl. Mae'n glynu wrth y llw sy'n addo na fydd ystyr ein stori ni'n mynd ar goll tra bo caer y Llyfrgell yn sefyll. Heddiw, yn yr unfed ganrif ar hugain, mae wedi bwrw ei gwreiddiau ymhell yn ôl yng ngorffennol y genedl. Mae ei changhennau'n dal i dyfu a phob deilen ohoni'n datgelu mwy am ein hanes ni nag y dychmygodd neb erioed.

12

Gorynys *y* gorllewin

Dywedwyd rywbryd fod Cymru'n wlad o'r union faint y gall rhywun ddod i'w hadnabod yn gymharol dda yn ystod ei oes. Mae'r wlad ei hunan yn storïwraig huawdl. Cerddwch i ben unrhyw un o gopaon Cymru ac mae darnau helaeth iawn o'i hanes yn gorwedd o'ch blaen yn aros i chi eu darllen.

Y peth cyntaf sy'n werth ei gofio yw nad oes unrhyw fan yng Nghymru ymhell iawn o'r môr. Mae hyd yn oed Eryri yn gartref i wylanod swnllyd. O'ch blaen, ar benrhyn pell, cewch gip efallai ar harbwr bach ym mhlygion bae, neu long ar orwel. Mae'r arfordir yn cynnig cysgod rhag yr Iwerydd a'r gwyntoedd a fu'n athrawon da i genedlaethau o forwyr. Ac ar strydoedd yr harbwr, cewch weld tai llawer capten llong yn rhannu enwau'r cychod a'u cludodd rownd yr Horn. Ac uwch y cloddiau, mae'r llwyni a'r coed bach gwydn yn plygu dan rym y gwynt – plygu tua'r dwyrain, heb fyth ildio'n llawn ychwaith.

2. Amaethwyr ar Glyder Fach, Kyffin Williams.

Gyferbyn: 4. Llong fasnach yn dadlwytho ei chargo i gart a cheffyl yng Ngheinewydd tua 1905.

3. Rhamant y môr a'r awyr: Inner Sound, the Mumbles, James Harris.

5. Ers dyddiau cynharaf twristiaeth mae rhaeadrau Cymru wedi bod yn atyniad di-ffael. Rhaeadr Rheidol. Arlunydd Cymreig cyntefig, 1830–53.

Y mynyddoedd yw gwarchodlu Cymru. Maen nhw wedi atal sawl gelyn rhag sathru ar dir ein gwlad. Dim ond yn rhannol y llwyddodd y Rhufeiniaid i'w choncro, a bu'n rhaid i'r Normaniaid, hyd yn oed, dreulio dau can mlynedd cyn ei hoelio'n sownd â chestyll ym mhob cornel. Bu'r glaw yn gymorth mor barod i'r Cymry nes bod rhai'n credu bod y cymylau'n rhan o fyddin ein harweinwyr. Drylliodd stormydd geirwon ym mynyddoedd y Berwyn ymgais Harri II i ymosod arnom yn ôl ym 1165. A chan wybod beth oedd brath gaeafau Cymru, rhoddodd y Tywysog Du lwfans cotiau cynnes i'r catrawdau a fentrodd tua'r gorllewin. Yna, ym 1402, rhuthrodd bechgyn Harri IV adref yn ôl dros afon Hafren wedi eu hanner boddi gan ddilyw.

I'r twristiaid busneslyd cyntaf o Loegr, roedd y mynyddoedd yn adrodd stori och-a-gwae am greigiau bygythiol ag ofn ym mhob hollt. Ond tua diwedd y ddeunawfed ganrif, roedd y ffasiwn yn troi, a daeth y Rhamantwyr Seisnig i ystyried bwystfilod y copaon yn brydferthwch gwyllt. Roeddynt wrth eu bodd yn cael eu tywys i wlad hardd y llethrau a'r rhaeadrau, i ddolydd rhedynog ac i ogofâu chwedlonol.

PISTYLL RHAIADR.

6. 'Y rhaeadr fwyaf ryfeddol i mi ei gweld erioed', meddai un teithiwr cynnar wrth weld Pistyll Rhaeadr. J. Green, yn ôl John Evans, 1794.

Mae gan bob adfail ac adeilad yng Nghymru stori i'w dweud a gwers i'w thraddodi. Mae siant mynachod yn dal i'w chlywed ym murddunnod yr abatai. Ac er i amser liniaru rywfaint ar fygythiad y cestyll, mae 'na arswyd eto yn amlinell eu cysgodion dirmygus, a'r gwynt yn eu ffenestri gwag yn dal i siarad am wrhydri styfnig y werin na fynnai blygu glin.

Ym mhob rhan o'r wlad, mae enwau'r llannau yn dangos parch a choffa da am y seintiau a fu'n tramwyo drwyddynt. Dyma lwybrau Dewi, Teilo, Cadog, Dyfrig, Beuno a'r criw a roddodd gymeriad Cristnogol cynnar i'r Cymry. Prin yw'r ffeithiau cadarn amdanynt ond mae'r storïau'n lluosog. Chwe chanrif wedi ei eni, roedd enwogrwydd Dewi Ddyfrwr yn dal yn ddigon gloyw i sicrhau lle iddo fel nawddsant ein cenedl. Ac mae'r chwe chan plwyf sy'n dal i ddwyn yr enw 'llan' ac yn gorchuddio dros hanner y wlad yn tystio i weddi gynnar y trigolion a'u cred yn yr ochr draw.

Mae'r ffermdai gwyngalchog yn adrodd

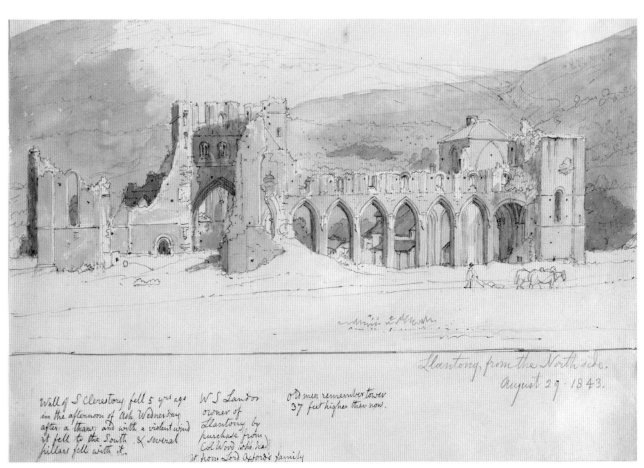

7. Yn y dwys ddistawrwydd: Abaty Llanddewi Nant Hodni o'r ochr ogleddol, 29 Awst 1843, gan y Parch. John Parker.

hanes llafur caled, a maenordai balch yn brawf o rym y gyfraith. Rhennir y bryniau a'r gweunydd a'r llethrau llwyd gan waliau sychion a chloddiau llechi. Ac ymhell cyn i fynachod o Ffrainc osod y defaid yn y mynyddoedd, gwlad y gwartheg oedd Cymru. Yn finteioedd lliwgar, hysiodd y porthmyn a'u gweision lawer gyr i Lundain – a phen draw'r daith i'r creaduriaid hyn oedd cinio dydd Sul ar blât y Sais. Roedd y porthmyn yn cario arian a gwybodaeth, a nhw oedd sefydlwyr y banciau cyntaf erioed. Hyd heddiw, gallwch ddilyn y llwybrau a ddilynwyd ganddyn nhw drwy Gymru. Dros fryn a dôl a nant a rhyd, heibio i gaerau a llannau a chapeli, gallwch gerdded nes cyrraedd sgiw groesawgar mewn sawl 'Drovers Arms' ac ambell 'Dafarn yr Ychen Du'.

Dros gyfnod o bedwar can mlynedd, a miloedd o deithiau rhwng Cymru a Lloegr,

gwelodd y porthmyn hyn y stori'n ymagor. Gwelson nhw ddadfeilio'r mynachlogydd, ac adeiladu'r plastai. Gweld codi simneiau diwydiant a thai cwrdd pellennig yr Anghydffurfwyr. Gweld codi'r pontydd a'r camlesi, ffyrdd y post mawr a gosod y cerrig milltir gwyn, ac, yn y pen draw, gweld byddinoedd o nafis yn codi'r rheilffyrdd a ddaeth yn eu tro i roi terfyn ar oes y porthmon.

Gwelson nhw fore'r oes a drodd yr awyr yn goch gan fflamau ffwrneisi, a'r ddaear yn ddu gan gloddio. Gweld fforestydd yn diflannu a bryniau cyfan yn cael eu troi tu-fewn-tu-fas gan y cloddio am haearn, copor, llechi a glo. Gweld gweision cefn gwlad yn cerdded tua'r trefi diwydiannol, a'r aur du yn eu denu dros gyfnod o ganrif a hanner. Tir Cymru oedd ffynhonnell ynni fwya'r byd ac roedd enw tref Caerdydd yn gyfystyr â glo.

R'yn ni'n byw heddiw yng nghysgod

8. Llys yn llygad yr haul: Neuadd Gwaenynog, Dinbych, gan John Ingleby ar gyfer Thomas Pennant, 1796.

9. Punt y ddafad: arian papur un o fanciau'r porthmyn.

10. *Castell Dolbadarn yn edrych dros Lyn Padarn, Llanberis. Dyma gartref tywysogion Gwynedd yn y 13g. T. Catherall, 1852.*

11. *Achub dynion o bwll glo yn ne Cymru: A Perilous Passage, Herbert Johnson.*

12. *'Arwr glew erwau'r glo', meddai Gwilym R. Tilsley. Ffotograff gan Stephen Timothy o lowyr yn y Rhondda.*

y bwrlwm gwyllt hwn. Diflannodd yr
holl weithfeydd mor glou, gan adael rhyw
dawelwch anghysurus ar eu hôl, fel gosteg
wedi storm ar y môr.

Er mwyn gwneud yn iawn am raib y
gorffennol, aethpwyd ati i roi coed ar y
bryniau, fel cadach ar glwyfau, a golchwyd
yr afonydd yn lân. Gosodwyd llwybrau
treftadaeth a phlaciau mewn jargon newydd
i geisio esbonio sut y digwyddodd y gyflafan,
er mwyn i genhedlaeth newydd fedru
dechrau dychmygu'r mwg a'r sŵn a'r
chwys. Dychmygu, heb gredu braidd.

13. Pwerdy ymerodraeth:
dociau Caerdydd yn y
1890au. A. Duncan,
L. Godfrey.

14. 'Troesom ein tir yn
simneiau tân', meddai
Gerallt Lloyd Owen: gwaith
glo yn ardal Castell-nedd,
John Hassell, 1798.

Drawn & Engraved by J.Hassell.

COAL WORKS.

A View near Neath in Glamorganshire. South Wales.

Goresgynwyr *ac* ymwelwyr

Mae'n anodd iawn dweud pryd yn union y daeth Cymru a'r Cymry i fod. Ychydig iawn a wyddon ni am darddiad y llwythau a grwydrodd draw i Brydain o dde a chanol Ewrop cyn cyfnod y Rhufeiniaid, ond erbyn tua'r bumed ganrif mae sôn pendant am ein gwlad a'n pobl fel cenedl ar wahân. Dyma'r adeg pan oedd y Rhufeiniaid yn dechrau cilio ar ôl meddiannu Prydain am bedwar can mlynedd.

Yn ystod yr un cyfnod, croesodd llwythau paganaidd yr Eingl-Sacsoniaid o'r Almaen a symud i fyw i dde Prydain, gan gymathu'r brodorion a bwrw gwreiddiau yn y wlad a ddaeth yn y pen draw i fod yn Lloegr.

15. Ar garreg uchel:
Castell Harlech.
Henry Gastineau,
tua 1830.

Yn y cyfamser, yma yng Nghymru, roedd Cristnogaeth wedi dechrau tyfu o fod yn gwlt bach yn ystod amser y Rhufeiniaid i fod yn ffydd bwysig, ac roedd hyn hefyd yn creu gwahaniaeth pellach rhwng Cymru a gweddill Prydain.

Trodd y Frythoneg yn Gymraeg, a hyd heddiw mae'r cerddi o wawr gynnar y chweched ganrif a geiriau Aneirin a Thaliesin yn dal i ganu. Tua'r adeg hon dechreuon ni alw ein hunain yn Gymry – cyd-wladwyr, cyd-frodyr a chwiorydd. Gan ein cymdogion drws nesaf y daeth yr enwau 'Wales' a 'Welsh', dau derm sy'n tarddu o'r geiriau Sacsoneg yn golygu 'gwlad a phobl wahanol' – 'dieithriaid'. Yn yr wythfed ganrif dyma'r brenin Offa o Fersia yn mynd ati i godi ffin ar eithafion gorllewinol ei deyrnas gyda chlawdd o bridd a charreg yn ymestyn dros 160 o filltiroedd rhwng Cas-gwent a Phrestatyn. Rhoddodd y ffin hon ymyl ddwyreiniol i Gymru, a bu'n gymorth i hybu ymhellach y syniad o wlad wahanol, un â'i hunaniaeth ei hunan.

Mae'r clawdd hwn yn ganllaw go-iawn i gydio ynddo wrth i ni edrych yn ôl ar y canrifoedd cynnar hynny a cheisio deall hanes bratiog cwymp ac adferiad a chweryl un tywysog ar ôl y llall. Â chleddyfau gwaedlyd teithiodd byddinoedd y canrifoedd drwy Gymru, ac o niwloedd y nawfed ganrif daw Rhodri Mawr i'r golwg. Drwy gynllunio gofalus, a thrwy briodi ac etifeddu, llwyddodd y Rhodri hwn i uno Gwynedd, Powys a Seisyllwg yn y de-orllewin. Gwrthsafodd fewnfudiad y Llychlynwyr yn ddewr, gan ddal ei dir yn erbyn eu rhaib a'u harswyd nes dod i gwrdd ag angau arwrol wrth ymladd yr Eingl-Sacson yn 877.

Os yw ei enw'n dal i atsain yng Nghymru heddiw, felly hefyd enw ei ŵyr – Hywel Dda. Rheolodd hwn rannau helaeth iawn o'r wlad yn y ddegfed ganrif ac, yn fwy na hynny, lluniodd gorff o ddeddfau teg a chytbwys. Rhoddodd y cyfreithiau hyn statws ac urddas i Gymru. Roedden nhw'n arwydd pendant o undod y genedl ac yn rhoi chwarae teg i ddyn, dynes a chreadur. Bu'r gyfraith hon mewn grym tan i ddeddfau'r Tuduriaid ei diddymu chwe chan mlynedd yn ddiweddarach.

Yn gynnar yn y ddegfed ganrif, roedd y Llychlynwyr penderfynol wedi cipio gogledd Ffrainc ac ymgartrefu yno, gan greu teyrnas y Normaniaid. Pobl ryfelgar oeddynt a daethant i fod yn rym milwrol pwysig iawn yn Ewrop. Hwyliodd Gwilym o Normandi draw i Loegr yn ystod mis Hydref 1066 gan orchfygu byddin Harold yn Hastings a chipio coron Lloegr. Ymhen pedair blynedd roedd wedi meddiannu Lloegr gyfan ac wedi disodli Saesneg a throi Ffrangeg yn iaith y llys a'r gyfraith. Gwgodd y Normaniaid ffroenuchel yn ddirmygus ar y Saeson ac edrych heibio i'r rheini draw tua'r gorllewin, gan weld gwlad a oedd yn barod i'w churo'n ddidrugaredd a'i had-drefnu'n llwyr.

Er mwyn mynd i'r afael â 'phroblem' y Cymry, sefydlodd Gwilym Goncwerwr fwlch rhwng Cymru a Lloegr, darn o dir a enwodd yn 'Mers', a ddaeth o'r gair Ffrangeg am 'derfyn' neu 'ffin'. Rhoddodd iarll yn yr ardaloedd o gwmpas trefi strategol Henffordd, Amwythig a Chaer, ac i bob iarll roedd barwn. Y rhain oedd arglwyddi'r Mers ac roeddynt yn filwyr creulon, ac yn hoffi ymddwyn fel brenhinoedd bach i bob pwrpas, gan ddwyn tir drwy rym a choncwest.

Roedd eu marchogion yn eu harfbeisiau gloyw lawn mor frawychus â thanciau'r ugeinfed ganrif. A dyma nhw'n dod am y gorllewin. Cipiodd y fyddin hon dir âr y dyffrynnoedd a thir gwastad yr arfordir, gan godi chwe chant o gaerau pren ar domennydd pridd er mwyn rheoli ffyrdd allweddol ac afonydd. Roedd y dynion hyn yn gallu codi caer o'r fath mewn wyth niwrnod. Yna byddent yn cadarnhau eu gafael gyda muriau cerrig bygythiol, gan droi de Cymru yn un gadwyn hir o gestyll.

Erbyn diwedd yr unfed ganrif ar ddeg, llwyddodd y Cymry i godi'n gryfach nag erioed yn eu herbyn, a'u gorfodi i dderbyn rheolaeth y tywysogion Cymreig yng Ngwynedd, Powys, Ceredigion, ac yn y darn o dir a fyddai'n cael ei alw'n Sir Gaerfyrddin gydag amser. Ond draw yn yr ardaloedd hynny a oedd yn dal i fod dan rym y Norman, tyfodd trefedigaethau bychain yng nghysgod y cestyll. Ymgartrefodd y Saeson, a daeth Ffrangeg a Saesneg yn ieithoedd bob dydd. Mewn rhannau o Sir Benfro a Bro Gŵyr, gwthiodd y Fflemiaid y Cymry i'r naill ochr. Rhwng popeth, roedd y ddeuddegfed ganrif yn gyfnod o newid a chreisis yng Nghymru wrth i'r Normaniaid wasgu'n galed i'n gorchfygu. Ond drwy'r helbul hwn, sylweddolodd y Cymry rhanedig o'r newydd ein bod yn debyg i'n gilydd, ac er ein bod wedi ein gwahanu fel darnau jig-so, sylweddolon ni mai cenedl yw'r Cymry, a'n bod yn wahanol i'n cymdogion drws nesaf yn Lloegr.

Drigain mlynedd wedi concwest Gwilym, penderfynodd y gyfundrefn Normanaidd

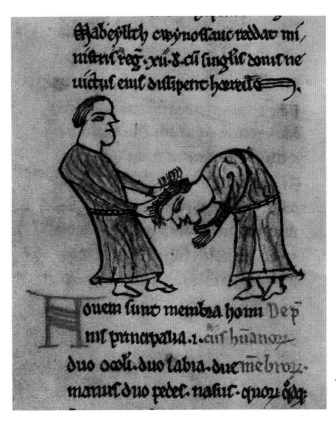

16. Torri'r gyfraith: trosedd tynnu gwallt fel y'i gwelir yng Nghyfreithiau Hywel Dda.

17. Cyfraith hela yn ôl Hywel.

newydd fod angen rhoi trefn ar faterion ysbrydol Cymru er mwyn atgyfnerthu'r afael filwrol a meddiannu'r wlad yn llwyr. I lygad y Norman, ymddangosai'r eglwys Gymreig yn ddi-drefn. Doedd ganddi ddim hierarchaeth esgobol na rhwydwaith gadarn o fynachlogydd i gyd yn dilyn yr un patrwm. Doedd dim eglwysi o gerrig cadarn a dim seintiau gwerth eu hanrhydeddu. Ar ben popeth, roedd llawer o wŷr yr eglwys yn briod! Gwelodd yr awdurdodau newydd mai da fyddai dod â'r eglwys Gymreig hon dan eu rheolaeth. A dyma fynd ati i orfodi esgobion Cymru i blygu glin i'r brenin ac i Archesgob Caergaint, a thrwy wneud hyn, dyma dynnu Cristnogaeth unigryw Cymru yn nes at y gyfundrefn Ewropeaidd.

Ar ben hynny, anfonodd y concwerwyr fynachod o Ffrainc draw i Gymru i godi mynachlogydd er mwyn prysuro'r broses o integreiddio'r eglwys. Fel mae'n digwydd, roedd y Benedictiaid yn llawer rhy Normanaidd eu hagwedd i integreiddio neb. Ar y llaw arall, gwyddai llawer o'r mynachod Sistersaidd sut i ddod yn rhan o gymdeithas y Cymry, ac roedd lle cynnes yng nghalonnau'r

trigolion lleol i wŷr y gynau gwynion. Cododd y rhain dri abaty ar ddeg, pob un yn hardd, a daeth yr adeiladau hyn i fod yn gyrchfannau poblogaidd i bererinion – y cyntaf ohonynt yn Nhyndyrn ar lannau afon Wysg ym 1131. Lledaenodd y Sistersiaid wybodaeth am amaethyddiaeth, gan ddysgu'r bobl sut i aredig a chodi ffyrdd, gwneud cychod bach a thrin haearn. Roedden nhw'n gyfeillion i'r tywysogion ac yn ymddiddori yn llenyddiaeth y Cymry. Roedd symlrwydd eu ffordd o fyw a'u hoffter o waith llaw yn debyg i ddelfrydau Dewi Sant. Ac er i'r concwerwyr geisio disodli gwŷr sanctaidd Cymry â'u saint eu hunain, ymwrthododd y Cymry'n llwyr gan lynu'n ffyddlon wrth Ddewi a'i frodyr.

18. Pwynt pŵer: Castell Conwy. William Daniell, 1813.

Gyferbyn: 19. Tyrau Tywysogion: Castell Dolbadarn ar graig ym mhen draw Bwlch Llanberis. Hwn oedd un o gestyll Llywelyn Fawr, ac yma y cadwodd Owain Glyn Dŵr yr Arglwydd Grey, Rhuthun, yn wystl. J.M.W. Turner, tua 1799.

View of Conway Castle Caernarvonshire.

Y N
Y L L E
H W N

24

Tyrau'r teyrn

Yn y drydedd ganrif ar ddeg roedd gobaith y Cymry am annibyniaeth oddi ar Loegr yn gorwedd yn nwylo dau dywysog blaengar o Wynedd. Roedd Llywelyn Fawr, 1173–1240, rheolwr penigamp y Gymru ganoloesol, yn ddigon hyderus i ymateb yn chwyrn pan welodd fod un o arglwyddi'r Mers yn ymddwyn braidd yn rhy gyfeillgar tuag at ei wraig, Siwan. Fe'i crogodd! Yna, pan ddaeth ei ŵyr, Llywelyn ap Gruffudd, 1225–82, yn ddyn, dangosodd hwnnw hefyd bob arwydd o fod yn dywysog ac yn arweinydd addawol, un a allai uno'r wlad gyfan. Ond daeth llong ei obeithion benben â chraig gadarn Edward y Cyntaf, y cryfaf o frenhinoedd canoloesol Lloegr.

Prif amcan Edward oedd dod â Chymru a'r Alban dan ei reolaeth. Cythruddodd Llywelyn ef yn 1276 drwy wrthod talu

20. Gwae gelynion: maes y gad yn y canol oesoedd.

gwrogaeth ariannol iddo. Galwodd Edward yntau'n rebel, a chamu'n fras tua Chymru gyda'r bwriad o roi clatshen i'w thywysog ifanc haerllug. Meddiannodd diroedd Llywelyn a'i fwrw'n ôl i'r darn hwnnw o Wynedd sy'n gorwedd i'r gorllewin o Gonwy. Trwy wneud hyn, tynnodd bob ystyr o'i deitl 'Tywysog Cymru'.

Ym 1282, blwyddyn dyngedfennol, mentrodd Edward unwaith eto i Gymru, y tro hwn i roi terfyn ar wrthryfel brawd Llywelyn, Dafydd. Doedd gan Lywelyn ddim dewis – ymunodd yn y frwydr a chafodd ei ladd gan filwr o Sais mewn ymosodiad llwfr yng Nghilmeri ger Llanfair-ym-Muallt ar yr 11 Rhagfyr. Roedd yn hanner cant a saith mlwydd oed. Cludwyd ei ben ar bicell i Lundain, yn atalnod llawn, du a hyll yn hanes Cymru'r cyfnod a'i brwydr am annibyniaeth. Anfonodd Edward neges at y Pab yn Rhufain i ddweud bod Cymru wedi darfod amdani.

Erbyn 1283 roedd Dafydd wedi ei gipio a'i ddadberfeddu'n fyw yn Amwythig. I lawer un yng Nghymru roedd y byd ar ben: 'Och hyd atat-ti, Dduw, na ddaw môr dros dir!' oedd galargan Gruffudd ab yr Ynad Coch.

Adeiladodd y brenin gaer ar ôl caer i gadarnhau ei goncwest. Roedd pob castell yn ddwrn caregog yn wyneb y Cymry. Codwyd muriau y Fflint, Rhuddlan, Llanfair-ym-Muallt ac Aberystwyth ar ôl rhyfel 1277; Conwy, Caernarfon a Harlech ar ôl curo Llywelyn; a Biwmares ar ôl gwrthryfel gwyllt 1294. Cyfarwyddwr cynllunio'r campweithiau pensaernïol hyn oedd Iago o Sain Siôr, brodor o Savoy yn Alpau Ffrainc. Roedd yn awdurdod ar godi caerau yn y Dwyrain Canol a Thwrci. Mae'n rhyfedd meddwl bod castell Caernarfon wedi cael ei ysbrydoli gan gadarnfuriau Caer Gystennin, a daeth y gaer

*21.
Y genedl mewn
galar:* Brut y
Tywysogyon
*yn cofnodi marw
Llywelyn ein
Llyw Olaf.*

*22. Muriau'r
concwerwyr:
Castell Caernarfon,
Moses Griffith.*

hon yng Ngwynedd i fod yn brif symbol o goncwest Edward y Cyntaf.

Fel meistr gwaith y brenin yng Nghymru, galwodd Iago ar fyddinoedd o seiri, masiyniaid, gofaint, a phob math o grefftwyr o Loegr i le penodol yng Nghaer. Oddi yno cawsant eu hanfon i bob cwr o Gymru. Cyrhaeddodd cerrig a phren, haearn, rhaffau a hoelion ar fwrdd llongau o Fryste a Lerpwl. Yn ystod y tymor adeiladu, rhwng Ebrill a Thachwedd, roedd tua 4,000 o ddynion wrthi ddydd a nos yn codi cestyll. Codwyd Conwy yn gyflym, dros gyfnod o bedwar tymor. Yng Nghaernarfon aeth un gof meddylgar ati i roi pigau haearn ar ben cerflun y Brenin er mwyn atal adar digywilydd. Bum canrif yn ddiweddarach, disgrifiodd yr awdur Thomas Pennant gestyll Edward fel 'bathodynnau ein darostyngiad'. Ond roedden nhw hefyd yn sefyll fel arwydd o wrthdystiad y bobl.

Ym 1296, anfonodd Iago neges i'r Trysorlys yn gofyn am fwy o arian at y gwaith adeiladu, gan rybuddio am ddialedd y Cymry: 'As you well know', meddai, 'Welshmen are Welshmen and if there is war with France and Scotland we shall need to watch them all the more closely. Sirs, for God's sake be quick with the money.'

Gwagiwyd coffrau'r brenin gan yr holl frwydro yn erbyn Cymru. Gwariodd £80,000 ar gestyll a thair gwaith yn fwy na hynny ar ymgyrchoedd i geisio rhoi trefn ar y Cymry a bu'n rhaid iddo fenthyg symiau sylweddol gan fancwyr o'r Eidal. Roedd y gwariant mawr hwn yn y wlad drws nesaf yn ei atal rhag gwireddu ei gynllun i ddarostwng yr Alban a chreu un Brydain gwbl unffurf.

Pan goncrodd Edward Gymru roedd ganddi boblogaeth o chwarter miliwn, sef un rhan o ddeuddeg o'r hyn yw hi heddiw. Ar y cyfan,

trigai'r bobl ar aelwydydd gwasgaredig; nid oedd fawr ddim pentrefi, dim ond cylchoedd o fath o gwmpas eglwys. Roedd eu bywyd mor syml â bywyd y mynachod; roedden nhw'n byw ar geirch, caws, menyn a chig. Pan ddeuai'r gwanwyn, arferent symud gyda'u creaduriaid i'r hafod, y cartref ar y bryn, a symud yn ôl i'r hendre, eu prif aelwyd yn y dyffryn, gyda dyfodiad yr hydref.

Ymgartrefodd y masnachwyr Seisnig a'r swyddogion o fewn cysgod diogel y cestyll, yn drefedigaethwyr breintiedig a ddirmygai'r Cymry brodorol, ail-ddosbarth ar wasgar tu hwnt i'r clwydi. Wedi'r goncwest hon bu'n rhaid i'r genedl isel ei hysbryd wneud y gorau ohoni. Doedd ganddyn nhw ddim hawl i gario arfau na phrynu tir na masnachu, ac mewn rhai llefydd, dim hawl i facsu cwrw hyd yn oed. Roedden nhw wedi eu hesgymuno o fewn eu gwlad eu hunain, a phrin iawn oedd yr adegau pan fyddai Cymry'n cael unrhyw swydd o bwys.

Serch hyn, roedd hi'n hawdd iawn i filwyr o Gymru gael gwaith. Roedden nhw heb eu hail am drin bwa-saeth. Roedd blynyddoedd o ryfela wedi troi'r Cymry gwydn yn filwyr praff, a dihangodd nifer o wŷr ifanc rhag y gormes gartref drwy listio fel milwyr cyflogedig yn lluoedd y Saeson, gan ymladd yn erbyn yr Albanwyr a'r Ffrancod. Cawsant gyfle i weld rhyw ychydig ar y byd ac roedd eu harian yn gyfraniad mawr i'r economi gartref. Gyda chymorth chwe mil o filwyr Cymreig, yn drawiadol o wahanol yn eu gwisgoedd gwyn a gwyrdd, llwyddodd y Tywysog Du i drechu'r Ffrancod yn Crecy ym 1346 – y frwydr gyntaf i'w hennill â bwa-saeth o bellter yn hytrach na thrwy ymladd agos â chleddyf. Yn ôl rhai, dyma'r frwydr y gwisgodd y Cymry'r genhinen am y tro cyntaf, er bod traddodiad yn dweud i Ddewi Sant annog ei bobl i wisgo cenhinen wrth amddiffyn eu tiroedd rhag y gelyn.

Yna daeth y Pla Du, haint mwyaf dinistriol hanes, yn gymysgedd o bla llygod mawr ac, o bosibl, anthracs neu'r clwyf du. Lladdodd dros draean o boblogaeth Ewrop ym 1348 a 1349. Daeth â'i gryman i Gymru, gan ladd mwy na chwarter poblogaeth y wlad. Mae'n bosibl ei fod wedi cipio hyd yn oed y bardd Dafydd ap Gwilym. Trawodd y wlad bedair

gwaith eto yn ystod y bedwaredd ganrif ar ddeg, gan ychwanegu at drallod y newyn. Gwasgodd y perchnogion tir ar y rhai a oroesodd y pla i dalu trethi trymach fyth, gan gipio eu heiddo oni bai eu bod yn cydymffurfio. O dipyn i beth, tyfodd y cwynion yn erbyn yr arglwyddi trachwantus a brath eu deddfau, nes troi'n daran fygythiol. Erbyn mis Medi 1400 torrodd y storm dros Gymru wrth i Owain Glyndŵr arwain gwrthryfel.

23. Cadarnle: cipiodd Owain Glyndŵr Harlech ym 1404, a'i droi'n bencadlys. Ym 1409 cipiodd y Saeson y castell drachefn, gan garcharu gwraig Owain a'i blant. Ffotograff gan arlunydd anhysbys, tua 1860.

Y sêr *wedi* syrthio

Ni chafwyd erioed y fath sgarmes ddinistriol yng Nghymru. Llosgwyd trefi a phentrefi a chododd cwmwl o fwg dros y wlad gyfan. Gorweddai'r meirw'n ulw a llusgai'r byw eu hunain yn newynog dros gaeau gwyllt a nentydd gwaed. Dinistriwyd y felin a'r faenor gan filwyr.

Roedd yr ymladd yn ei anterth yn ystod blynyddoedd cynnar y bymthegfed ganrif, a'r Cymry ar dân eisiau dial ar y Saeson a'u gwthio allan. Roedd Owain wedi galw. Roedd hi'n bryd rhoi terfyn ar gaethwasiaeth! Fe'i galwyd yn Dywysog Cymru, a chafodd gefnogaeth gan y bobl, yn fyddigion ac yn werin, a chan wŷr yr eglwys a myfyrwyr o Rydychen a ddaeth yn ôl i ymuno â'i achos. Rhwng 1402 a 1404, llosgodd lwybr drwy'r wlad fel comed filwrol. Ar y cyfan tactegau arweinydd *guerrilla* oedd ganddo, a'i wŷr yn symud yn chwim dros lwybrau'r mynyddoedd a oedd mor gyfarwydd iddynt; ond gallai hefyd arwain byddinoedd lluosog yn llwyddiannus. Cynyddodd ei awdurdod yng Nghymru a goresgynnodd Forgannwg a Gwent, gan reoli darnau helaeth o'r tiroedd isel. Ymosododd ar Gaernarfon a Chydweli a chipiodd y cestyll yn Aberystwyth a Harlech.

Wrth i'w ymgyrch gyrraedd uchafbwynt ym 1404, cynhaliodd senedd ym Machynlleth a Harlech, gan esbonio beth oedd ei gynlluniau ar gyfer y sefydliadau a fyddai'n bwydo'r gyfundrefn Gymreig: prifysgolion ac eglwys annibynnol. Ffurfiodd gynghrair gyda Ffrainc a dod i gytundeb â theuluoedd Percy a Mortimer o Loegr i rannu tiriogaethau. Pe byddai wedi bod yn llwyddiannus, byddai hyn wedi golygu bod rhan o diroedd ymylon Lloegr wedi dod dan reolaeth Cymru.

Ar ôl pedair blynedd o ryfel, roedd gafael y Saeson ar Gymru yn llacio. Roedd Glyndŵr yn ymddangos fwyfwy fel y mab darogan a addawyd i'r genedl yn y proffwydoliaethau

24. Gwŷr meirch Owain Glyndŵr.
Margaret Jones, 2000.

25. *Y Mab Darogan:
Owain Glyndŵr.
A.C. Michael,
tua 1915.*

hynafol, a rhoddodd hyn ysbrydoliaeth iddo.

Ond yn dilyn pob llanw mae trai. Yn ystod blynyddoedd cynnar y rhyfel roedd Harri IV yn brin o arian. Ym 1404, trosglwyddodd awenau'r frwydr yng Nghymru i'w fab, Harri V, dyn a chanddo sgiliau milwrol ymhell y tu hwnt i'w ddeunaw oed. Ac erbyn hyn, roedd gan frenhiniaeth Lloegr fwy o arian i'w wario. Ailhogwyd yr arfau gyda brwdfrydedd miniog ac roedd arfau brenin Lloegr dipyn gwell na rhai Owain. Yn raddol, lladdwyd nerth ac ysbryd y Cymry. Erbyn 1410 roedd Owain Glyndŵr wedi diflannu ac erbyn 1414 roedd gwrthryfel diwethaf y Cymry ar ben.

Pan drechwyd Glyndŵr, roedd Cymru wedi ei choncro unwaith eto. Ailorseddwyd awdurdod y Sais yn y wlad ac aethpwyd ati i gryfhau'r cestyll o'r newydd. Doedd Harri V ddim yn arbennig o ddialgar, ond hawliodd bris, serch hynny. Bu'n rhaid i'r dynion a ymladdodd ar ochr Glyndŵr blygu glin a thyngu llw o ffyddlondeb i'r brenin – a dyna'n union a wnaethon nhw, yn eu miloedd. Gwerthodd swyddogion y Saeson bardwn i gyn-filwyr am grocbris ac aethpwyd ati hefyd i adnewyddu'r hen sancsiynau. Ac o ddrwg i waeth yr aeth y dirmyg, y sarhad a'r drwgdeimlad a oedd wedi bwydo cwyn y Cymry cyn y rhyfel.

Cymro *yn* Llundain?

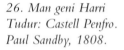

Drigain mlynedd ar ôl storm Glyndŵr dyma'r beirdd yn mynd ati o'r newydd i ddarogan gwae. Roedd un o feibion Tuduriaid Môn, Rhys, wedi cefnogi Owain Glyndŵr ac wedi cael ei ddienyddio am hynny. Fodd bynnag, roedd mab Rhys, Owain, wedi sicrhau swydd iddo'i hunan yn llys Harri V, a phan fu farw'r brenin ym 1422, dyma Owain yn priodi ei weddw Catherine, merch brenin Ffrainc, a hynny'n gyfrinachol. Ym 1461, yn ystod Rhyfeloedd y Rhosynnau, a'r brwydro hirfaith am goron a gorsedd Lloegr, dienyddiwyd Owain yntau yn Henffordd.

Carcharwyd ei ŵyr ifanc yng nghastell Rhaglan rhwng 1461 a 1470. Harri Tudur oedd y gŵr hwn, a aned ym 1457 i'r aeres Margaret Beaufort, a hithau ond yn dair ar ddeg mlwydd oed. Erbyn 1471, a'i fywyd dan fygythiad o du'r Iorciaid, ffodd Harri yn alltud i Lydaw. Aeth Siasper, Iarll Penfro ac ewythr Harri Tudur, gydag ef.

Yn ystod pedair blynedd ar ddeg ei alltudiaeth, cynllwyniodd Siasper i wneud ei nai yn frenin Lloegr. Roedd ei hawl i'r goron yn go ansicr ond roedd canu'r beirdd yn darogan mai'r Harri hwn fyddai'r Brenin

26. Man geni Harri Tudur: Castell Penfro. Paul Sandby, 1808.

Arthur newydd, y gwir Frython, a fyddai'n dod i adennill brenhiniaeth Ynys Prydain. Roedd Harri, mewn gwirionedd, yn hanner Sais, a chwarter Ffrancwr, ond roedd y chwarter ohono a oedd yn Gymro yn cario baner y ddraig goch gyda balchder. Y ddraig goch hon oedd baner Cadwaladr, cyndaid enwog Harri Tudur, ac un o dywysogion y seithfed ganrif.

Roedd y balchder hwn yn ddigon. Ac ym 1485, yn wyth ar hugain mlwydd oed, glaniodd yn Aberdaugleddau, nid nepell o'r man y'i ganed ym Mhenfro, a gorymdeithio bob cam i Hirfynydd ger y Trallwng.

Hyd y dydd heddiw mae modd gweld y bryn hwnnw o'r ffordd fawr ac mae'n hawdd dychmygu Harri'n galw ar benaethiaid llwythau'r Cymry, yn eu plith Rhys ap Tomos o Ddinefwr, i ymuno ag ef yn ei frwydr am goron Lloegr. Croesodd i mewn i Loegr ac, o fewn pythefnos, roedd wedi curo Rhisiart III ym Mosworth. Ymladdai dan faner saith troedfedd ar hugain ac arni ddraig goch Cadwaladr ar gefndir gwyrdd a gwyn. Ymhen amser, dyma fyddai baner genedlaethol Cymru. Gyda'r teitl Harri VII sefydlodd deyrnasiad brenhinol y Tuduriaid. Ef oedd yr olaf i gipio coron Lloegr drwy rym y cleddyf.

Roedd Cymru wrth ei bodd yn gweld coron Lloegr yn ddisglair ar ben Cymro. A chan wybod yn iawn beth oedd manteision chwarae'r gêm, dyma Harri'n mynd ati i enwi

27. Gyrrodd awel y de gychod Harri Tudur o Harfleur i Gymru ymhen chwe niwrnod. Yn ôl yr hanes, glaniodd ei filwyr ger Aberdaugleddau fin nos ar y 7 Awst. Map o Gymru (rhan), Christopher Saxton.

ei fab cyntaf-anedig yn Arthur. Wrth iddo gynnal y chwedl, roedd y chwedl yn ei gynnal ef. Roedd teyrngarwch Cymru'n angenrheidiol iddo. Gwobrwyodd ei gefnogwyr drwy roi iddynt swyddi pwysig yn ei lys a phenododd ei ewythr Siasper yn rheolwr ar Gymru a'r Mers. Am y tro cyntaf yn y bymthegfed ganrif daeth Cymry yn esgobion ac yn siryfion.

Ac eto i gyd, roedd Harri'n gwybod hefyd fod dangos ffafriaeth i un garfan yn esgor ar gasineb mewn carfanau eraill, a ffrwynodd yr ychydig gariad a oedd ganddo tuag at Gymru. Yn ystod pedair blynedd ar hugain ei deyrnasiad ni ddychwelodd erioed i Gymru.

Ond roedd ei bresenoldeb yn Llundain yn ei gwneud hi'n dref ddeniadol i Gymry eraill, a daeth twr o gyfreithwyr, gwŷr busnes, ysgolheigion, meddygon a gweision sifil i weithio yno. Roedden nhw i gyd yn medru'r Saesneg.

Wedi marw Arthur, daeth ei ail fab, Harri VIII, yn frenin, gan etifeddu coron ddiogel ac aeth ati i greu yr hyn a alwodd ef yn deyrnas unedig. Roedd Deddf Uno 1536 – y ddeddf a fynnodd fod Cymru'n dod yn rhan o Loegr – yn ganolbwynt i'w bolisïau. Y meddyliwr mawr y tu ôl i'r ddeddf hon oedd ysgrifennydd y brenin, Thomas Cromwell, ac yn ôl y ddeddf roedd gan y Cymry saith ar hugain o seddi yn y senedd, yr hawl i etifeddu eiddo ac i gael yr

un breintiau â'r Saeson – cyn belled â'u bod yn peidio â siarad Cymraeg. Yn enw unffurfiaeth, penderfynwyd mai Saesneg oedd unig iaith y llysoedd a'r weinyddiaeth yng Nghymru. Nid oedd gan y Cymro uniaith hawl i swydd gyhoeddus. Yn y bôn, roedd y deddfau newydd hyn yn cadarnhau gafael awdurdod y Saeson ar Gymru ac yn cadarnhau'r undeb a oedd eisoes yn bodoli oddi ar Statud Rhuddlan ym 1284. Yr adeg honno crëwyd siroedd Caerfyrddin, Ceredigion, Meirionnydd, Môn, Caernarfon a Fflint a nawr, dan ddeddf newydd Harri VIII, cafwyd trefn ar siroedd Mynwy, Brycheiniog, Maesyfed, Trefaldwyn, Dinbych, Morgannwg a Phenfro.

Er mwyn bod yn unffurf, gwnaed Saesneg

28.
Ufuddhewch!
Portread o
Harri VIII
ar Rôl Pledion
Sesiwn Fawr
Sir Frycheiniog,
1542.

yn unig iaith y llys, ac unig iaith awdurdod a gweinyddiaeth yng Nghymru. Doedd gan y Cymro uniaith ddim gobaith o gael swydd gyhoeddus. Galwyd y gyfundrefn weinyddol newydd yn gyfundrefn y Sesiwn Fawr, a bu mewn grym tan 1830. Dan y system hon, rhoddwyd rhan flaenllaw i dirfeddianwyr Cymru yn y gwaith o gadw cyfraith a threfn. Nhw oedd yr ynadon newydd. Ar yr un pryd, gwelwyd nifer fawr o Gymry'n gadael eu mamwlad ac yn symud i Lundain i wneud eu ffortiwn fel masnachwyr a gwŷr busnes a chyfreithwyr.

Ond nid y Ddeddf Uno oedd unig newid mawr Harri. Yn ystod y 1530au aeth Thomas Cromwell ac yntau ati i ddiwygio'r eglwys, gan ddod ag awdurdod y Pab i ben yng Nghymru a Lloegr a chreu hollt yng Nghristnogaeth Ewrop. Roedd y brenin yn poeni'n enbyd y byddai Sbaen a Ffrainc, dwy wlad Babyddol, yn ceisio ymosod ar Brydain drwy Gymru er mwyn gwyrdroi ei ddiwygiad. Yn y cyfamser, gan ei fod yn drybeilig o brin o arian, dyma ddechrau dymchwel y mynachlogydd, gan ddwyn cyfoeth saith a deugain ohonynt yng Nghymru. Ysbeiliodd hwy, gan gipio plwm, gwydr, cerrig a thrysorau o bob math a throi'r adeiladau urddasol hyn yn adfeilion truenus. Aeth y bonedd ysglyfaethus ati i brynu tiroedd yr abatai, a bu'n rhaid i'r mynachod hwythau adael eu celloedd tawel i geisio ennill bywoliaeth fel offeiriadon plwyf.

29. Cadarnle
Arglwyddi'r Mers:
Castell y Fenni.
S. Sparrow, 1784.

30. Crud y Tywysog: Castell
Dolwyddelan. Yn ôl rhai, ganed
Llywelyn Fawr yma ym 1173.
Samuel a Nathaniel Buck, 1743.

31. William Morgan gan Keith Bowen, 1988, cynllun stamp i gofnodi 400 mlwyddiant cyhoeddi Beibl William Morgan.

32. Y Gair yn gysegrlân: yr Efengyl yn ôl Mathew ym Meibl William Morgan, 1588.

Gair
i gall

Un o gamau mwyaf pellgyrhaeddol hanes oedd dyfeisio'r wasg, ac yn gyflym iawn trodd y cropian cynnar hwn yn gerdded ac yn rhedeg. Tua 1453 aeth Johannes Gutenberg, gof aur o Mainz yn yr Almaen, ati i adeiladu gwasg gyda llythrennau symudol o blwm a thun. Argraffodd y llyfr cyntaf erioed, sef Beibl Lladin, ym 1455–56. Cyn dyddiau argraffu, byddai copïwr traddodiadol wrthi'n llafurio i atgynhyrchu llawysgrifau gydag ysgrifbin ac inc. Byddai angen dros hanner blwyddyn ar y copïwyr proffesiynol hyn i orffen un Beibl. Gallai gwasg Gutenberg gynhyrchu cannoedd o gyfrolau mewn chwe mis, a hynny, wrth gwrs, yn llawer rhatach.

Cyn bo hir roedd gweisg yn argraffu gwaith ym mhob cwr o Ewrop – yn Rhufain, Milan, Paris, Lyon a Valencia. Argraffwyd cerddoriaeth ym 1473. Y llyfr cyntaf yn Saesneg oedd hanes Caerdroea a llawlyfr ar sut i chwarae gwyddbwyll. Ond yn Bruges, Gwlad Belg, ac nid yn Lloegr yr argraffwyd y rhain a hynny gan y cyfieithydd William Caxton. Hwn oedd y gŵr a sefydlodd y wasg gyntaf yn Llundain ym 1476 a chyhoeddodd tua naw deg o lyfrau, dros saith deg ohonynt yn Saesneg, gan gynnwys gwaith Geoffrey Chaucer a gwaith poblogaidd Sir Thomas Malory am y chwedlau Arthuraidd – *Morte d'Arthur*.

O fewn hanner can mlynedd oddi ar cyhoeddi'r Beibl cyntaf arloesol hwnnw, roedd argraffwyr ar hyd a lled Ewrop wedi cyhoeddi 40,000 o deitlau ac ugain miliwn o lyfrau. Roedd Harri VIII yn berchen llyfrgell ac ynddi dros 1,000 o weithiau. Roedd argraffu yn rhan annatod o fywyd bellach, a hwn oedd y glo a fwydodd dân y Dadeni a Diwygiad yr eglwys.

Roedd hi'n gwbl amhosibl i'r eglwys Babyddol atal llif y pamffledi a gyhoeddwyd gan y Protestaniaid. Ac yn y 1520au dyma William Tyndale a Thomas Cranmer yn ateb y galw am Feibl yn Saesneg.

Gan fod y sawl a fedrai'r Saesneg yn awr yn medru darllen y Beibl drosto'i hunan, roedd mwy a mwy o bobl yn gallu cyfrannu at y ddadl ym myd crefydd, ac o dipyn i beth, collodd yr eglwys ei hawdurdod: nid ei swyddogion hi oedd yr unig rai a feddai'r atebion mwyach. Roedd gwybodaeth o fewn cyrraedd llawer un. Gwelodd ysgolheigion Cymru bwysigrwydd cael llyfrau yn Gymraeg, gan ofni pe na byddai'r Gymraeg yn cael ei dyledus barch mewn print yna byddai'n siŵr o edwino. Eu dadl nhw oedd mai dim ond ychydig o Gymry a fedrai'r Saesneg, a heb Feibl Cymraeg byddai poblogaeth y wlad yn amddifad o ras gair Duw. Roedd hyn, yn ôl eu safbwynt nhw, yn atal twf a datblygiad y Diwygiad. Ym 1563 lluniodd cyfreithiwr o Sir Ddinbych, William Salesbury, ynghyd â chriw o gefnogwyr, ddeddf seneddol breifat yn mynnu y dylai esgobion Cymru a Swydd Henffordd argraffu Beibl a Llyfr Gweddi yn Gymraeg. Pan roddodd y Frenhines sêl ei bendith ar y cynllun, roedd hi'n amlwg ei bod hi'n ofni y gallai'r Pabyddion ddal gafael yng Nghymru. Byddai Beiblau Cymraeg yn gerrig cadarn yn amddiffynfa'r Protestaniaid yn erbyn y fath beth.

William Salesbury ei hun a ddechreuodd y gwaith, ond roedd ei gyfieithiad o'r Testament Newydd a'r Llyfr Gweddi, a welodd olau dydd ym 1567, yn glogyrnaidd ac yn anodd ei ddarllen.

Un mlynedd ar hugain yn ddiweddarach, ym 1588, dyma William Morgan, offeiriad Llanrhaeadr-ym-Mochnant, yn cyhoeddi ei gampwaith athrylithgar, Y Beibl Cysegr-lân, yn gyflawn, a hwnnw mewn Cymraeg gloyw. Derbyniodd yr esgobion orchymyn i osod y Beibl Cymraeg hwn ochr yn ochr â'r cyfieithiad Saesneg yn eu heglwysi, fel bod y Cymry'n dod i ddeall am air Duw a dysgu Saesneg ar yr un pryd. Roedd dirwy o ddeugain punt i unrhyw esgob a dramgwyddai'r rheol.

Ond nid felly'n union y bu. Daeth Beibl William Morgan nid yn unig i fod yn angor i'r ffydd Brotestannaidd yng Nghymru, ond hefyd yn gerbyd pwerus i gario diwylliant yr iaith Gymraeg. Roedd y cyfieithiad grymus yn farddoniaeth i glust y Cymry; llifai'r adnodau'n rhwydd. Roedd y wlad wedi ei gwefreiddio wrth glywed ei hiaith ei hunan yn canu'n bersain. Heb os, roedd cyhoeddi'r Beibl hwn yn gam pwysig yn hanes yr iaith Gymraeg.

Yna, ym 1630, gwelwyd cyhoeddi'r argraffiad cyntaf o'r Beibl Bach, a daeth hwn yn ddylanwad mawr yng nghartrefi miloedd o Gymry. Mae'n amhosibl mesur cyfraniad William Morgan tuag at ddatblygiad ein cenedl.

33. Byw yn y wlad:
Bedydd yn Llanbadarn,
gan arlunydd Cymreig
cyntefig, tua 1840.

Bonedd gwlad

Roedd cyfnod teyrnasiad Elizabeth y Cyntaf a'i holynydd Iago'r Cyntaf – y cyfnod rhwng 1558 a 1625 – yn un llewyrchus iawn i dirfeddianwyr Cymru. Daeth rhai yn gyfoethog drwy gloddio glo a phlwm, eraill drwy fasnach fyd-eang wrth i'r gorwel ymestyn hyd at America a gwledydd y Dwyrain. Prynodd Thomas Myddelton, un o sylfaenwyr masnachol yr East India Company, arglwyddiaeth y Waun a daeth yn arglwydd faer Llundain ym 1613. Gwnaeth Richard Clough o Ddinbych ei ffortiwn yn Antwerp ac ef oedd yr ail o bedwar gŵr Catrin o Ferain.

Cafodd hon gymaint o blant nes cael ei hadnabod ymhlith y bonedd fel Mam Cymru.

Drwy briodasau gofalus daeth y tirfeddianwyr hyn yn berchnogion ar erwau lawer, nes yn y pen draw roedd Cymru gyfan bron i gyd yn eiddo i gnewyllyn bach o bobl y plas. Am y ddwy ganrif nesaf hawliodd yr union deuluoedd hyn holl seddi'r senedd hefyd. Roedden nhw'n rheoli'r ddaear a'r ddeddf. Ac o dipyn i beth trodd eu golygon tua'r dwyrain. Daeth eu holl agwedd at fywyd yn fwyfwy Seisnigaidd. Byddent yn anfon eu meibion i gael eu haddysg yn Lloegr ac yn gwahodd gwŷr Lloegr i briodi eu merched. O ran diwylliant, arferion, crefydd ac iaith, roedd bwlch mawr yn tyfu rhwng y bonedd a'r werin, a'r gwŷr mawr yn debycach i Saeson na Chymry.

Yn ystod Rhyfel Cartref Lloegr yr ail ganrif ar bymtheg, arhosodd bonedd Cymru ar y cyfan yn deyrngar i Siarl y Cyntaf wrth iddo ymladd yn erbyn grym y senedd, ond doedd fawr ddim dyfnder i'r teyrngarwch hwn. Gan bryderu am ddyfodol eu hystadau bras, cadw'n dawel a wnâi'r rhan fwyaf. Ac o ran y brenin, ei unig ddiddordeb yng Nghymru oedd ei chael yn lloches yr ochr draw i afon Hafren, man cyfleus i gyrraedd Iwerddon a ffynhonnell barod i sicrhau arian a milwyr. Gwrthododd cannoedd o Gymry listio yn y fyddin; a hithau'n gyfnod o bla a chynaeafau gwael, roedd bywyd yn ddigon caled heb ofynion creulon y fyddin i ychwanegu at y baich.

Cefnogodd ambell sgweier o Gymro achos y senedd. Trechodd Thomas Myddelton o'r Waun y brenhinwyr ym mrwydr Trefaldwyn. Newidiodd John Williams o Gonwy, archesgob Efrog, ei liw gan adael achos y brenin er mwyn cefnogi'r senedd ym 1646. Ond yn gyffredinol,

anesmwyth oedd y bonedd yn ystod rheolaeth biwritanaidd Oliver Cromwell fel Arglwydd Amddiffynnydd yn y 1650au, a theimlo rhyddhad a wnaeth y rhan fwyaf pan ddaeth Siarl II yn frenin a rhoi diwedd ar gampau Cromwell. Roedd hyd yn oed Thomas Myddelton wedi blino ar Cromwell, ac ef, a neb llai, oedd y gŵr a gyhoeddodd mai Siarl oedd y brenin newydd.

Yn y cyfnod hwn, roedd mwyafrif y Cymry addolgar yn mynychu'r eglwysi Anglicanaidd. Dim ond ambell deulu o Babyddion a Phiwritaniaid eithafol oedd yn y wlad. Yn ôl cyfrifiad 1676 roedd 153,000 o Anglicaniaid yng Nghymru, 4,000 o Anghydffurfwyr a 1,000 o Babyddion.

Ond, yn anochel, po fwyaf o bobl a fedrai ddarllen, mwyaf oll oedd y perygl y byddai'r Beibl yn cael ei ddehongli o'r newydd ac yn groes i ddysgeidiaeth draddodiadol yr eglwys. Roedd hadau cyntaf Anghydffurfiaeth eisoes wedi eu plannu cyn dyddiau'r Rhyfel Cartref, ac ym 1639 daeth y criw dewr cyntaf ynghyd yn Llanfaches, Sir Fynwy, i ffurfio'r cwrdd Anghydffurfiol cyntaf yng Nghymru. Yn ystod 1660 a 1670 carcharwyd nifer fawr o Grynwyr ar sail eu cred, gynifer ohonynt nes i amryw

34. Llyfrgell y llawysgrifau: Peniarth, Llanegryn.

35. Cyfarfod cyntaf y
Methodistiaid yng
Nghymru ym 1743:
Y Sasiwn Gyntaf,
John Cennick, Joseph
Humphreys, John Powell,
William Williams,
George Whitefield, Daniel
Rowland a Howel Harris.
Hugh Williams, 1912.

ymfudo i America ym 1682 a ffurfio'r
drefedigaeth a adwaenir heddiw yn
Pennsylvania. Bu'n rhaid i'r Anghydffurfwyr
cynnar hyn gwrdd yn y dirgel. Un diwrnod
taflodd yr awdurdodau bedwar ar hugain
o addolwyr i'r carchar, ar ôl eu dal mewn
cyfarfod yn nhŷ fferm Blaencannaid ger
Merthyr Tudful. Daeth Deddf Goddefiad ym
1689 a roddodd ganiatâd i Anghydffurfwyr
gwrdd mewn capeli trwyddedig ar yr amod
fod y drysau heb eu cloi; ond nid oedd gan
unrhyw un a addolai mewn capel fel hyn
yr hawl i gael swydd gyhoeddus.

Fodd bynnag, roedd Anghydffurfiaeth wedi
bwrw ei gwreiddiau. A chafodd y gwreiddiau
hyn nodd i dyfu'n ddwfn drwy angerdd y
pregethwyr a thrwy frwydr Griffith Jones

Llanddowror yn erbyn anllythrennedd. Yn
ystod tridegau'r ddeunawfed ganrif aeth ati
i hyfforddi dynion ifanc i deithio drwy gefn
gwlad Cymru i ddysgu'r werin sut i ddarllen
y Beibl. A thrwy gydol y gaeaf, pan oedd gan
bobl fwy o amser fin nos, cynhaliwyd ysgolion
cylchynol â'u drysau led y pen ar agor i bawb
– yn ddynion, yn ferched, yn hen ac yn ifanc.

Parhaodd yr ysgolion hyn mewn grym am
dros ddeng mlynedd ar hugain, ac addysgwyd
degau o filoedd o deuluoedd. Roedd y darllen
brwd hwn yn anogaeth i ddadlau a thrafodaeth
grefyddol a chynyddodd y galw am lyfrau.

Ac yntau'n bregethwr grymus, ysbrydolodd
Griffith Jones ladmeryddion tanbaid fel Howel
Harris a Daniel Rowland. Ynghyd â'r pregethwr
a'r emynydd toreithiog William Williams,

36. Oriel yr
anfarwolion:
enwogion
y pulpud
Cymreig.

Pantycelyn, bu'r triawd hwn yn flaenllaw yn y gwaith o hybu achos y Methodistiaid. Erbyn 1750 roedd dros 400 o gymdeithasau Methodistaidd yn ffynnu yng Nghymru.

Wrth i'r mudiad fynd o nerth i nerth, gwasgodd ar nifer o hen draddodiadau byd y ffair a chanu a dawnsio. Daeth pobl i wgu ar yr hen arferion o ymladd ceiliogod a chwarae coets a phêl-droed ar ran ogleddol (a lleiaf sanctaidd) y fynwent. Ildiodd yr hwyl hwn i syberdod y Saboth.

Ym 1789, sefydlwyd yr ysgolion Sul gan Thomas Charles o'r Bala, a thrwyddynt gwelwyd gwaith arloesol Griffith Jones yn parhau. Thomas Charles hefyd oedd yr un a gymerodd y cam chwyldroadol o dorri'r Methodistiaid yn rhydd oddi wrth yr eglwys Anglicanaidd. O hynny ymlaen penododd y Methodistiaid eu gweinidogion eu hunain, ac o blith y gweinidogion hyn daeth rhai o arweinwyr mwyaf carismataidd Anghydffurfiaeth Cymru.

Bro breuddwydion

Fel pob prifddinas, roedd Llundain yn gyrchfan i bobl a fynnai weld gwireddu breuddwydion. Genedlaethau'n gynharach, roedd Harri VII wedi agor drysau Llundain i gyfreithwyr ac anturiaethwyr o Gymru, ac yn ystod y ddeunawfed ganrif, Llundain oedd y lle a welodd dwf diwylliant yr iaith Gymraeg i raddau helaeth, a hynny am nad oedd gan Gymru dref ddigon mawr i fodloni archwaeth llenorion a chyhoeddwyr ac ysgolheigion. Nid oedd ganddi na phrifysgol na llyfrgell ychwaith.

Gan fod dyddiau Cymru fel gwlad annibynnol wedi dirwyn i ben, dros dro o leiaf, tueddai'r llenorion alltud ganu'n angerddol am y gorffennol disglair. A daeth Cymry Llundain yn bobl bwysig ym mywyd diwylliannol Cymru. Sefydlwyd Anrhydeddus Gymdeithas y Cymmrodorion ym 1751 a Chymdeithas y Gwyneddigion ym 1770. Cyhoeddodd eu haelodau gylchgronau ac aethon nhw ati i gasglu a chopïo llawysgrifau. Mewn tafarndai a thai coffi ar hyd y ddinas ymgasglai gwerthwyr llyfrau, clerigwyr, hynafiaethwyr ac awduron o bob math i wrando ar ddatganiadau ar y delyn ac i glywed cerddi diddan.

Ond o holl Gymry Llundain y cyfnod, y mwyaf egnïol a blaengar, heb os, oedd Edward Williams, neu Iolo Morganwg – prif awdur Cymru'r dychymyg a chwedlonwr ysbrydoledig. Athrylith o ddyn ac un a gefnogodd bob math o ymdrechion i ddod â bri i enw cenedl y Cymry. Ac o blith ei holl gyfraniadau gwerthfawr, mae'n siŵr mai sefydlu cymdeithas Gorsedd y Beirdd yw un o'r mwyaf nodedig. Ym 1792 cynhaliodd y seremoni gyntaf ar Fryn Briallu yn Llundain. Gadawodd Iolo lawysgrifau lu i lyfrgell genedlaethol Cymru, a hynny bedwar ugain o flynyddoedd cyn ei sefydlu!

Erbyn hynny, roedd twf addysg yn ôl adref yng Nghymru wedi lleihau pwysigrwydd gweithgaredd diwylliannol Cymry Llundain i raddau, a chollodd y Cymmrodorion dipyn o afael yn y 1780au. Ganrif yn ddiweddarach, ym 1873, fe'i hailsefydlwyd yn gymdeithas fictoraidd ei naws ac yn fwy modern, yn yr ystyr ei bod yn ymddiddori mwy yng Nghymru'r presennol a'r dyfodol yn hytrach na'r gorffennol. Deuai ei haelodau o blith capelwyr, siopwyr a chyfreithwyr y ddinas a'u prif gonsýrn oedd addysg. Gwelodd y Cymmrodorion, felly, achos teilwng iawn yn yr alwad am brifysgol, amgueddfa a llyfrgell genedlaethol i Gymru.

37. Nodyn newydd: casgliad cynharaf alawon traddodiadol y Cymry gan John Parry, y telynor dall, a argraffwyd yn Llundain ym 1742. Gyda hwn y ganed cofnodi cerddoriaeth seciwlar yng Nghymru.

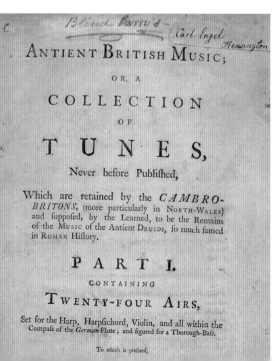

Etched by Robert Cruikshank. — from a memoriter drawing by E.W.

Edward Williams.
Bardd Braint a Defod.

*38. 'Iolo, old Iolo,
Bardd Braint a Defod':
ysgythriad gan Robert
Cruikshank sy'n dudalen
flaen* Recollections and
Anecdotes of Edward
Williams, *gan Elijah
Waring, 1850.*

Y deyrnas ddu

Yn ystod haf 1802, daeth yr Arglwydd Nelson gyda'i feistres a'i gŵr hithau, Syr William Hamilton, i ymweld â gwaith haearn yr enwog Richard Crawshay ym Merthyr Tudful. Diolchodd Nelson i'r dynion a wnaeth y canon, sef taran arswydus y Llynges Frenhinol. Ar arwyddlun personol Richard Crawshay roedd triongl o beli canon, i'w atgoffa, mae'n siŵr, o'r cyfoeth a'i gwnaeth yn un o filiwnyddion cyntaf Prydain ac yn gawr ym myd newydd technoleg tân ac ager.

Galwai rhyfeloedd y ddeunawfed ganrif am gyflenwad cyson o fwledi a gynnau ac arfau o bob math. Ac roedd Nelson yn ymwybodol iawn o'i ddyled i weithwyr haearn Cymru a hefyd y gweithwyr copor. Roedd angen copor i gadw'r llongau'n ddiogel rhag archwaeth y pryfed taradr-môr a allai gnoi drwy bren mewn dim amser. Thomas Williams, perchennog Mynydd Parys, oedd yr un a ddarparai'r copor hwn iddo. Roedd Mynydd Parys ar Ynys Môn yn ffynhonnell gyfoethog o gopor, a thrwy hyn daeth Thomas Williams yn frenin y diwydiant yn ystod y 1770au.

Tyfodd Cymru ar sail ei chyfoeth tanddaearol. Roedd y Rhufeiniaid wedi cloddio am ei haur, ei chopor a'i harian. Roedd tirfeddianwyr y canoloesoedd wedi cloddio am blwm a haearn a glo, ac erbyn y ddeunawfed ganrif roedd Cymru'n datblygu i fod yn wlad ddiwydiannol o bwys, yn un gloddfa fawr. Roedd y gwaith cynhyrchu haearn yn y Bers, Sir Ddinbych, yn ei anterth o tua'r 1760au ymlaen dan feistrolaeth John Wilkinson. Roedd ganddo dymer mor danbaid â'i ffwrneisi, a gwnaeth ffortiwn yn gwneud bareli gwn a silindrau ar gyfer peiriannau stêm.

Ailfedyddiwyd yr ardal o Hirwaun i Flaenafon yn 'the black domain' gan arolygwyr y llywodraeth. Nid lle i'r gwangalon oedd hwn. Roedd y Meistri Dur yn credu mewn masgynhyrchu er mwyn gwneud elw ar draul waeth pwy na beth. A chododd y simneiau anferth uwch Merthyr a Blaenafon fel temlau i dduwiau trachwant. Hyd heddiw mae ôl y gwaith yn gallu codi arswyd.

Bu'r ceffylau pwn a chart yn cario'r haearn yn ddiwyd o'r cymoedd i borthladd Caerdydd nes dyfodiad y camlesi yn y 1790au. Gallai ceffyl gario llwyth o 300 pwys ar ei gefn a thynnu 600 pwys mewn cart, ond gallai dynnu ugain tunnell ar fwrdd bad ar gamlas. Roedd cynllunio'r camlesi hyn yn waith anodd, fodd bynnag, gan fod y tirlun yn droellog, a rhwng Merthyr a Chaerdydd roedd dros hanner can llifddor yn rheoli dyfnder y dŵr. Serch hynny, roedd y camlesi'n darparu trafnidiaeth rad, ac wrth edrych arnynt heddiw, mae'n anodd peidio â rhyfeddu at ddyfeisgarwch yr adeiladwyr a'r cynllunwyr.

Ym 1805 cododd Thomas Telford bont dros ddyffryn afon Dyfrdwy i gludo camlas ar fwâu drwy'r awyr. Yna, ym 1826, cynlluniodd yr un athrylith bont grog dros y Fenai. Ac, ym 1804, ddwy flynedd yn unig ar ôl ymweliad Nelson â Merthyr, adeiladodd Richard Trevithick y trên cyntaf i redeg ar reilffordd. Roedd y 'peiriant stêm symudol' hwn yn gallu cysylltu gwaith haearn Penydarren â'r gamlas a oedd dros ddeng milltir i ffwrdd. Hyd heddiw gellir gweld y blociau carreg a ddaliai'r rheilffordd yn ddiogel.

Mynydd tân oedd Merthyr y dyddiau hynny a phedwar gwaith haearn anferth Dowlais, Cyfarthfa, Plymouth a Phenydarren yn goleuo'r awyr. Roedd yr ardal wedi denu 7,000 o bobl ac yn tyfu'n gyflym i fod yn ganolbwynt haearn a diwydiant Prydain. Am y trigain mlynedd nesaf, Merthyr fyddai tref fwyaf Cymru, ac yn ôl yr hanesydd Thomas Carlyle, dyma oedd uffern ar y ddaear. Roedd y tai yn gyntefig a diffyg systemau glanweithdra yn golygu bod haint yn lledaenu'n hawdd. Ym 1841 bu farw hanner y plant cyn cyrraedd pum mlwydd oed. Roedd y gwaith yn beryglus a dienaid. Lladdwyd dynion, menywod a phlant mewn damweiniau niferus. Ym 1830, golygfa gyffredin oedd gweld cant o fenywod yn sefyll mewn rhes yn disgwyl eu tro i gael bwcedaid o ddŵr o unig ffynnon lân y dref.

Ac eto, roedd Merthyr a'r trefi cyfagos yn fagned i filoedd o ddynion ifanc cefn gwlad. Roedd mwg y dwyrain diwydiannol yn cynnig mwy o gyflog nag awyr iach y gorllewin. 'Dyma'r lle am arian' oedd neges eu llythyron adref.

Erbyn 1830 roedd Merthyr yn orlawn â thua 30,000 o Gymry radical, ifanc yn gwasgu i'w strydoedd. Cymraeg oedd iaith y mwyafrif ac yn ogystal â'r fyddin o weithwyr caib a rhaw,

roedd yn eu plith grefftwyr balch a dawnus. Rhyngddynt fe sefydlwyd eisteddfodau a gweisg a phamffledi, a'r cyfan yn ysbryd anghydffurfiol eu llinach. Yma, efallai'n fwy nag yn unman arall, tyfodd ymdeimlad o ddosbarth gweithiol ac anniddigrwydd cymdeithasol a liwiodd ysbryd Merthyr yn y cyfnod cyn y Ddeddf Ddiwygio.

Torrodd y Meistr Haearn, William Crawshay, gyflogau yng Nghyfarthfa ym Mehefin 1831, a dyma'r gweithwyr cynddeiriog yn llifo i'r strydoedd â'u protest groch. Ymosododd tyrfa ar gartref barnwr lleol a llosgi cofnodion y llys. Roedd terfysg Merthyr wedi dechrau, a chyda hynny, y gwrthdaro cyntaf rhwng y gweithwyr diwydiannol a'r rheolwyr Anglicanaidd. Galwodd yr awdurdodau am y fyddin a chododd y werin faner goch. Dechreuodd y milwyr saethu at y dyrfa a lladd tua phump ar hugain o bobl. Daliwyd Dic Penderyn, un o'r gwrthdystwyr, a'i gyhuddo o anafu milwr. Fe'i crogwyd yng Nghaerdydd a'i gladdu yn Aberafan. Gorfodwyd un arall o'r gwrthdystwyr i gael ei gludo i Awstralia.

Wedi'r Ddeddf Ddiwygio cafodd y tirfeddianwyr reolaeth etholiadol, ond roedd blas chwerw iawn yng ngheg y gweithwyr a hwythau'n dal heb yr hawl i fwrw pleidlais. Ym 1839 gwrthryfelodd gweithwyr y melinau gwlân yn Llanidloes, gan gefnogi 'Siarter y Bobl' a fynnai'r bleidlais i'r bobl gyffredin. Ym mis Tachwedd y flwyddyn honno, ymunodd miloedd o Siartwyr dan un faner a gorymdeithio i Gasnewydd yn Sir Fynwy. Lladdwyd oddeutu ugain ohonynt gan filwyr ac achosodd y colli gwaed hwn ddrwgdeimlad enfawr rhwng y gweithwyr a'r cyflogwyr. Ymrannodd mudiad y Siartwyr yn wahanol garfanau yn y 1840au a'r 1850au, a daeth lleisiau newydd i wrthwynebu'r drefn.

39. Y dudalen nesaf: tân yn y tir: cymoedd diwydiannol y de. Penry Williams, tua 1825.

40. Blynyddoedd blin:
y Siartwyr yn ymosod
ar westy'r Westgate yng
Nghasnewydd, 1839, gan
James Flewitt Mullock.

Roedd cryn anniddigrwydd yng nghefn gwlad Cymru hefyd rhwng 1815 a 1850 gyda chynaeafau gwael, newyn, methiant y banciau a diweithdra yn creu sefyllfa o ddiflastod llwyr. Roedd rheolau Deddf y Tlodion yn llym ofnadwy ac mewn un achos nodedig dygodd y bwmbeili wely oddi ar glaf. Codwyd un wyrcws ar ôl y llall wedi 1832 i roi lloches i'r rhai tlotaf ond roedd adroddiadau am greulondeb yn y 'cartrefi' hyn yn frith ac aeth terfysgwyr ati yng Nghaerfyrddin ac yn Arberth i'w dymchwel. Yn y cyfamser, roedd degwm yr eglwys a rhenti uchel yn achosi problemau dybryd i ffermwyr, ac roedd casineb mawr rhwng y werin a'r bonedd uchel-ael, a'r gwŷr mawr mor barod â'u dedfrydau hallt wrth eistedd ar fainc yr ynadon.

Mewn gair, roedd Cymru wledig ar ei phengliniau, a doedd y ddau gynhaeaf gwael ym 1838 a 1839 yn gwella dim ar bethau. Arweiniodd y wasgfa hon at Derfysg Beca, ac ym 1839 daeth tyrfa o ddynion ynghyd liw nos, wedi eu gwisgo mewn dillad merched, i ddryllio clwydi'r tollbyrth. Roedd y clwydi hyn yn symbol pwerus o'r gormes yng nghefn gwlad. Roedd symud anifeiliaid a nwyddau ar hyd y ffyrdd yn costio crocbris i'r tyddynwyr a'r ffermwyr, ac roedden nhw wedi cael digon ar y trethi gormesol. Dair blynedd yn ddiweddarach daeth Merched Beca yn ôl, y tro hwn yn gryfach ac yn fwy chwerw fyth.

41. Llosgi i'r llawr: Merched Beca
yn ymosod ar y clwydi a'r wyrcws,
symbolau eu gormes. Ysgythriad
tua 1843, The Welsh Rioters.

Yn ddu *ac* yn las

Iglerigwyr uchelgeisiol roedd Cymru yn ardal ymylol a thlawd ac yn lle i'w osgoi os oedd hi'n bosibl. Yn ystod y ddeunawfed a'r bedwaredd ganrif ar bymtheg, doedd gan fawr neb o blith yr esgobion a benodwyd yng Nghymru unrhyw afael ar yr iaith Gymraeg nac unrhyw gysylltiad â Chymru ychwaith o ran hynny. Roedd Richard Watson, Esgob Llandaf, yn byw yn Cumbria ac yn dod i'w esgobaeth unwaith y flwyddyn. Roedd llawer o'r clerigwyr yn ymddwyn fel caplaniaid i deuluoedd y bonedd, ac roedd gan y curad enw mewn sawl llan o fod yn feddwyn. Roedd Thomas Burgess yn eithriad nodedig. Bu'r Sais hwn yn Esgob Tyddewi am dros ugain mlynedd o 1803, a rhoddodd ddegfed ran o'i incwm i sefydlu coleg yn Llanbedr Pont Steffan er mwyn addysgu clerigwyr.

Roedd twf Anghydffurfiaeth yn ystod y 1830au a'r 1840au yn cyd-fynd â thwf diwydiant. Nid oedd yr eglwys yn gallu denu digon o glerigwyr i wasanaethu'r niferoedd mawr o bobl a ymfudai o'r wlad i weithfeydd haearn a glo de Cymru. Daeth y capeli i lenwi'r bwlch. Ym Merthyr ym 1840 roedd un eglwys a dwsin o gapeli, ac yn ôl cyfrifiad crefydd 1851, roedd 1,180 o eglwysi yng Nghymru a 2,769 o gapeli. Yn ôl yr un cyfrifiad doedd dros hanner y boblogaeth ddim yn mynychu'r naill na'r llall.

Yn y capeli roedd y ffermwyr, y crefftwyr, y glowyr a'r gweithwyr i gyd yn gydradd; yma hefyd roedd cyfle iddynt drafod syniadau a rhoi min ar eu daliadau gwleidyddol. Roedd Anghydffurfiaeth yn bwydo anfodlonrwydd y werin a'u hatgasedd o bŵer y tirfeddianwyr a degwm yr eglwys.

Ym 1840 cododd William Williams, un o gynrychiolwyr Coventry, gwestiwn yn Nhŷ'r Cyffredin am safonau addysg yng Nghymru, yn arbennig ar fater dysgu Saesneg yn yr ysgolion. Canlyniad yr holi hwn oedd arolwg a esgorodd ar ddadlau ffyrnig a hirdymor. Credai rhai o blith swyddogion y llywodraeth ein bod ni'n genedl anodd, yn wrthryfelgar a threisgar, yn rhy barod o lawer i godi'r faner goch a dymchwel clwydi, a chredai nifer mai'r rheswm dros yr anufudd-dod hwn oedd ein hanallu i siarad Saesneg. Dyma beth oedd yn ein cadw ni'n bell o'r eglwys ac yn tanseilio ein parch at gyfraith a threfn. Addysg Saesneg oedd yr ateb! Dywedodd un Aelod Seneddol y byddai hi'n rhatach o lawer i anfon ysgolfeistr i blith pobl beryglus y cymoedd nag anfon y fyddin i gadw rheolaeth! Roedd rhaid cynnal arolwg addysg, felly, a hynny ar fyrder.

Arweiniwyd yr ymchwil gan dri arolygwr ei mawrhydi, tri chyfreithiwr o Sais, yn ifanc ac yn gwbl ddi-glem am Gymru a'i phobl a'i hysgolion. Casglodd y tri dystiolaeth gan glerigwyr Anglicanaidd yn bennaf, a'r rheini'n amlwg yn gwrthwynebu poblogrwydd y capeli.

Pan ddaeth yr adroddiad ym 1847, fe'i rhwymwyd mewn cloriau glas a llenwodd dair cyfrol. Roedd yn gwbl ddamniol. Dywedodd fod plant Cymru yn derbyn addysg israddol mewn adeiladau annigonol iawn. Roedd peth gwirionedd yn hyn. Ond aeth yr adroddiad yn llawer pellach. Roedd yn llawn beirniadaeth am Gymru ei hunan, ei hiaith a'i phobl ac roedd yn adlewyrchu rhagfarn boblogaidd y Saeson yn ein herbyn. Ym marn yr arolygwyr roedd anwybodaeth o'r Saesneg yn gyfystyr ag anwybodaeth o bopeth. Yn eu tyb nhw, roedd y Cymry wedi eu llyffetheirio gan iaith a oedd yn eu cadw rhag datblygiad moesol. Er eu bod wedi gweld rhai Cymry glân a gweithgar, roedd yr adroddiad yn tynnu sylw mawr at anffodusion meddw, brwnt ac at ferched anniwair: 'Want of chastity is the giant sin of Wales'. Tystiodd un Anglicanwr fod y capeli yn ogofâu i bob math o anfoesoldeb rhywiol. Ac ar ben hynny, nododd yr arolygwyr fod y tirlun yn dlawd a diflas. Aeth un mor bell â thwt-twtian am ei fod wedi gorfod defnyddio ymbarél: roedd Cymru nid yn unig yn anfoesol ond hefyd yn wlyb. Roedd bom yn cuddio rhwng y cloriau gleision glân.

Ffrwydrodd yr adroddiad. Hyd heddiw mae cryn drafodaeth ar oblygiadau'r adroddiad a'i effaith. Ymatebodd llawer yn chwyrn, gan ei ddilorni a'i ddifrïo. Ym 1854 cafwyd drama ddychan ar y pwnc gan R.J. Derfel yn dwyn y teitl *Brad y Llyfrau Gleision*. Roedd y teitl yn chwarae ar eiriau, gan gyfeirio at Frad y Cyllyll Hirion – y wledd Sacsonaidd chwedlonol pan drywanwyd y gwesteion Brythoneg gan y Sacsoniaid. Yn sicr, roedd

pobl Cymru yn gweld yr adroddiad fel brad.

Wedi'r holl enllib, gwaethygodd y berthynas rhwng y mwyafrif Anghydffurfiol a'r lleiafrif Anglicanaidd. Defnyddiodd y Saeson y sylwadau am ymddygiad rhywiol y Cymry fel cyfle i'w pardduo am 'animal habits' a 'the most savage barbarism'. Ym 1860 dyma *The Times* yn datgan mai'r iaith Gymraeg oedd melltith Cymru. Roedd yr ymateb yng Nghymru yn dangos yn glir pa mor sensitif oedd y Cymry i sarhad gan y Saeson a'u bod yn teimlo'r sylwadau i'r byw.

Daeth yr adroddiad i'r casgliad mai'r unig ffordd i achub Cymru oedd trwy'r Saesneg. Ac yn senedd Lloegr, lle nad oedd gan yr aelodau'r syniad lleiaf o natur lengar y Gymraeg nac ychwaith o Gymru'n gyffredinol, derbyniwyd y casgliad yn ddi-gwestiwn. Yn rhyfeddol, derbyniwyd y casgliad gan lawer yng Nghymru hefyd. Ymhlith y rhain, roedd ambell arweinydd Anghydffurfiol a gredai fod ennill parch drwy droi'n gymdeithas syber a Saesneg ei hiaith yn bwysicach na dim. Roedd nifer yn credu hefyd ei bod hi'n hen bryd i Gymru gael dosbarth canol dysgedig, a phrifysgol er mwyn bod yn gydradd â Lloegr.

Ar y llaw arall, roedd nifer yn ddig iawn wrth adroddiad y Llyfrau Gleision ac, i ryw raddau, dyma'r dicter hwnnw'n diffinio ymhellach hunaniaeth Cymru ac yn rhoi min ar wladgarwch y Cymro o'r newydd. Efallai'n wir i'r adroddiad ysbrydoli awen Evan James, Pontypridd, wrth iddo roi llais i'w gariad tuag at Gymru ym 1856 yn y gerdd 'Mae Hen Wlad fy Nhadau' – cân a ddaeth yn anthem genedlaethol i ni. Wrth ymosod ar foesau'r Cymry, taflodd yr adroddiad yr iaith Gymraeg, gwladgarwyr, Methodistiaid ac Anghydffurfwyr drwy'r trwch i'r un rhwyd. O wneud hyn, dyma'r Methodistiaid, a oedd tan yr adeg

42. Brad y Llyfrau Gleision: Syr James Kay-Shuttleworth, a fu'n gyfrifol am arwain yr arolwg i addysg yng Nghymru, yn cael ei ddychanu a'i alw'n Scuttleworth (hefyd yn Gathercoal) a'i bortreadu gyda bwced glo ar ei ben mewn cartŵn o waith Hugh Hughes. Yn ei sanau, gwelir ei draed fel carnau'r diafol. Mae gan y tri arolygydd, Lingen, Johnson a Symons, glustiau mul. 1848.

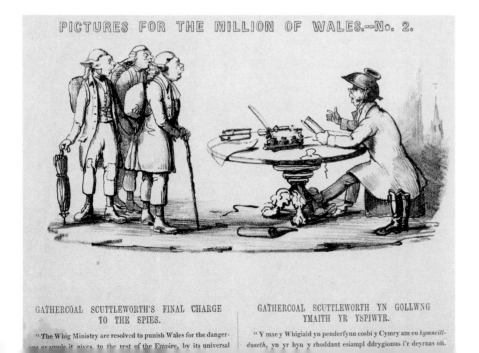

PICTURES FOR THE MILLION OF WALES.--No. 2.

GATHERCOAL SCUTTLEWORTH'S FINAL CHARGE TO THE SPIES.

GATHERCOAL SCUTTLEWORTH YN GOLLWNG YMAITH YR YSPIWYR.

"The Whig Ministry are resolved to punish Wales for the danger-ous example it gives to the rest of the Empire, by its universal

"Y mae y Whigiaid yn penderfynu cosbi y Cymry am eu *hynneill-duaeth*, yn yr hyn y rhoddant esiampl ddrygionus i'r deyrnas oll.

43. Gweld yn y dirgel: Y Diaconiaid. John Petts, 1950.

44. Capel Coffa William Ambrose, 'Emrys', Porthmadog, tua 1875.

45. Ar wib i'r Ynys Werdd: agorwyd pont haearn Thomas Telford, Pont Menai, ym 1826. Hon oedd y gyntaf o'r pontydd crog. Gwelir yn y blaendir bont rheilffordd Stephenson. Golwg orllewinol o Bont Britannia a Phont Menai, 1850.

honno wedi cadw eu pig allan o wleidyddiaeth, yn ymuno gyda'u cyd-Anghydffurfwyr ac yn galw am ddiwygiad etholiadol.

Erbyn hyn roedd Anghydffurfiaeth yn fam i Gymreictod ac i ddiwylliant Cymru. Taflwyd yr hen hanes i'r naill ochr, a daeth stori newydd am Gymru radical yn rhan o'r sgript genedlaethol. Trwy berfformiadau grymus y pregethwyr a'u hawdurdod cynyddol rhoddodd Anghydffurfiaeth ei stamp ei hunan ar ddelwedd y wlad. Rhwng popeth, datblygodd Cymru oes Fictoria i fod yn un capel mawr dirwestol a'r sabath yn gonglfaen syber. Trodd y corau mawr a'r gymanfa ganu Gymru gyfan yn 'Wlad y Gân', gwlad wedi ei dal rhwng grym creadigol y capeli a'u cred yng ngwerth addysg, democratiaeth a brawdgarwch ar y naill llaw, a'u culni a'u cynnen enwadol ar y llaw arall.

Gyda thwf diwydiant tyfodd ffyniant Cymru.

Roedd y rheilffyrdd newydd yn galw'n groch am haearn, a Chymru yn medru ateb y gofyn. Glyn Ebwy oedd yr efail a luniodd reilffordd arloesol Stockton–Darlington ym 1825. A daeth athrylith y peiriannydd Isambard Brunel â'r ffordd ddur o Ferthyr i Gaerdydd a chyda hynny ddyfodiad oes y rheilffordd i Gymru ym 1841. Daeth pont enwog Robert Stephenson, Pont Britannia, dros y Fenai â chyswllt uniongyrchol rhwng Dulyn a Llundain drwy Gaergybi, ac roedd nifer o ffyrdd eraill drwy Gymru yn cludo cerbydau rhwng Lloegr ac Iwerddon.

Menter uchelgeisiol yr Ardalydd Bute a welodd agor ddociau Caerdydd ym 1839, a'r dociau hyn a drodd y dref yn borthladd o bwysigrwydd byd-eang. Ym 1850 roedd Cymru'n cynhyrchu mwy o lo na haearn a dal i gynyddu a wnaeth gwaith glowyr cymoedd y de wrth i'r Llynges Frenhinol benderfynu ym 1851 mai stêm glo Cymru fyddai'n gyrru eu llongau rhyfel. Erbyn canol 1860 roedd Ardalydd Bute a'r peiriannydd David Davies o Landinam wedi cyrraedd gwythiennau cyfoethog o lo yn ddwfn yn naear Rhondda wledig. Cludodd rheilffyrdd y de y glo hwn i Gaerdydd, Abertawe a Chasnewydd, a bu rheilffyrdd y gogledd yn brysur yn cario llechi o chwareli Blaenau Ffestiniog, Llanberis a Bethesda i Borthmadog a Chaernarfon. Roedd Cymru ddiwydiannol yn grud i'r gŵr busnes a'r teicŵn.

46. Aur du Caerdydd: gyda dyfodiad Dociau Bute, datblygodd Caerdydd i fod yn ganolbwynt egni oes Fictoria. Wilson, 1849.

47. Y Simne Fawr:
cardiau post o'r cymoedd,
tua 1905–10.

48.

49.

50. Yr arloeswr ifanc:
Ymhlith y criw cyntaf
o ymfudwyr Cymreig
i Batagonia yr oedd
Henry Davies, pum
mlwydd oed, gyda'i
fam a'i chwaer ar
fwrdd y Mimosa.
Bu farw ei fam
a'i frawd a'i chwaer
yn ystod y fordaith.
Mabwysiadwyd Henry.

Dros nos roedd Cymru wedi troi'n faes glo enfawr. Trawsnewidiwyd y tirlun, a lle gynt y bu coed a bryniau ac afonydd, roedd yn awr simneiau ac olwynion a rheilffyrdd. Ac o gylch y sioe, roedd amffitheatr o dai teras yn gwylio'r cyfan. Yng nghysgod y domen a'r tip safai neuaddau'r glowyr, tafarnau a chapeli, a thu ôl i ddrysau'r adeiladau hyn gwelwyd ffurfio cymdeithas ryfeddol ac egnïol. Roedd pobl yn mewnlifo o bob cwr o'r wlad ac o wledydd eraill hefyd, a nifer yn symud allan – rhai i gyfandiroedd pell. Erbyn 1890 roedd dros 100,000 o Gymry'n byw yn Unol Daleithiau America. Mentrodd eraill i Awstralia, ac ym 1865 hwyliodd teuluoedd o Gymru i sefydlu Cymru newydd ym Mhatagonia.

Ond un ffactor bwysig yn y symud hwn oedd y 360,000 o bobl a adawodd ffermydd a phentrefi cefn gwlad i chwilio am waith yng nghymoedd y de. Roedd yr aur du yn cynnig cyfle iddyn nhw ddod o hyd i waith a diwylliant yn eu gwlad eu hunain – a'r symudiad hwn, o'r gorllewin i'r dwyrain,

a roddodd flas mor Gymreig i'r cawl yn y cymoedd. Ffynnodd llenyddiaeth Gymraeg, barddoniaeth a newyddiaduraeth, ond, er bod yr iaith yn cael ei siarad gan lawer, nid iaith yr ysgol mohoni.

Tua'r un pryd, denodd y gwaith fewnlifiad o Iwerddon a Lloegr, yn arbennig o ardal Gwlad yr Haf a Chaerloyw. A chyn bo hir, roedd acenion Seisnig iawn i'w clywed ar strydoedd Pontypridd. Roedd graddfa'r mewnlifiad o Loegr wedi tyfu mor fawr nes peri i'r Gymraeg golli gafael. Ar ddechrau'r 1850au roedd deuparth y boblogaeth yn siarad Cymraeg yng Nghymru ac, yn achos y rhan fwyaf, hon oedd eu hunig iaith. Wrth i'r boblogaeth dyfu, cododd nifer y siaradwyr Cymraeg hefyd, o 750,000 ym 1851 i 930,000 ym 1901. Erbyn 1911 roedd nifer y siaradwyr Cymraeg ar ei uchaf ac wedi cyrraedd 977,000, ond, am y tro cyntaf, roedd y siaradwyr hyn hefyd yn y lleiafrif, yn llai na deugain a phedwar y cant o'r boblogaeth, a thrwy gydol yr ugeinfed ganrif parhau a wnaeth y dirywiad hwn.

*51. Y coleg
ger y lli.*

*52. Addysgu Cymru: staff yng
Ngholeg Prifysgol Cymru,
Aberystwyth, tua 1890.*

Doedd tlodi, prinder tir a gormes y meistri yn gwneud dim i ysgafnhau baich y Cymry cefn gwlad. Yn ystod etholiadau 1859, mynnodd rhai o'r bonedd Anglicanaidd fod eu tenantiaid yn bwrw pleidlais drostyn nhw; dywedodd un dirfeddianwraig wrth ei thenantiaid yng Ngheredigion, pe na bydden nhw'n gadael y capel a dechrau mynd i'r eglwys, yna byddai'n rhaid iddyn nhw adael eu tyddynnod. Gyda diwygiad etholiadol 1867, fodd bynnag, clywyd llais y ffermwyr bach a'r gweithwyr cyffredin mewn trefi fel Merthyr, Caerdydd ac Abertawe. Blwyddyn bwysig yn hanes etholiadol Cymru felly oedd 1868 pan welwyd Henry Richard, yr Anghydffurfiwr grymus, yn cyrraedd y senedd i gynrychioli Merthyr.

Yn ystod yr un etholiad trodd Thomas Gee, yr argraffwr radical o Ddinbych, yn erbyn perchnogion yr ystadau mawr ac, yn y pen draw, gwelwyd y Blaid Ryddfrydol yn cipio un ar hugain allan o ddeg ar hugain o'r seddi

yng Nghymru. Dyma ddechrau ar gyfnod o fwyafrif Rhyddfrydol yng Nghymru, cyfnod a barodd tan 1922. Dull y meistri o ddial oedd taflu'r tenantiaid anufudd o'u haelwydydd.

Roedd cefn gwlad Cymru yn un brotest fawr yn ystod y 1880au. Gwrthododd y ffermwyr dalu degwm yr eglwys ac roedd yr awdurdodau'n barod iawn i anfon milwyr i gadw trefn. Dyffryn Clwyd oedd calon 'rhyfel y degwm'. Roedd y werin hefyd yn chwerw ar sail gorthrwm y cipar a'r stiward tir. Yn waeth fyth, roedd y meistri wrthi'n brysur yn llenwi cytundebau'r tenantiaid gyda chymalau anghyfreithlon ac yn cadw at y Deddfau Helwriaeth yn llawdrwm iawn. Ond daeth deddfwriaeth 1888, gan symud cryn dipyn o awdurdod y meistri a'i drosglwyddo i ddwylo'r cynghorau sir newydd. Tawodd y stormydd ar y tir ryw ychydig ond parhaodd yr Anghydffurfwyr gyda'r frwydr i ddatgysylltu'r Eglwys yng Nghymru a mynnu annibyniaeth oddi wrth Eglwys Loegr.

53. *Glas y terasau:*
Heol Sardis, Pontypridd.
The Rugby Match,
Ronald H.J. Lawrence,
1984.

Tramwyai'r trenau glo yn ôl ac ymlaen o'r porthladd i'r cwm, ddydd a nos. Chwyddodd Caerdydd yn swigen dew. Ailfedyddiodd dynion y papurau newydd ardal y dociau a chrochan lliwgar Tiger Bay, yn 'Hell's Acre'. Wedi ei gythruddo gan y costau enfawr a hawliodd Ardalydd Bute am gludo nwyddau o ddociau Caerdydd, aeth David Davies, Llandinam, ati i godi dociau newydd yn y Barri ym 1880 ac, ymhen amser, trafodai'r dociau hyn fwy o lo na Chaerdydd. A draw yn y Gyfnewidfa Lo yng Nghaerdydd, yng nghanol twrw a bargeinio dros bris yr aur du, daeth dau ynghyd i ysgwyd llaw ar y ddêl gyntaf erioed o filiwn o bunnoedd.

Roedd Cymru ar dân eisiau gweld ei hunan yn wlad fodern gyda sefydliadau blaengar Cymreig. Rhwng 1840 a 1860 casglwyd digon o geiniogau prin i godi coleg prifysgol yn Aberystwyth ym 1872. Un mlynedd ar hugain ar ôl agor drysau'r 'Coleg ger y Lli' sefydlwyd Prifysgol Ffederal Cymru gyda

cholegau eraill yng Nghaerdydd a Bangor. Yn y 1870au cynyddodd y galw am lyfrgell genedlaethol ac amgueddfa. Ond cenedlaetholdeb diwylliannol yn hytrach na gwleidyddol oedd hwn ar y cyfan, a'i fynegiant mewn llif o lenyddiaeth, newyddiaduraeth ac addysg.

Roedd angen datblygu Cymreictod y corff yn ogystal â'r enaid. Sefydlwyd Cymdeithas Bêl-Droed Cymru ym 1876 a'r Undeb Rygbi Cenedlaethol bum mlynedd yn ddiweddarach. Daeth rygbi, gêm ysgolion bonedd Lloegr, i Gymru drwy'r dosbarth canol a chafodd ei mabwysiadu'n gynnes gan ddynion eofn y pentrefi glofaol. Yn ôl rhai Anghydffurfwyr sych, gêm y diafol oedd rygbi, ac yng Nghwm Tawe aeth criw o gapelwyr selog ati i lifio'r pyst. Ond tyfu a wnaeth poblogrwydd y gêm a'r genedl wrth ei bodd yn credu bod gan y Celt ryw athrylith unigryw a chwedlonol yn y gamp arbennig hon.

Copyright Photo by Wills, Cardiff.

Tom Williams (W.R.F.U.)   J. F. Williams   George Travers   Ack Llewelyn (Linesman)   Sir J. T. D. Llewelyn, Bart. (President W.R.F.U.)
C. M. Pritchard   J. J. Hodges   Willie Llewellyn   Dd. Jones   W. Joseph   R. T. Gabe
Teddy Morgan   Gwyn Nicholls (Captain)   H. B. Winfield   Cliff Pritchard   A. F. Harding
R. M. Owen   P. F. Bush

54. Y Tîm Rygbi Cenedlaethol, 1905.

"Cymru am Byth." **The Welsh Team,** which defeated New Zealand Dec. 16th, 1905, by 3 Points to Nil.

Hafau hyll *a* gaeafau blin

Streic Fawr y Penrhyn yn chwareli llechi gogledd Cymru rhwng 1900 a 1903 oedd yr anghydfod diwydiannol hiraf a welodd Prydain erioed. Dadl ydoedd rhwng y gwŷr mawr a'r werin. Roedd Arglwydd Penrhyn, Tori ac eglwyswr awtocrataidd, yn ddirmygus tuag at y chwarelwyr radical a'u capeli a'u

Anghydffurfiaeth a'u hiaith Gymraeg; roedd yn benderfynol o'u bychanu, a daeth y math hwn ar anghydfod yn nodwedd chwerw o hanes yr ugeinfed ganrif yng Nghymru.

Yn ystod y cyfnod Edwardaidd, fodd bynnag, roedd y glo a'r gwaith dur a masnach y porthladdoedd wedi dod â chyfoeth anghymharol i Gaerdydd, Abertawe, Casnewydd, Pontypridd, Llanelli, Castell-nedd, Wrecsam a threfi eraill. Brithwyd caeau bras glan afon Caerdydd ag adeiladau mor fawreddog o garreg Portland nes y daeth pobl i adnabod y dref fel 'the Welsh Washington'.

Roedd y tîm rygbi cenedlaethol yn ddiguro ar ôl ennill y Goron Driphlyg chwe gwaith rhwng 1900 a 1911 a churo Seland Newydd mewn buddugoliaeth fythgofiadwy ym 1905.

Daeth diwygiad syfrdanol 1904-05 a llenwi

corau'r capeli a chodi baner dirwest yn uchel.
Roedd gan Gymru 4,280 o gapeli ac ysgolion
Sul gorlawn. Er i'r rhan fwyaf o'r aelodau
newydd ddiflannu ar ôl ychydig flynyddoedd
yn unig, yn y cyfamser roedd y brwdfrydedd
dros achos Iesu Grist yn ffactor bwysig ym
muddugoliaeth ddi-gwestiwn y Rhyddfrydwyr
yn etholiad 1906 – cipiwyd pob un sedd yng
Nghymru ganddynt, ac eithrio sedd Merthyr
a aeth i Keir Hardie a'r Blaid Lafur.

Daeth David Lloyd George yn Ganghellor
y Trysorlys yn dair a deugain mlwydd oed a
dechrau gyrfa ddisglair ar frig gwleidyddiaeth
Prydain. Ei gyllideb ef, 'Cyllideb y Bobl', ym
1909 oedd cynsail y wladwriaeth les a rhan
o'r weledigaeth wleidyddol a gododd bont
rhwng dechrau'r ganrif a'r oes fodern.

Llifodd miloedd o ddynion ifanc i'r maes
glo ond colli eu hamynedd gyda'r perchnogion
fu eu hanes cyn pen dim, ac aeth y trafod
rhwng y meistri a'r gweithwyr yn fwyfwy
pengaled. Pan ymunodd 'Ffederasiwn
Glowyr De Cymru' â'r Blaid Lafur, ddeng
mlynedd ar ôl ei ffurfio ym 1898, roedd
ganddo aelodaeth o 120,000. Ond er gwaethaf
y cwyno, parhau i wrthod codi cyflogau a
gwella amodau diogelwch a wnaeth y
perchnogion. Ym 1910 roedd hi'n derfysg ar
strydoedd Tonypandy. Ymosodwyd ar siopau
a lladdwyd glöwr ar ôl gwrthdaro gyda'r
heddlu. Ar orchymyn Winston Churchill aeth
y milwyr i mewn i'r Rhondda ac arhosodd blas
cas y weithred hon yn chwerw ar dafodau'r
Cymry am flynyddoedd lawer. Ar ôl streic
y morwyr yng Nghaerdydd ym 1911 daeth
streic y rheilffyrdd yn Llanelli lle lladdwyd
dau ddyn dieuog.

Roedd y cymoedd fel pe baen nhw'n
bair i wrthdaro rhwng y dosbarth gweithiol
a'r meistri. Llyncodd glowyr adain chwith

55. Gwŷr y gyfraith:
heddlu yn y Rinc yn ystod
streic Tonypandy, 1910.

56. Stryd yn Nhonypandy ar
ôl terfysg 1910. Gorchuddiwyd
ffenestri'r siopau yn ystod y cythrwfl.

57. Y dringwr dewr:
Lloyd George yn ŵr ifanc.

58. Un o gerrig milltir yr ugeinfed
ganrif: cyflwynodd Lloyd George
yswiriant cenedlaethol ym 1911.
Yr oedd y cynllun a'r gŵr yn
boblogaidd iawn yng Nghymru.

59. A fi hefyd: darpar filwyr, 1914,
yn aros y tu allan i swyddfa recriwtio.

ddysgeidiaeth radical yn Ruskin, coleg y
gweithwyr yn Rhydychen, ac yn y 'Central
Labour College' yn Llundain. Ysgrifennodd
un ohonynt, y marcsydd Noah Ablett, ei
destun chwyldroadol *The Miners' Next Step*,
gan alw ar i'r gweithwyr feddiannu'r pyllau.
Cloddid 99 y cant o lo Cymru â llaw ar y
pryd ac roedd yn waith peryglus. Ym 1913
enillodd cyfranddalwyr arian mawr, diolch i
gynnydd yn y gwaith cynhyrchu glo ond, yn

60. Y ddraig yn rhuo
a'r Kaiser yn rhedeg:
Y Ddraig Goch a
Ddyry Gychwyn,
J. Kelt Edwards,
1916.

yr un flwyddyn, gwelodd y byd beth oedd
maint y perygl wrth i 439 o ddynion farw
yn nhrychineb Senghennydd, y trychineb
gwaethaf yn hanes diwydiannol Cymru.

Ym Medi 1914, chwe wythnos ar ôl
dechrau'r rhyfel, datganodd Lloyd George fod
rhaid ymladd er mwyn amddiffyn 'gwledydd-
bach-pum-troedfedd-pum-modfedd' Ewrop a
oedd yn dioddef yn sgil uchelgais yr Almaen.
Derbyniodd ei eiriau wrandawiad parod gan
glustiau'r Cymry pum-troedfedd-pum-modfedd.
Cefnogodd dynion a menywod, mynychwyr y
capeli a'r eglwysi, y glowyr a'r beirdd yr achos
yn frwd, ac fel cyfran o'r boblogaeth ymunodd
mwy o Gymru nag o Loegr a'r Alban yn
rhengoedd y fyddin, sef dros 280,000 i gyd.
Sefydlwyd Catrawd Gymreig ym 1914 a
chwaraeodd unedau Cymreig ran flaenllaw
mewn brwydrau ar hyd y ffrynt gorllewinol.
Ym 1917 daeth Cadair Ddu Eisteddfod
Genedlaethol Penbedw yn symbol creulon
o aberth yr ifanc, a'r gadair wag yn perthyn i
Hedd Wyn a gollodd ei fywyd ar faes y gad.

Gartref yng Nghymru roedd rhai yn llai na

61. Sigâr wedi swper: Lloyd George yng Nghricieth.

THE RIGHT HON. D. LLOYD GEORGE M. P.
AT HOME

Copyright

M. Roberts Series

62. Un diwrnod aeth i hela: criw
y plasty yn Sir Drefaldwyn, tua 1885.

theyrngar i'r union werthoedd gwaraidd yr
oeddynt yn honni ceisio'u hamddiffyn wrth
gefnogi'r rhyfel. Gyrrodd rhai un Athro
Almaeneg allan o Aberystwyth ac erlyn
un arall am fod ganddo Almaenes yn wraig,
ac roedd eu hymdriniaeth o wrthwynebwyr
cydwybodol yn greulon.

   Ac yntau'n Weinidog Arfau ac yna'n
Weinidog Rhyfel, galwodd Lloyd George
am ymladd ffyrnig hyd y diwedd. Dilynodd
Cymru ei yrfa gyda balchder. Pan gafodd
ei benodi'n Brif Weinidog ym mis Rhagfyr
1916 trodd Stryd Downing yn sefydliad

Cymreig iawn ei naws a Chymraeg ei iaith
yn aml. Dan faner 'y dyn a enillodd y rhyfel'
galwodd etholiad cynnar ym mis Rhagfyr
1918 a daliodd ei glymblaid Ryddfrydol-
Dorïaidd afael gysurus ar awenau grym.

   Roedd tirlun cymdeithasol Cymru yn y
flwyddyn 1918 yn annhebyg iawn i'r un tirlun
yn haf y flwyddyn 1914. Roedd deugain mil
o Gymry wedi eu lladd. Roedd y newidiadau
chwyrn a ddaeth yn sgil y rhyfel yn wahanol
iawn i oes ddiflanedig y cyfnod Edwardaidd.

   Roedd yr hen drefn yn colli gafael yng
nghefn gwlad wrth i'r sgweiar golli grym

gwleidyddol a cholli cyfoeth wrth i gostau rhedeg yr ystadau enfawr ddod yn dreth drom arno. Roedd gwrthwynebiad y capeli a phapurau newydd anghydffurfiol hefyd yn suro pleserau bod yn berchen tir. Rhwng 1918 a 1922 gwerthodd bonedd Cymru dros chwarter eu tir. Ond roedd baich morgeisi uchel yn ormod i nifer o'r tenantiaid a geisiodd brynu eu ffermydd eu hunain, a daeth dirwasgiad y 1920au a'r 1930au â dyddiau duon iawn i lawer. Trodd y plastai gwledig yn ysgolion, ac yn gartrefi nyrsio neu'n adfeilion trist. Bu'n rhaid i'r gwŷr mawr fodloni'n unig ar atgofion am bedair canrif o bŵer a pharch.

Ym 1920, gwelwyd diwedd ar hen gynnen: datgysylltwyd yr Eglwys Anglicanaidd yng Nghymru a chollodd ei statws fel crefydd swyddogol y wlad, gan ddod yn enwad fel pob enwad arall. Nid oedd seddi cadw gan ei hesgobion yn Nhŷ'r Arglwyddi mwyach ac ar ôl wyth canrif nid oeddynt bellach yn tyngu llw o ufudd-dod i Gaergaint.

Yn y cyfamser, collodd y capeli eu hapêl wrth i bobl ifanc droi eu cefnau ar wg y diaconiaid – roedd cyfarfodydd yr undebau llafur, y llyfrgelloedd a darlithoedd gwleidyddol yn fwy perthnasol iddyn nhw, ac roedd llawer mwy o hwyl i'w gael yn y sinemâu, y tafarnau, y meysydd rygbi a glan môr bnawn Sul nag yn y festri a'r sêt fawr. Roedd y gwenwyn yn storïau Caradog Evans yn wfftio culni hunangyfiawn y diaconiaid.

Yn ystod y 1920au gwawriodd dyddiau creulon o dwyllodrus ar Gymru. Yn y lle cyntaf roedd gwaith caled dros 272,000 o lowyr wedi cynhyrchu record o elw ond, yn fuan wedyn, daeth y dirwasgiad fel cancr a lledu drwy'r cymoedd i gyd. Bu'n rhaid i Gymru dalu'n ddrud am fod â chynifer o wyau mewn un

Cwymp y cedyrn:
63. isod: Bertholau, Llantrisaint, Sir Fynwy, 1997.
64. gwaelod: Tegfynydd, Llanfallteg, Caerfyrddin, 1998.

fasged. Cwympodd y cyfan, a sarnwyd ymerodraeth y glo dros nos. Yn dilyn cytundeb heddwch y Rhyfel Byd, bu'n rhaid i'r Almaen dalu glo fel iawndal i Ffrainc a'r Eidal, a dyna Gymru'n colli dau brynwr mawr. Newidiodd y Llynges Frenhinol o ddefnyddio glo i ddefnyddio olew ac, ym 1912, dyma holl lyngesau'r byd yn dilyn y ffasiwn. Ac wrth i'r

Unol Daleithiau a Gwlad Belg, Awstralia ac eraill ddatblygu eu diwydiant tun a dur eu hunain roedd colledion Cymru'n drwm.

A chymaint o ddiweithdra'n corddi'r cymoedd, collodd y llywodraeth ei thir. Oerodd angerdd yr Anghydffurfwyr tuag at yr achos Rhyddfrydol a throdd cannoedd i gefnogi'r Blaid Lafur. Roedd holl sylw Lloyd George fel petai wedi ei hoelio ar faterion tramor a doedd hyn fawr o gymorth i'w blaid yn nes adref; roedd pobl yn dechrau blino ar ei harddull arlywyddol hefyd. Erbyn Hydref 1922, ar ôl dwy flynedd ar bymtheg di-dor o lywodraethu, chwech ohonynt fel Prif Weinidog, roedd yr arwr o Lanystumdwy wedi ymddiswyddo. Yn yr etholiad nesaf, enillodd y Blaid Lafur ddeunaw o'r tri deg pum sedd yng Nghymru, a chyda chyfanswm o 142 o seddi, hon oedd y brif wrthblaid. Ar ôl y cyfnod hwn dadfeiliodd y Blaid Ryddfrydol fel castell tywod yn ewyn y llanw.

Roedd Cymru ar ei gliniau. Yn y pedair blynedd ar ddeg yn dilyn 1925, collodd chwarter miliwn o'i phoblogaeth. Gadawodd degau o filoedd y cymoedd digysur i chwilio am waith yn Dagenham, Coventry, Slough a Luton. Cerddodd dynion heb geiniog i'w henw yr holl ffordd i Lundain i geisio cyflog. Daeth streic gyffredinol 1926 â naw niwrnod o brotest ond daliodd y glowyr eu tir am saith mis nes i newyn eu gorfodi yn ôl i'w gwaith dan yr un hen amodau.

Ym 1928 roedd *The Times* yn dweud am Ferthyr: 'These out of work miners are cultivated people with self-respect and pride in home cleanliness and feel the degradation of their sudden poverty ... they are starving; not starving outright but gradually wasting away through lack of nourishment.' Yn nes ymlaen daeth adroddiad yn argymell y dylid symud pawb allan o Ferthyr a'u rhoi mewn cartrefi ar lan y môr.

65. *Er gwaethaf pawb a phopeth: streicwyr herfeiddiol Cwmparc, Rhondda, 1936.*

66. *Caledi: glowyr yn y Rhondda Ganol ar eu ffordd i'r gwaith yn yr oriau mân, 1936.*

Roedd yr union gymoedd a fu unwaith yn ateb dros draean o holl alw'r byd am lo yn cynhyrchu llai na thri y cant ohono erbyn 1929. Dim ond sgerbydau cychod oedd ar ôl yn nociau Caerdydd. Roedd Abertawe yn dal yn brysur gyda'r galw am lo caled yn parhau. Ym 1932 roedd 150,000 o ddynion De Cymru heb waith. Yn y Rhondda a'r cymoedd cyfagos roedd dros hanner y dynion ar y clwt. Roedd caledi yn gwasgu ar deuluoedd cefn gwlad hefyd.

Ac eto, un o nodweddion y blynyddoedd duon hyn oedd brawdgarwch ac agosatrwydd y gymdeithas. Roedd pawb yn dibynnu ar ei gilydd. Roedd siopau'r co-op, institiwt y glowyr, adloniant cartref, cymdeithasau lles meddygol a'r sinema yn helpu i esmwytho'r garw. Aeth nifer o gynghorau lleol ati i wella cyflwr iechyd y bobl a chodi eu hysbryd drwy glirio'r budreddi, drwy ddarparu carthffosiaeth, cynllunio parc yn y dref a rhoi prydau bwyd a llaeth yn yr ysgolion. Trwy gyd-dynnu roedd modd goroesi. Ond mae caledi'r amseroedd hyn yn dal i gael ei deimlo yng ngweithiau llenorion fel T. Rowland Hughes, Kate Roberts, Bert Coombes ac Idris Davies.

Trwy'r cyfan hyn, tyfodd y Blaid Lafur a'r undebau. Trodd yr egni radical a fu unwaith yn rhan annatod o'r achos Rhyddfrydol yn ffrwd i hybu gwaith y Blaid Lafur. Yn etholiad cyffredinol 1929 nid enillodd y Blaid Ryddfrydol ond naw sedd yng Nghymru a hanner cant a naw dros Brydain i gyd, tra enillodd y Blaid Lafur fwy na dwy ran o bump o'r bleidlais yng Nghymru. Un o'r aelodau seneddol newydd, yr aelod dros Lyn Ebwy, oedd dyn tri deg a dwy oed, sef Aneurin Bevan, glöwr a aeth i weithio dan ddaear yn bedair ar ddeg mlwydd oed. Daeth arweinydd y glowyr, James Griffiths, un a fu'n löwr ei

67. Cymru a Sosialaeth:
James Griffiths, tua 1956.

68. 'Rhaid gwneud rhywbeth':
y Brenin Edward VIII
yn ne Cymru, 1936.

69. Grym y gair:
Aneurin Bevan yn ymgyrchu
ym Mhafiliwn Corwen,
1951.

70. *Y Pibydd Brith:*
bechgyn yn mynd yn efaciwîs
i Groesoswallt, 1939.

71. *Gyferbyn, uchod:*
Labeli a masciau nwy:
bechgyn petrusgar yn
cyrraedd y Drenewydd,
1939.

72. *Gyferbyn, isod:*
Drannoeth y drin: difrod
y Blitz, Abertawe, 1941.

hunan am ddwy flynedd ar bymtheg, yn Aelod Seneddol dros Lanelli ym 1936. Roedd yntau, fel Aneurin Bevan, wedi derbyn addysg yn y 'Central Labour College', Llundain.

Ond, unwaith eto, daeth Rhyfel Byd i gymylu'r ffurfafen, a phobl Cymru am yr eildro fel pe baen nhw'n fwy na pharod i ymdaflu i'r storom. Daeth diweithdra torfol i ben a chododd cyflogau. Ond roedd y rhyfel hwn yn bwrw pawb. Lladdwyd cannoedd o Gymry gan ymosodiadau o'r awyr, dinistriwyd calon Abertawe a difethwyd rhannau mawr o Gaerdydd. Ond hyd yn oed yng nghanol y gorthrwm hwn, roedd rhaid cynllunio am ddyfodol. Ymgyrchodd arweinwyr Llafur fel Bevan a Griffiths o blaid ailgodi Prydain wedi'r

rhyfel ar batrwm sosialaidd, gyda pherchnogaeth gyhoeddus, gwasanaeth iechyd, nawdd cymdeithasol a thai addas i bawb. Roedd atgof y Cymry o'r dirwasgiad yn cnoi i'r byw, a phobl yn benderfynol o weithio'n galed i ddileu tlodi a mynnu bywoliaeth deg i'r dosbarth gweithiol.

Colli
ac ennill

Roedd buddugoliaeth y Blaid Lafur ym 1945 yn ddigamsyniol. Cipiodd ddau ddeg pump o'r tri deg chwech sedd yng Nghymru. Daeth James Callaghan a George Thomas yn Aelodau Seneddol dros Gymru. Yn llywodraeth Clement Attlee roedd James Griffiths yn Weinidog dros Yswiriant Cenedlaethol ac Aneurin Bevan yn Weinidog dros Iechyd. Rhwng y ddau, dyma ffurfio'r wladwriaeth les ac adeiladu ar y seiliau a osodwyd gan Lloyd George ddeugain mlynedd yn gynharach.

Roedd pwyslais y llywodraeth ar gynllunio canolog i'r gymdeithas a'r economi. Gwelodd y glowyr wireddu eu breuddwyd ers hanner can mlynedd pan ddaeth y glo yn eiddo cyhoeddus ym 1947. Gwladolwyd dur hefyd ym 1951 ac roedd gobaith pawb ar gynnydd. Roedd hi'n amser llewyrchus i waith dur Shotton a Llanwern a Phort Talbot, lle roedd cyflogau'r gweithwyr mor fras nes i bobl ddechrau galw'r dref yn 'Treasure Island'. Tua'r adeg hon hefyd datblygodd Aberdaugleddau yn ganolfan bwysig i buro olew ac yn borthladd ar gyfer tanceri enfawr. Agorodd y bont gyntaf dros afon Hafren ym 1966. Symudodd y Bathdy Brenhinol o Lundain i Lantrisant a'r DVLA i Abertawe. Roedd mwy o swyddi ar gael ar gyfer merched a gweithwyr coler gwyn a datblygwyd y Drenewydd er mwyn ceisio atal diboblogi cefn gwlad.

Ond roedd ochr arall y geiniog loyw hon yn go ddu. Roedd pobl y Gymru wledig yn dal i orfod gadael eu cynefin i chwilio am waith. Roedd ardal y chwareli'n gwagio'n gyflym ac oherwydd diffyg galw daeth allforio glo i ben ym 1964. Diflannodd dros hanner can mil o swyddi yn y diwydiant glo rhwng 1959 a 1969. Cyrhaeddodd trasiedi'r diwydiant rheibus hwn uchafbwynt wrth i domen wastraff lithro ar dref Aberfan a mygu plant bach yr ysgol leol ym 1966. Beth allai fod yn fwy du na hyn?

O dro i dro gwelwyd gwreichion ar y tân, a gobaith bod adfywiad y diwydiant glo a haearn yn ailgynnau; ond diffodd a wnaeth pob breuddwyd am hyn yn y 1970au a'r 1980au wrth i drefn economaidd newydd ddisodli'r hen un.

Tan y 1960au prin iawn oedd y sylw gwleidyddol a roddid i faterion Cymreig yn benodol. Credai nifer yr un peth ag Aneurin Bevan, mai'r hyn yr oedd ei angen ar Gymru ar ôl blynyddoedd llwm y dirwasgiad oedd cyflogau teg mewn Prydain ganolog, sosialaidd. A chredai nifer, gydag Aneurin Bevan eto, mai rhywbeth i'w wrthwynebu'n chwyrn oedd y syniad am senedd i Gymru.

Ym 1957, dyma'r llywodraeth geidwadol yn anwybyddu gwrthwynebiad pob un aelod seneddol dros Gymru ac yn cefnogi cais i godi argae ar draws cwm Tryweryn a boddi pentref Capel Celyn er mwyn darparu

*73. Pris dŵr:
pentrefwyr
Capel Celyn
yn gorymdeithio
drwy Lerpwl,
1956.*

dŵr i Lerpwl ar gyfer ehangu diwydiant y dref honno. Rhoddodd y diffyg parch tuag at farn y Cymry ysgytwad chwyrn i lawr, a heb os nac oni bai daeth Tryweryn i fod yn ffactor bwysig yn y gefnogaeth i achos y cenedlaetholwyr yn ystod y 1960au.

Yn sgil yr ymateb i gyfrifiad 1961 daeth yr iaith Gymraeg i fod yn fater gwleidyddol. Datgelodd y cyfrifiad fod 656,000 o bobl, sef chwech ar hugain y cant o'r boblogaeth, yn siarad Cymraeg, a bod yr iaith yn colli gafael yn gyflym. Nid oedd ganddi statws

*74. Cyn y dilyw:
gwerthu gwartheg yn sêl
olaf fferm Gwerngaeau,
Tryweryn, 1957.*

gwleidyddol o fath yn y byd a dim ond lle simsan iawn yn llygad y gyfraith. Ym 1962, dyma'r dramodydd a'r bardd, Saunders Lewis, un o sylfaenwyr Plaid Cymru, yn galw am weithredu chwyldroadol i sicrhau lle i'r Gymraeg ym mywyd Cymru. Yn y ddarlith radio enwog 'Tynged yr Iaith', rhybuddiodd y byddai'r iaith yn marw heb weithredu o'r fath. Yn dilyn ei eiriau tanbaid, sefydlwyd Cymdeithas yr Iaith Gymraeg, grŵp radical a heddychlon, gyda'r nod o weld y Gymraeg yn cael statws swyddogol yng Nghymru.

Aeth ymgyrchwyr ati i dynnu sylw at absenoldeb yr iaith Gymraeg mewn dogfennaeth swyddogol. Doedd gan siaradwyr Cymraeg ddim unrhyw fodd o ymwneud â'r llywodraeth a byd gweinyddiaeth drwy gyfrwng eu hiaith eu hunain. Roedd hyn yn fater o degwch ac o egwyddor. Aeth aelodau'r Gymdeithas ati i fynnu ffurflenni dwyieithog ar gyfer trwyddedau teledu a char ac i hawlio bod arwyddion ffyrdd yn cynnwys y Gymraeg. Bu'r llysoedd yn brysur yn dirwyo protestwyr a wrthodai dalu eu trwyddedau ac a dynnai'r arwyddion uniaith Saesneg i'r llawr. Ac achosodd un ar hugain o ynadon gryn gythrwfl pan ymatebon nhw i alwad eu cydwybod a thalu dirwy arweinydd y Gymdeithas, Dafydd Iwan, a'i arbed rhag mynd i'r carchar y tro hwnnw o leiaf.

75. Taith yr Iaith: gorymdaith o blaid arwyddion ffyrdd dwyieithog yn Aberystwyth, 1971.

76. 'Y gŵr sydd ar y gorwel', meddai Gerallt Lloyd Owen: Saunders Lewis, 1973.

Aberteifi

Rhoddodd Deddf yr Iaith Gymraeg 1967 ddilysrwydd cyfartal i'r Gymraeg a'r Saesneg, ond y gred gyffredinol oedd nad oedd y ddeddf yn mynd yn hanner digon pell, a pharhau a wnaeth y brwydro. I lawer, roedd brwydr yr iaith yn frwydr dros hawliau dynol a hunaniaeth y Cymry, a gwelodd rhai eu bod yn rhannu ysbryd protestiadau'r myfyrwyr ar hyd a lled Ewrop ac America.

Yn y cyfamser, roedd James Griffiths wedi dwyn perswâd ar y Blaid Lafur i gymryd y cam cyntaf tuag at ddatganoli, ac ym 1964 penodwyd ef yn Ysgrifennydd Gwladol cyntaf Cymru yn llywodraeth newydd Harold Wilson. Mynnodd James Griffiths hefyd fod y Prif Weinidog yn creu'r Swyddfa Gymreig, sef estyniad o gangen y 'Materion Cymreig' o fewn y Swyddfa Gartref, cangen a grëwyd gan Winston Churchill. Dan arweiniad James Griffiths a'i olynwyr, cynyddodd cyfrifoldebau'r Swyddfa Gymreig a daeth Caerdydd yn ffocws gwleidyddol yng Nghymru.

Ond yn isetholiad Caerfyrddin ym 1966 crëwyd hanes wrth i Gwynfor Evans gipio sedd gyntaf Plaid Cymru yn y senedd. Yna, yn etholiad cyffredinol 1974, enillodd Dafydd Elis-Thomas a Dafydd Wigley ddwy sedd arall, a thros y deng mlynedd ar hugain nesaf gwelwyd y tri aelod hyn yn gwneud cyfraniad mawr i wleidyddiaeth Cymru, gan fraenaru'r tir ar gyfer datganoli.

Yn ôl cyfrifiad 1971, roedd yr iaith Gymraeg wedi colli mwy o dir fyth, gyda llai nag un ar hugain y cant o'r boblogaeth yn ei medru hi.

Galw am statws swyddogol i'r Gymraeg: cyrhaeddodd ymgyrch o orymdeithio a phrotestio ei hanterth yn y 1960au hwyr a'r 1970au cynnar. Roedd 'Cofiwch Dryweryn' yn slogan boblogaidd ac, o'r diwedd, etholwyd Gwynfor Evans yn Aelod Seneddol cyntaf Plaid Cymru yng Nghaerfyrddin ym 1966.

77. Caerdydd, 1970.

78. Aberystwyth, 1971.

79.

80.

Daeth yr ystadegyn hwn â rhyw ymdeimlad o greisis diwylliannol i'r wlad. Tyfodd y frwydr dros yr iaith a gwelodd y protestwyr mai'r nod nesaf oedd sicrhau sianel deledu i'r iaith Gymraeg. Yn ystod y blynyddoedd hyn agorwyd ysgolion dwyieithog i ateb galw rhieni am addysg cyfrwng Cymraeg i'w plant. Roedd cwestiwn yr iaith erbyn hyn yn rhan annatod o wleidyddiaeth Cymru.

Ym 1964 cafodd y BBC yng Nghymru ei donfedd ei hunan a dechreuodd ddarlledu rhaglenni yn Gymraeg ac yn Saesneg o fewn oriau'r rhwydwaith Prydeinig. Achubwyd y Gymraeg o ddifancoll oriau duaf y nos, ond roedd mater rhannu tonfedd, a hynny ynghyd â phroblemau darlledu mewn ardaloedd mynyddig, yn llawn anawsterau. A hithau'n gorfforaeth ddiwylliannol genedlaethol, yn ceisio gwasanaethu dwy gymuned ieithyddol mewn un wlad, roedd BBC Wales yng nghanol dadleuon gwleidyddol pigog.

Yn y cyfamser, parhaodd y BBC i roi sylw i frwydrau'r glowyr a'r gweithwyr dur yn y rhyfel a oedd eisoes yn ugain mlwydd oed, wrth i'r diwydiannau droi'n anghystadleuol. Enillodd y glowyr streic 1972, gan dynnu llywodraeth geidwadol Edward Heath i'w therfyn ddwy flynedd yn ddiweddarach. Ond dal i gau a wnâi'r gweithiau glo a dur

a diflannu a wnaeth y swyddi. Ym 1975 dywedodd Michael Foot, yr aelod seneddol, wrth ei etholaeth yng Nglyn Ebwy fod dyddiau'r gwaith dur yn y dyffryn wedi dod i ben. Yn eu cynddaredd, cyhuddodd y gweithwyr ef o'u bradychu; ond roedd e'n dweud gwirionedd na fynnai'r rhan fwyaf o wleidyddion na meistri diwydiannol ei gydnabod.

Ym 1979 daeth cyfle i fwrw pleidlais ar fater cynulliad i Gymru gerbron y genedl gan y llywodraeth Lafur. Gwrthododd Cymru'r cyfle yn weddol bendant, ac roedd y llywodraeth a'r Blaid Lafur ei hunan mewn gwirionedd yn rhanedig ar fater datganoli a chynulliad i Gymru. O fewn y blaid, roedd cefnogwyr y syniad o gael rheolaeth Gymreig i faterion Cymreig yn cryfhau ond, yn yr un modd, cryfhau hefyd a wnâi'r rhai a wrthwynebai'r syniad o gynulliad, gan ei weld fel ceffyl Caerdroea â'i fola'n llawn cenedlaetholwyr.

Roedd colli'r ymgyrch 'Ie dros Gymru' yn ergyd galed i lawer o genedlaetholwyr. Yn nes ymlaen yn yr un flwyddyn torrodd llywodraeth geidwadol Margaret Thatcher ei haddewid i lansio sianel Gymraeg, S4C, ond bu'n rhaid i'r Toriaid ailfeddwl wrth i'r Pleidiwr Gwynfor Evans fygwth ymprydio hyd at angau oni fyddai'r sianel yn cael gweld golau dydd.

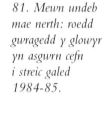

81. Mewn undeb mae nerth: roedd gwragedd y glowyr yn asgwrn cefn i streic galed 1984-85.

Torrodd y llywodraeth swyddi'n ddidrugaredd a thocio 'nôl ar y diwydiant glo a haearn i roi diwedd ar y berthynas gythryblus rhwng y rheolwyr a'r undebau. Roedd gwir ofn y byddai diweithdra'n achosi anhrefn cymdeithasol. Mewn cyfnod o bedair blynedd rhwng 1979 a 1983 collwyd saith deg y cant o swyddi'r diwydiant dur. Ym 1984 roedd Arthur Scargill, arweinydd yr NUM, yn sicr y gallai'r glowyr ddisodli llywodraeth Thatcher, fel y gwnaethon nhw o'r blaen drwy roi diwedd ar ddeng mlynedd o lywodraeth Heath. Y tro hwn, fodd bynnag, dywedwyd bod y streic yn anghyfreithlon, ac ar ôl un mis ar ddeg daeth i ben, gyda'r glowyr yn colli'r dydd a'u hundeb yn rhacs.

Wedi'r streic gwelwyd y pyllau glo'n cau a daeth pennod olaf y diwydiant anferth yng Nghymru i ben. Mewn cwm a chymuned ar hyd y dyffryn distawodd caniad hwter y gwaith. Ym 1990, pan gaewyd y pwll olaf yn y Rhondda, sef pwll enwog y Maerdy, cynhaliodd pobl yr ardal wylnos.

Ar ôl cloddio gyhyd am y cyfoeth dan eu traed, roedd y bobl eu hunain yn awr ar goll. Roedd hi'n anodd credu bod y minteioedd o lowyr Cymreig bron wedi diflannu'n llwyr. Cafodd ambell un swydd fel tywyswr tanddaearol i dwristiaid chwilfrydig. Ond roedd un llygedyn o obaith, un adlais o freuddwyd fawr Noah Ablett. Ym 1995

prynodd y glowyr eu hunain bwll glo'r Tŵr yng Nghwm Cynon a heddiw mae'n dal i fynd. Cododd y perchnogion newydd faner goch uwchben y pwll, nad oedd ymhell o'r union fan y cododd protestwyr Merthyr faner goch ym 1831.

Un bore, mewn ysgol gynradd yn y Rhondda, daeth cyn-löwr i siarad â dosbarth o blant. Gwisgai helmed ac esgidiau hoelion mawr a chariai lamp yn ei law. Roedd wedi dod ar ymweliad i ddweud wrthynt am eu hanes eu hunain. 'Ble gawn ni ddechrau?' holodd. Estynnodd ddarn du sgleiniog o'i boced. 'Wyddoch chi beth yw hwn?' holodd eto. Ac o weld nad oedd neb yn ateb, dywedodd yn syml: 'Glo'!

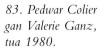

82. Y geiniog olaf: y diwrnod cyflog cyn cau pwll glo Gelli Ceidrim ym 1957.

83. Pedwar Colier gan Valerie Ganz, tua 1980.

84. *Siambr y Senedd,*
Bae Caerdydd, 2006.

Man cychwyn newydd

Ym 1979, roedd Cymru wedi pleidleisio o bedair pleidlais i un yn erbyn datganoli. Ddeunaw mlynedd yn ddiweddarach, mewn etholiad dramatig o agos, pleidleisiodd Cymru y tro hwn o blaid Mesur y Cynulliad. Roedd Medi 18, 1997, yn noson fawr a hanesyddol i'r genedl.

Yn y blynyddoedd rhwng y ddwy bleidlais roedd Plaid Cymru wedi ennill ei phlwyf a hwyrach wedi dod yn fwy parchus. Doedd y gair 'cenedlaetholwr' ddim yn gymaint o reg ag y bu. Roedd S4C wedi dechrau ar ei gwaith ac roedd y Gymraeg yn iaith teledu yn union fel y daethai'n iaith y Beibl ym 1588. Roedd arwyddion dwyieithog wedi hen ennill eu plwyf ac roedd hyd yn oed byd busnes yn dechrau gweld manteision defnyddio'r Gymraeg.

Roedd mwy o bobl yn barod i ddangos balchder yn y ffaith eu bod yn Gymry a mwy o rieni'n awyddus i weld eu plant yn derbyn addysg cyfrwng Cymraeg. Roedd yr ysgol uwchradd ddwyieithog gyntaf wedi agor ei drysau ym 1956; erbyn heddiw mae pedair ar hugain yn y wlad. Yng Nghaerdydd ddeng mlynedd ar hugain yn ôl, dim ond un ysgol gynradd Gymraeg oedd yno. Erbyn heddiw mae pymtheg, a'r rhif yn dal i dyfu. Mae'r nifer cynyddol o blant sy'n medru'r Gymraeg yn sicr yn achos dathlu.

Yn ystod y blynyddoedd helbulus rhwng y 'Na' a'r 'Ie' ac i mewn i'r unfed ganrif ar hugain, bu'n rhaid i Gymru ddiosg llawer o'r hyn a fu'n rhan mor annatod o'i chyfansoddiad. Drwy gydol y 1990au 'adnewyddu' oedd popeth. Roedd un siwrnai hir wedi dod i ben, ac un arall ar fin cychwyn.

Wrth ystyried y ganrif sydd wedi mynd heibio oddi ar sefydlu'r Llyfrgell Genedlaethol ym 1907, gwelwn fod tirlun Cymru wedi ei drawsffurfio ar lawer ystyr. Yn ystod y 1970au roedd gwastraff glo wedi cael ei lusgo o Aberfan i lenwi hen ddociau Caerdydd a chreu seiliau ar gyfer strwythurau dychymyg y dyfodol. Ac yma, er gwaethaf

yr ansicrwydd ynglŷn â'i union bŵer, y dechreuodd Cynulliad Cymru ar ei waith ym 1999 – yr ymgais gyntaf ar senedd i Gymru ers dyddiau Owain Glyndŵr chwe chanrif ynghynt.

Yn 2006, ym Mae Caerdydd, agorodd cartref newydd y Cynulliad, un sy'n dwyn yr enw hyderus 'Senedd', er nad 'senedd' mo cynulliad. Yn 2007, cafodd bwerau deddfwriaethol, gan sicrhau'r cyfle cyntaf i'r Cymry ers canrifoedd i greu corff o ddeddfau Cymreig, a rhaid byw mewn gobaith. Mae'r adeilad ei hunan yn wynebu tuag allan, tua Môr Hafren a thua'r gorwel, a'r gobaith yn awr yw na fydd yn troi cefn ar y wlad y mae'n ei gwasanaethu.

Y ddwy dudalen nesaf:

85. Cadernid y creigiau: Pen yr Ole Wen, Capel Curig.

86. Datgelu Cymru: lluniodd Humphrey Llwyd y map cyntaf o Gymru, Cambriae Typus. Fe'i cyhoeddwyd ym 1573, bum mlynedd wedi'i farwolaeth.

Ynys Adar .1. insula auium
olim; nunc verò, ynys Moyl
Rhoniaid, 1. insula
phocarum, B.
Ysleryd. A.
Adros, L.

CAMBRI AE TYPVS

Auctore

HVMFRE DO LHV: YDO

Denbigienfe Cambrobritano.

Mona insula. L.
Anglesey. A.
Mon. B.

SIVE HIBERNICVM MARE

DH, Britannis,

E OCEANE, Anglis.

Tyst

Lyfrgell Genedlaethol Cymru yw storws cof y genedl. Yma mae'r deunydd crai sy'n cofnodi, yn mynegi ac yn ffurfio hanes Cymru. Mae yma lawysgrifau, llyfrau, lluniau, ffotograffau, mapiau, cerddoriaeth, recordiau, papurau newydd a ffilmiau - yn filiynau o gyfrolau ac eitemau, a'r rhain oll yn dyst i'n taith ni drwy amser. Gyda'i gilydd, mae'r gwrthrychau hyn yn ffurfio cynhaeaf cyfoethog o gynnyrch meddwl ddoe sy'n gynhaliaeth i'n hyfory ni.

Mae'r llyfrgell yn unigryw o ran ystod eang ei chasgliadau. Ynddynt ceir hanes llenyddiaeth a hanes argraffu yn Gymraeg a Saesneg. Ceir hefyd archifau gwleidyddol, eglwysig, ysgolheigaidd, barddol, milwrol yn ogystal ag archifau actorion, pencampwyr chwaraeon, gwladweinyddion a theithwyr, a dyddiaduron a llythyron llu o bobl. Mae hefyd yn ganolfan sain ac yn ganolfan i'r celfyddydau gweledol ac, i bob pwrpas, mae'n gwasanaethu fel oriel genedlaethol o ffotograffau a darluniau.

Ond, yn anad dim, mae'r llyfrgell yn drysorfa. Yma, mae'r darllenwyr yn anturiaethwyr. Yma daw'r gorffennol pell yn agos. Yma, fel y gwelir dros y tudalennau nesaf, cewch glywed lleisiau Cymry ddoe a heddiw yn dweud eu dweud mewn gair a llun.

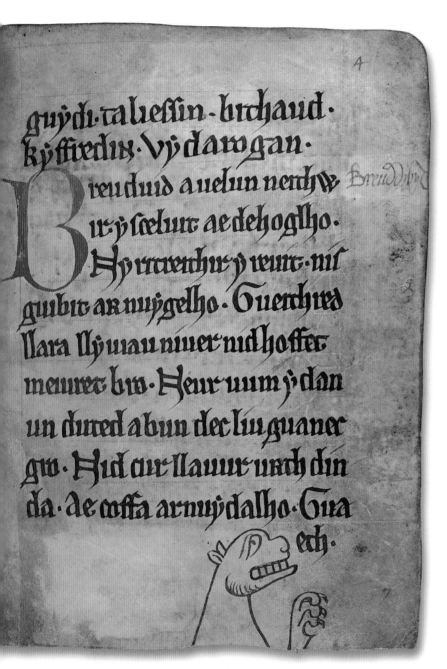

87. Llenwi bwlch: pan fyddai testun yn crwydro o dan ymyl isaf y dudalen, byddai copïwyr y canol oesoedd weithiau'n tynnu llun bach, fel yr un hwn yn Llyfr Du Caerfyrddin *(dyma union faint y llyfr).*

CARIAD OES

Llyfr Du Caerfyrddin yw llyfr hynaf Cymru, y casgliad cynharaf o farddoniaeth Gymraeg, a chyfrol sydd wedi goroesi'n wyrthiol. Tynged y rhan fwyaf o lyfrau'r canol oesoedd fu pydru, a chafodd eraill eu dinistrio gan dân neu lygod neu fandaliaid y Diwygiad Protestannaidd. Ond cyrhaeddodd y *Llyfr Du* ddiogelwch y Llyfrgell Genedlaethol wedi taith hir dros y canrifoedd.

Er mai bach yw'r *Llyfr Du* o ran maint, mae'n llyfr mawr. Chwe modfedd a hanner yn unig o ran uchder ydyw, ac mae iddo 108 o dudalennau. Cafodd ei lunio gan fynach ym Mhriordy Caerfyrddin tua 1250. Mae ei waith yn para'n glir ar y ddalen hyd heddiw. Mae dechrau'r llyfr yn weledol drawiadol, y llythrennu'n urddasol gyda phriflythrennau coch a gwyrdd. Ond lleihau a wna ei ysgrifen wrth iddo roi mwy a mwy o eiriau ar y ddalen, efallai er mwyn gwneud i'r papur gwerthfawr bara. Nid oed a diwyg y llyfr yn unig sy'n ei wneud yn brydferth. Wrth ei ddarllen, cawn olwg arbennig ar feddwl unigolyn o Gymro yn y drydedd ganrif ar ddeg. Dyma ddetholiad o'i hoff ddarnau, cerddi a glywodd gan feirdd wrth iddynt eu datgan o amgylch y tân, straeon am frenhinoedd, brwydrau, arwyr, i gyd wedi

88.

eu casglu ganddo dros y blynyddoedd er
mwyn iddo eu darllen yn ei amser ei hunan.
Mae rhannau'n dyddio'n ôl i'r nawfed
ganrif, a thrwyddynt cawn ein cyflwyno
i'r Brenin Arthur, Myrddin a byd rhyfeddol
y Mabinogi. Llafur cariad yw'r *Llyfr Du*.

Efallai i'r llyfr hwn orwedd ym Mhriordy
Caerfyrddin am dair canrif, hyd nes i Harri
VIII orchymyn chwalu'r mynachlogydd yn
ystod y Dadeni. Roedd arian Harri'n brin, ac
roedd ar dân eisiau cael gafael ar eu cyfoeth.
Cafodd Syr John Prise, neu Syr Siôn Prys i
ni'r Cymry, ysgolhaig, cyfreithiwr ac uwch-
arolygydd yn y llywodraeth, ei gyflogi i
archwilio'r mynachlogydd yn y 1530au, ac
mae'n debyg iddo ddarganfod y *Llyfr Du* yn
cael ei gadw'n ddiogel gan drysorydd Eglwys
Tyddewi. Yn ystod y ganrif ddilynol, daeth i
ddwylo'r casglwr Robert Vaughan. Ym 1859,
rhoddodd disgynyddion Robert Vaughan y
Llyfr Du yn eu hewyllys i William Watkin
Edward Wynne o Beniarth, ger Tywyn.
Gwerthodd ef y llyfr, ynghyd â gweddill
llyfrgell Hengwrt-Peniarth, casgliad o 560
o lyfrau a phapurau, i Syr John Williams.
Dyma sylfaen y Llyfrgell Genedlaethol a
dyma pam mai rhif catalog y *Llyfr Du*
yw Peniarth 1.

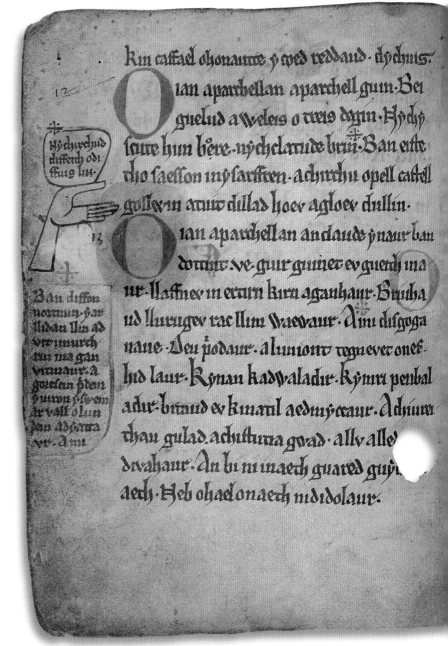

89. *Ôl bysedd:*
llaw y copïwr yn crwydro
eto o'r prif destun.

Y BRENIN HEB FEDD

Roedd y Brenin Arthur yn byw tua'r bumed neu'r chweched ganrif. Ef oedd pennaeth ynys Prydain, yn ymladd yn erbyn yr Eingl-Sacsoniaid a ddeuai i mewn i Brydain wrth i'r Rhufeiniaid gilio. Erbyn y nawfed ganrif, roedd eisoes yn arwr chwedlonol, a fyddai'n atgyfodi o'i gwsg mewn ogof i osod y Cymry yn ôl yn ben ar Brydain i gyd. Roedd thema'r Mab Darogan yn thema bwerus ym marddoniaeth y canol oesoedd. Gwelai'r beirdd Owain Glyndŵr fel yr Arthur newydd. Ond gwelai rhai eraill fod buddugoliaeth Harri Tudur ym Mosworth yn cyflawni'r broffwydoliaeth, ac oherwydd hynny, dechreuodd y syniad o Owain fel y Mab Darogan gilio dros dro. Erbyn hynny,

roedd rhai ysgrifenwyr yn Lloegr wedi dwyn y Brenin Arthur, a'i wneud yn arwr o Sais. Yn y ddeuddegfed ganrif, uniaethodd Rhisiart I ei hunan ag Arthur. Roedd hyd yn oed y beirdd tramor yn dechrau dwyn

90. Geni chwedl:
Y Brenin Arthur mewn
llawysgrif o'r canol oesoedd.

Arthur ar gyfer eu gwledydd eu hunain,
gydag ymddangosiad gwaith Syr Thomas
Mallory, *Morte d'Arthur*, ym 1470 yn parhau'r
chwedloniaeth. Bardd Normanaidd a ddyfeisiodd
y syniad fod bwrdd crwn gan y Brenin Arthur.

TÂN A BRWMSTAN

Mae *Brut y Tywysogyon* yn gofnod
cyfoethog o wybodaeth am fywyd yng
Nghymru yn y chwe chanrif cyn marwolaeth
Llywelyn ym 1282. Mae'r cofnodion a gawn
o'r ddwy ganrif ar ôl 950 yn rhoi hanes
cyfnod o lofruddio creulon. Dyma'r llawysgrif
hefyd sy'n dangos fod y term 'Cymro' yn
dechrau cael ei ddefnyddio'n aml. Collwyd
y llawysgrifau Lladin gwreiddiol, ond mae
tri chyfieithiad o'r testun yn aros, copïau
a luniwyd, mae'n bosibl, yn Ystrad-fflur
yng Ngheredigion. Fel sawl un arall o
fynachlogydd y Sistersiaid, noddid Ystrad-
fflur gan dywysogion Cymreig, a thrwy
hynny roedd y fynachlog yn cefnogi ac
yn hybu gwaith llenorion Cymru.

*91. Marwnad: Cara Wallia
Derelicta, gwaith David Jones yn
crynhoi galar y Cymry wedi marw
Llywelyn ym 1282. Mae arddull
David Jones wedi dylanwadu'n
drwm ar galigraffi yng Nghymru.*

80

Y LLYFR GWYN
A'R LLYFR COCH

Mae'r rhai hynny a ysgrifennodd yr un stori ar ddeg sy'n ffurfio'r *Mabinogion* yn sêr ymhlith holl lenorion Cymru ar draws y canrifoedd. Mae'r straeon am Arthur, Myrddin, angenfilod, tywysogion, duwiau a morynion yn drysorau ymhlith holl lenyddiaeth Ewrop. Ymhell cyn y ddegfed ganrif, caent eu trosglwyddo ar lafar o genhedlaeth i genhedlaeth, hyd nes i ysgrifennwr dienw eu cofnodi. Fe'u casglwyd gyda'i gilydd tua'r flwyddyn 1350 o fewn cloriau *Llyfr Gwyn Rhydderch*, sydd yn y Llyfrgell Genedlaethol, ac yn ddiweddarach yn *Llyfr Coch Hergest*, sydd yn Rhydychen. Dyma sut y mae'r straeon wedi cael eu cadw i ni heddiw. Lluniodd 'Tegid', John Jones, bardd o'r Bala, gopi o'r *Llyfr Coch*, a'i

92. Neges y Mabinogi: hud ar Ddyfed. Margaret Jones, tua 1984.

gyflwyno i Charlotte, gwraig ifanc perchennog gwaith haearn Dowlais, Syr John Guest. Ym 1838, dechreuodd hi ar y gwaith o gyfieithu'r straeon i Saesneg, a chyhoeddodd y gwaith mewn tair cyfrol hardd ym 1846. Charlotte Guest a ddyfeisiodd y term 'Mabinogion' yn hytrach na 'Mabinogi', ac mae'n cael ei ddefnyddio i ddisgrifio'r holl straeon a gysylltwn ni â'r cyfnod.

Mae stori'r Fonesig Guest yn un hynod. Priododd â Syr John ym 1835 pan oedd hi'n un ar hugain, a dechreuodd astudio'r Gymraeg. Roedd hyn yn anarferol iawn, oherwydd ar y cyfan doedd agwedd y bonedd ddim yn ffafriol tuag at yr iaith. Roedd gan Charlotte ddiddordeb ysgolheigaidd mewn llenyddiaeth Ramantaidd eisoes. Gan nad oedd yn rhugl yn y Gymraeg, cafodd gymorth gyda'r cyfieithiad gan 'Tegid', y Parch. Thomas Price a'r Parch. Evan Jenkins. Cafodd ddeg o blant ond sicrhaodd ei hegni a'i dyfalbarhad fod y gwaith yn cael ei gwblhau. Wedi marwolaeth ei gŵr ym 1852, hi hefyd oedd yn rheoli'r gwaith haearn. Bu farw ym 1895 yn 83 oed.

Pedair cainc sydd i'r Mabinogi, sef Pwyll Pendefig Dyfed, Branwen ferch Llŷr, Manawydan fab Llŷr a Math fab Mathonwy; gweddill straeon casgliad y Fonesig Guest yw Breuddwyd Macsen Wledig, Lludd a Llefelys, Breuddwyd Rhonabwy, Culhwch ac Olwen, Iarlles y Ffynnon, Peredur fab Efrawg a Geraint fab Erbin. Ym 1948, cyhoeddodd Gwyn Jones a Thomas Jones fersiwn awdurdodedig yn seiliedig ar y *Llyfr Gwyn*, ac mae Dafydd a Rhiannon Ifans wedi cyhoeddi addasiad o'r *Mabinogion* mewn iaith ddiweddar.

93. Llyfr Gwyn Rhydderch: Pwyll Pendefig Dyfed.

Pwyll pendeuic dyuet
a oed yn arglwyd ar seith
gantref dyuet. a threig
ylgweith yd oed yn arberth
prif lys idaw a dyuot yn y
uryt ac yn y uedwl uynet
y hela. Sef kyueir o'e gyuoeth
a uynnei y hela glynn cuch.
ac ef a gychwynnwys y nos
honno o arberth ac a doeth hyt
ym penn llwyn diarwya. ac
yno y bu y nos honno. a thr
annoeth yn ieuengtit y dyd
kyuodi a oruc a dyuot y lynn
cuch i ellwng y gwn dan y coet.
a chanu y gorn a dechreu dy
gyuor yr hela. a cherdet yn
ol y cwn ac ymgolli a'y gydy
mdeithon. ac ual y byd yn
ymwarandaw a llef yr erch
ys. ef a glywei llef erchwys
arall. ac nit oedynt unllef.
a'y wynt yn dyuot yn erbyn
y erchwys ef. ac ef a welei la
nnerch yn y coet o uaes gu
astat. ac ual yd oed y erchwys
ef yn ymgael ac ystlys y llan
nerch ef a welei carw o ulaen
yr erchwys arall. a pharth a
pherued y llannerch llyma
yr erchwys a oed yn y ol yn
y ordiwes ac ef. ac yn y uwrw
yr llawr. ac yna edrych ohon
aw ef ar liw yr erchwys heb
hanbwyllaw edrych ar y carw.
ac o'r a welsei ef o helgwn y byt
ny welsei cwn un lliw ac wynt.
Sef lliw oed arnunt claerwyn

llathreit ac eu clusteu
gochyon. ac ual y llathre
y wynnet y cwn y llathreu oe
dyei y clusteu. ac ar hynny
at y cwn y doeth ef. a gyrru
yr erchwys a lad yssei y carw
ymdeith. a llithyaw y erchw
ys ehunan ar y carw. ac ual
y byd yn llithaw y cwn. ef a
welei varchauc yn dyuot
yn ol yr erchwys y ar uarch
erchlas mawr. a chorn can
am y uynbwgyl. a gwisc
lwyt llwyt tei anudau
yn bisc hela. ac ar h
y marchauc a doeth
a dyuedut wal
aunben heb ef
wyta ac ny chyn
rt. Ie heb ef a ce
arnat cannryued
kyei. Wuoer heb ef
lygdabt ys amryuel a ui
eisteu am hynny. Arglw
heb synteu beth amgen
ffrot i adaw heb synteu dy
anwybot dy lun a'th arat
uerbyt. Pa anwybot byt ar
ben a welei ti arnat i. e
weleis anwyderbyt uchel
or heb ef no gwneuthur erch
wys a ladyssei y carw eymy
erth. a llithiaw dy erchwys
dy hunan arnaw. hynny heb
ef anwyuerbyt oed. a thi
nyt ymdialbyt a the
adaw heb ef yn awd
anglot att gwerth

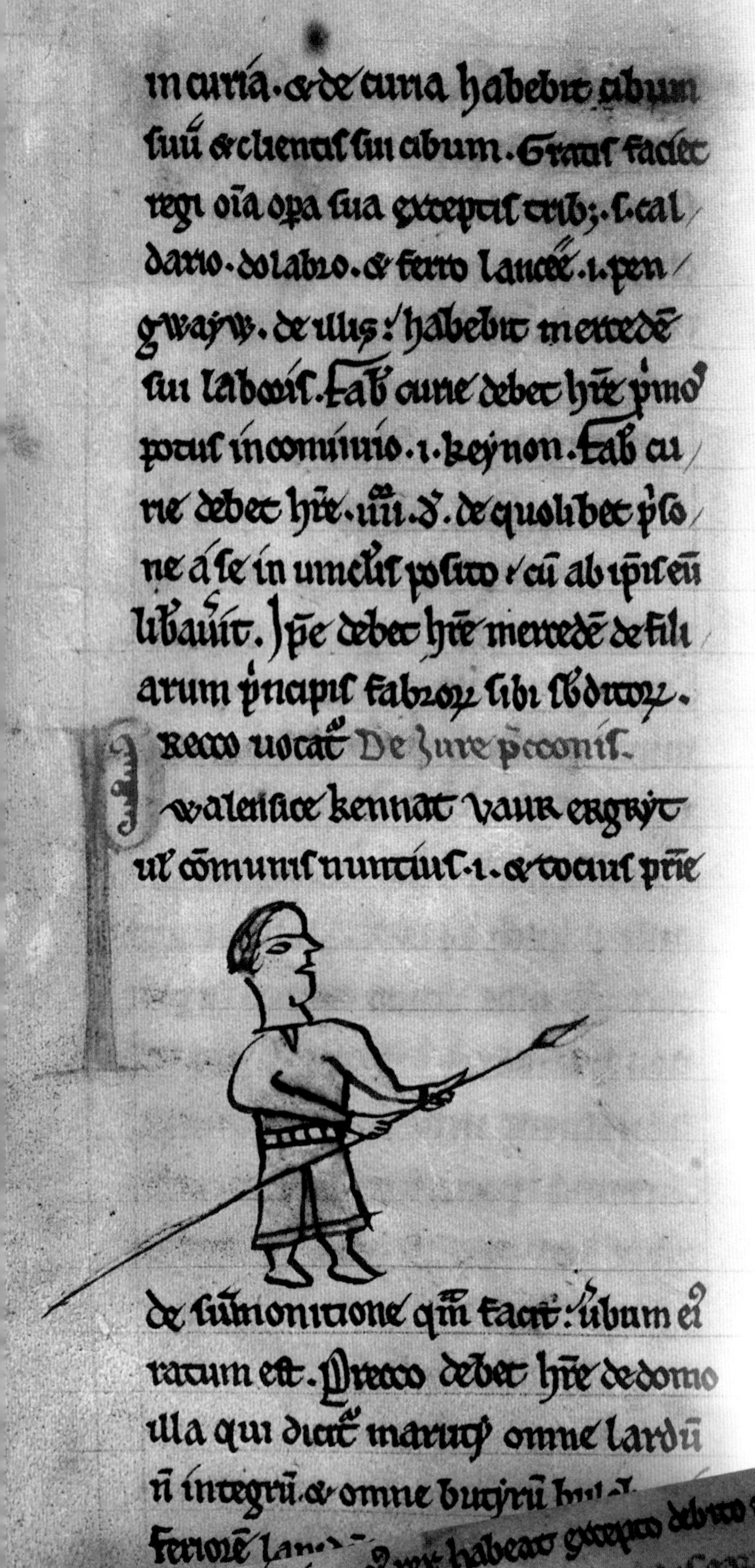

Y DEDDFAU DA

Deddfau Hywel Dda oedd sail bywyd yng Nghymru am ganrifoedd lawer. Fe'u hysgrifennwyd yn Gymraeg. Roedd y Cymry felly'n amlwg yn gweithredu fel cenedl ar wahân, gyda'u cyfraith a'u hiaith eu hunain. Mae'r gwaith a ddangosir yma yn gyfieithiad Lladin ar gyfer uwch-swyddog mae'n debyg. Mae'n cynnwys llythrennu a gwaith celf hyfryd, ac yn dyddio'n ôl i'r drydedd ganrif ar ddeg. Mae'r lluniau'n hynod. Yr un gorau, o bosibl, yw llun o'r Brenin ar ei orsedd. Mae eraill yn lluniau bras o gŵn, gwartheg, adar a gwenyn, y rhain i gyd â gwerth cyfreithiol: roedd brenhines y gwenyn yn werth pedair ceiniog ar hugain. Mae yna luniau hefyd o adarwr, gof, heliwr, swyddog gyda desgil a phâr yn caru. Mae llun arall yn dangos dyn yn tynnu gwallt dyn arall; roedd hyn yn drosedd. Yn ôl y deddfau, roedd gan adarwr hawl i dri llond corn o ddiod gyda'i bryd bwyd, a dim mwy rhag iddo feddwi. Roedd unrhyw un a werthai gath yn gorfod sicrhau ei bod yn gallu dal llygod. Roedd deddfau Hywel Dda o flaen eu hamser drwy fynnu tegwch i ferched. Pe byddai pâr yn ymwahanu, y gŵr oedd i gadw'r moch a'r wraig i gadw'r defaid. Nodai'r deddfau fod anadl ddrwg ac

94. Yn enw'r gyfraith: rhingyll yn dal gwayuffon.

95. Gwerth aderyn.

anffrwythlondeb yn rhesymau teg dros gael ysgariad. Roedd y deddfau hefyd yn nodi dyletswyddau beirdd y llys. Roedd disgwyl i'r bardd ddatgan cerdd deimladwy cyn brwydr, a dilyn cyfarwyddiadau llym wrth ddatgan cerddi'n breifat o flaen brenhines: rhaid oedd bod yn dawel rhag amharu ar eraill.

96. Llaw'r gyfraith: y brenin yn dal teyrnwialen yng Nghyfreithiau Hywel Dda.

97. Gwas meirch a chyfrwy, a chogydd yn lladd ffowlyn.

98. Cusan cariadon.

Y GANRIF EURAID

Nid oes unrhyw lyfr Cymraeg cyn canol y drydedd ganrif ar ddeg wedi goroesi. Ond yn ystod y can mlynedd wedi 1250, roedd mynachod wedi copïo trysorfa o hanesion, deddfau, rhyddiaith a barddoniaeth grefyddol, ac mae dros hanner cant ar glawr gennym heddiw. Mae'r rhain yn cynnwys *Llyfr Du Caerfyrddin, Llyfr Gwyn Rhydderch, Llawysgrif Hendregadredd, Llyfr Taliesin, Llyfr Coch Hergest* a *Llyfr Aneirin*. Dyma'r chwe phrif lyfr cynnar o farddoniaeth Gymraeg. Cartref y pedwar cyntaf yw'r Llyfrgell Genedlaethol. Mae *Llyfr Coch Hergest* yn llyfrgell Bodley ym Mhrifysgol Rhydychen ac mae *Llyfr Aneirin* yng Nghaerdydd. Mae beirdd cynharaf Cymru, Aneirin a Thaliesin, yn feistri ar ddelweddu byw a bachog. Er mai nhw yw'r beirdd cynharaf y mae eu gwaith wedi goroesi, nid gyda nhw y dechreuodd y traddodiad; parhau traddodiad yr oedden nhw, un a oedd yn ymestyn yn ôl lawer ymhellach na'r chweched ganrif.

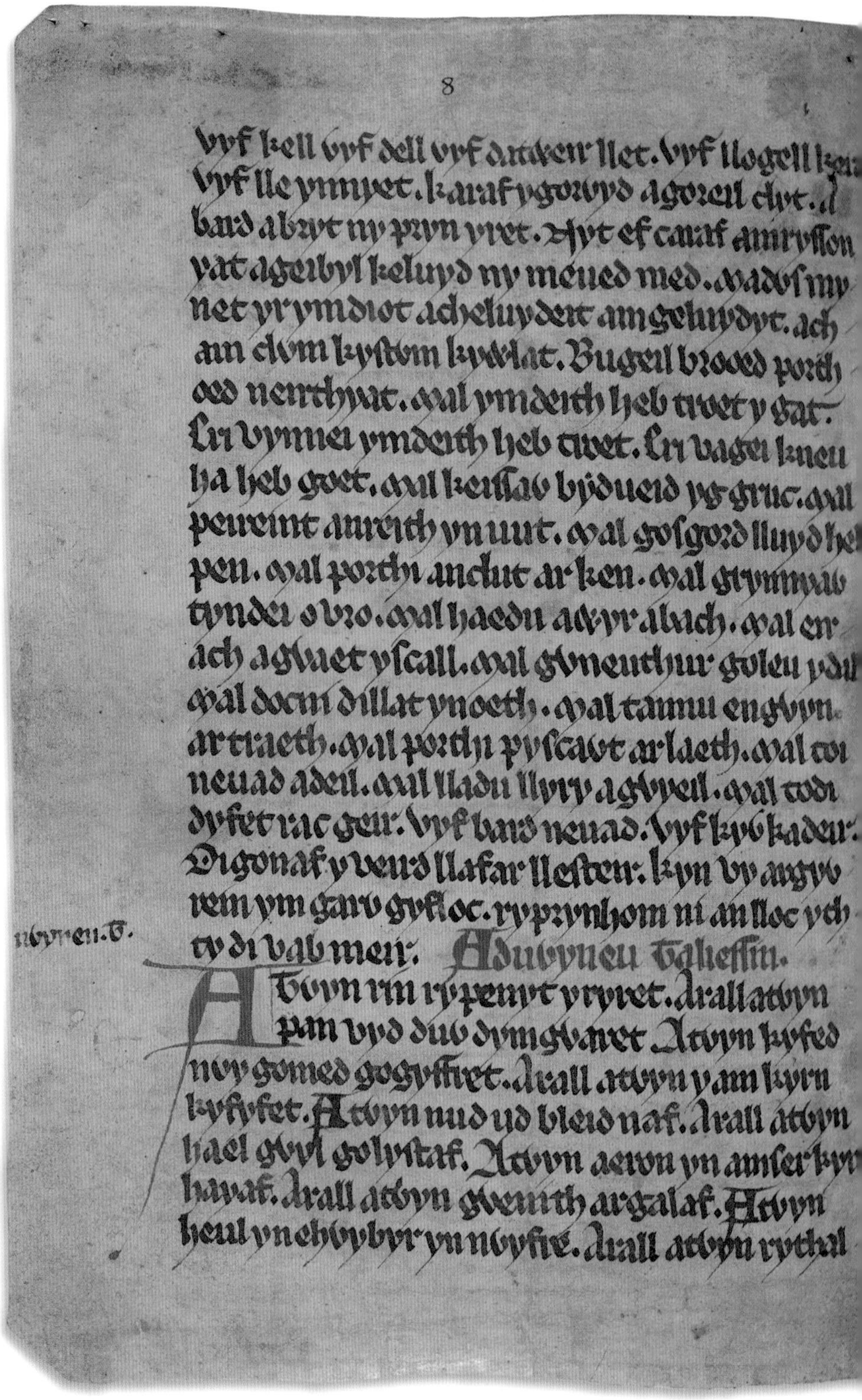

99. *Geni'r awen:*
Llyfr Taliesin.

CYFRINACH Y CWPWRDD

Roedd *Llawysgrif Hendregadredd* wedi
bod ar goll ers canrifoedd, a daethpwyd
o hyd iddi mewn ffordd annisgwyl. Mae'r
llawysgrif yn 126 tudalen o felwm, ac fe'i
lluniwyd yng nghanol y bedwaredd ganrif
ar ddeg. Mae'n cynnwys gwaith Beirdd y
Tywysogion, neu'r Gogynfeirdd, beirdd a
oedd yn canu clodydd arweinwyr y Cymry,
ac yn darlunio erchyllterau maes y gad.
Credir bod rhan o'r testun yn llawysgrifen
Dafydd ap Gwilym ei hun. Ynghyd â
Llyfr Coch Hergest, dyma brif ffynhonnell
barddoniaeth llys y ddeuddegfed ganrif.
Roedd y llawysgrif yn wreiddiol yn rhan
o lyfrgell Robert Vaughan, cyn iddi fynd
ar goll. Yna, daethpwyd o hyd iddi mewn
hen gwpwrdd yn Hendregadredd, ger
Porthmadog, ym 1910. Prynodd y chwiorydd
Davies y llawysgrif mewn arwerthiant ym
1923, a'i rhoi i'r Llyfrgell Genedlaethol.

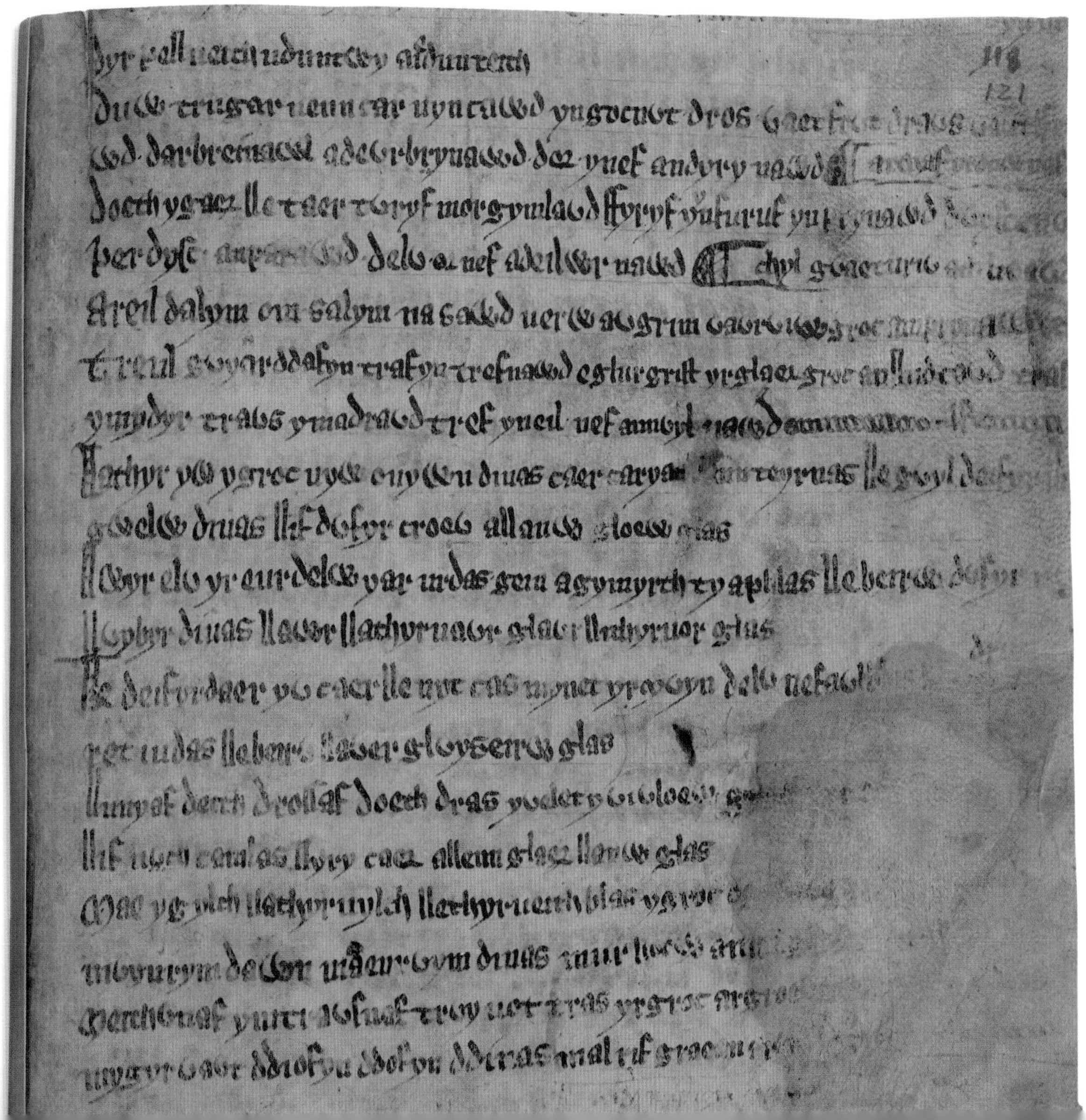

100. Rhan olaf cerdd Dafydd ap Gwilym yn moli'r Grog yng Nghaerfyrddin, yn Llawysgrif Hendregadredd.

LLÊN MEWN LLIW

Yn ei gampwaith *Historia Regum Britanniae*
a ysgrifennwyd tua 1139, darluniodd Sieffre
o Fynwy y cefndir llewyrchus a berthynai
i'r Cymry. Disgrifiodd sut y bu i bobl alltud
o Gaerdroea ddod i fyw i Brydain wedi i'r
Groegiaid ddwyn eu dinas nhw. Roedd
ei chwedlau am Arthur, Gwenhwyfar
a Myrddin yn gwefreiddio'r gynulleidfa.
Dywedodd mai ei ffynhonnell oedd 'hen
lyfr yn iaith Prydain', ond beth bynnag am
ddilysrwydd y llyfr honedig hwnnw, bu
gwaith Sieffre yn ddylanwad
mawr am ganrifoedd. Yn
Lladin yr ysgrifennwyd y
gwaith ac mae tua 200 copi
o'r llyfr wedi goroesi mewn
nifer o wledydd. Cymaint
oedd apêl y llyfr nes iddo
gael ei gyfieithu i'r Gymraeg
o leiaf dair gwaith cyn diwedd
y drydedd ganrif ar ddeg. Mae
cyfieithiad Cymraeg o'r *Historia*
i'w gael yn *Llyfr Du Basing*.
Llawysgrif o'r bymthegfed ganrif
yw'r llyfr du hwn, a gopïwyd yn

abaty Glyn-y-groes yn Sir Ddinbych.
Mae'r rhwymiad yn brin ac yn werthfawr
oherwydd ei fod yn cynnwys y cloriau
pren gwreiddiol. Mae'r llawysgrif hefyd
yn anarferol gan ei bod wedi'i hysgrifennu
mewn inc gwyrddlas.

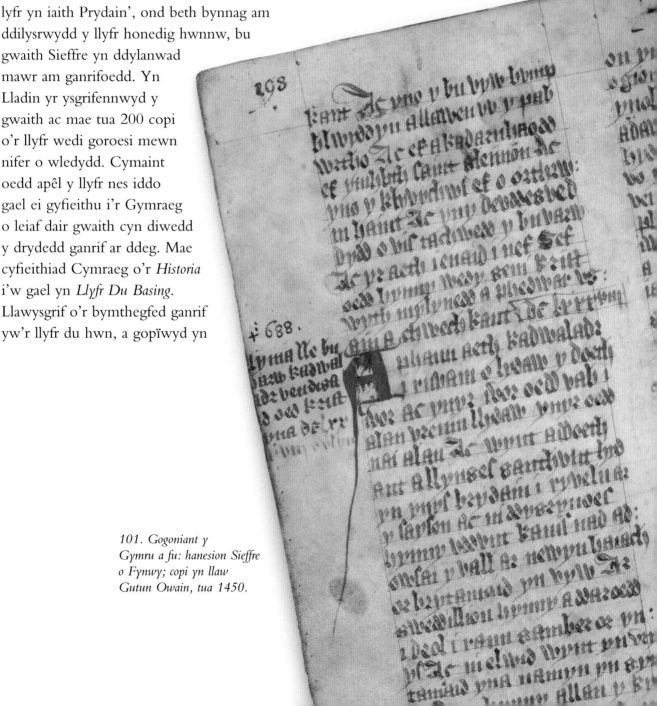

*101. Gogoniant y
Gymru a fu: hanesion Sieffre
o Fynwy; copi yn llaw
Gutun Owain, tua 1450.*

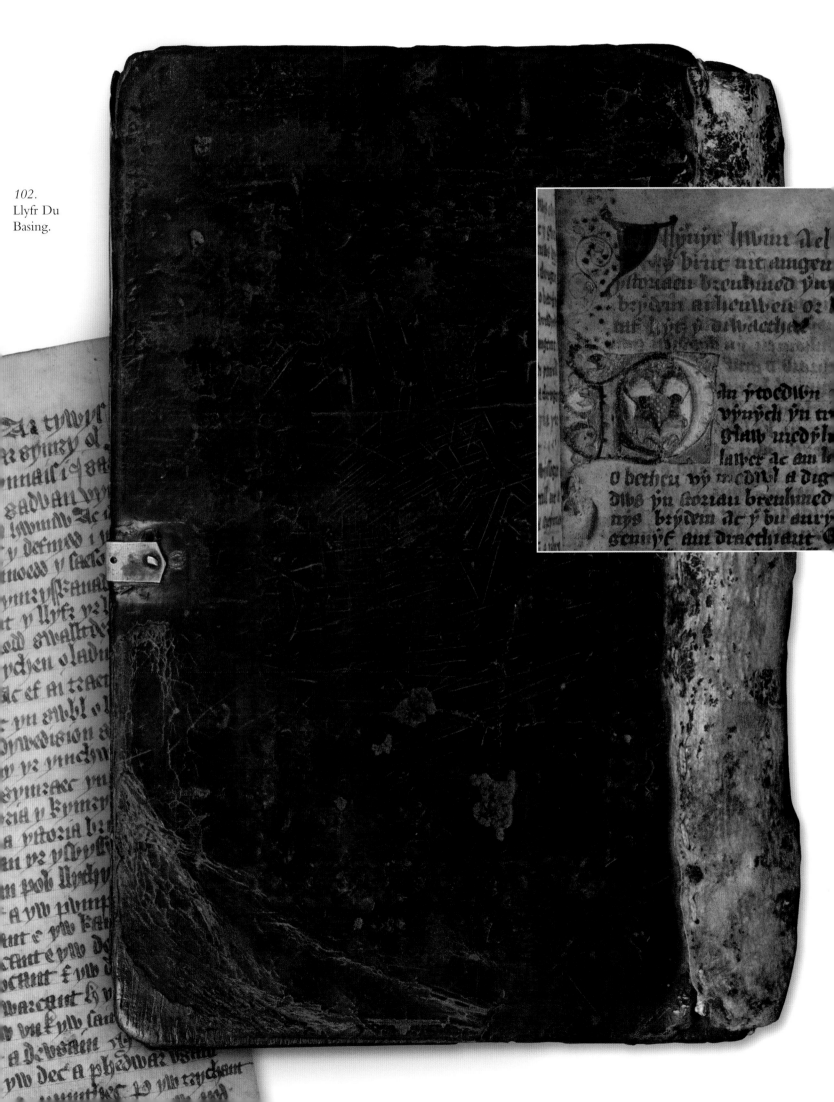

102.
Llyfr Du
Basing.

HEN LAIS Y CANOL OESOEDD

Gan yr ysgolhaig Gerallt Gymro y cawn
un o'r darluniau llawnaf o Gymru'r
canol oesoedd. Roedd e'n fanwl, fel
newyddiadurwr, ac er ei fod ychydig yn
gamarweiniol ar adegau, mae ei waith yn
ddiddanwch pur. Disgrifia'r Cymry fel pobl
a oedd yn falch o'u gwlad a'u hanes, pobl yn
llawn hiwmor, pobl gerddorol a charedig,
a rhai yr oedd eu meirch a'u harfau o'r
pwysigrwydd mwyaf iddynt. Câi eu gwalltiau
eu torri'n grwn, a glanhaent eu dannedd â
gwlân. Ond credai Gerallt eu bod yn yfed
gormod, eu bod yn wag eu haddewidion,
a'u bod yn wannach oherwydd diffyg undod.

Fe'i ganed ym Maenorbŷr ym 1146.
Roedd ei dad yn farchog Normanaidd,
a'i fam yn hanner Cymraes. Teimlai'n
fwy o Gymro nag o Norman fodd bynnag.
Disgrifiai'i hun fel person golygus, a'r
ysgolhaig mwyaf yng Nghymru; roedd
yn sicr yn gallu ysgrifennu Lladin yn fedrus
iawn. Bu'n Archddiacon Aberhonddu am
wyth mlynedd ar hugain, ond ofer fu ei
ymdrechion i ddod yn archesgob Tyddewi,
hwyrach am ei fod yn ormod o Gymro.
Roedd ei gysylltiadau â thywysogion Cymru
yn ei wneud yn berson defnyddiol iawn i'r
brenhinoedd Harri II a Rhisiart I. Ym 1188,
aeth ar daith drwy Gymru am saith wythnos
yng nghwmni Archesgob Caergaint, yn
ceisio annog rhai i ymuno yn y croesgadau.
Casglodd hefyd ddeunydd ar gyfer ei ddau

*103. Y teithiwr talog:
roedd mynd mawr ar
lyfr Gerallt Gymro.*

*104. Castell
Maenorbŷr, Sir
Benfro tua 1840,
man geni Gerallt
Gymro.*

waith mawr, *Itinerarium Kambriae* (Hanes
y daith trwy Gymru), 1191, a *Descriptio
Kambriae* (Disgrifiad o Gymru), 1194.
Yn y *Descriptio* y ceir geiriau proffwydol
Hen Ŵr Pencader, mai Cymru fyddai'n
ateb dros y 'cornelyn' hwn o ddaear pan
ddôi Dydd y Farn. Bu farw Gerallt Gymro
ym 1223 yn 77 oed. Wedi dyfodiad y ddyfais
argraffu, ganrifoedd yn ddiweddarach, bu
mynd mawr ar ei lyfrau.

105. *Ystrad-fflur: 'Ac yno dan yr ywen brudd / mae
Dafydd bêr ei gywydd' – cyfeiriad T. Gwynn Jones at
fedd honedig Dafydd ap Gwilym. Ffotograff tua 1890.*

SŴN A SYNNWYR

Dafydd ap Gwilym oedd bardd mwyaf
Cymru erioed, ac yng nghanol caledi'r
bedwaredd ganrif ar ddeg roedd serch a
byd natur yn dod â llawenydd cyson iddo.
Gallwn ei ddychmygu'n gorwedd yng
ngwres yr haul mewn llannerch fechan,
yn ysgrifennu am adar, blodau a merched
hardd, ac yn lliwio'i gerddi â gair neu ddau
o Ffrangeg. Gwyddai Dafydd ap Gwilym
yn iawn am farddoniaeth Beirdd yr
Uchelwyr, ond datblygodd ei ffordd
unigryw ei hunan o ysgrifennu, gan
berffeithio mesur y cywydd.

Carodd natur yn ei holl amrywiaeth,
adar, coed, eira a tharan. Pan syllodd fry
ar ffurfafen y nos, dywedodd:

> Bendith ar enw'r Creawdr ner
> a wnaeth saeroniaeth y sêr.

Ac mae pob disgybl ysgol yn dysgu
llinellau fel:

> Cyfaill cariad ac adar,
> cof y serchogion a'u câr.

Cafodd ei eni ger Aberystwyth tua 1320,
a bu'n teithio'n helaeth drwy Gymru,
gan ddatgan ei gerddi mewn tai bonedd
i gyfeiliant telyn. Bu farw tua 1370, ac
mae dadlau mawr hyd heddiw ynglŷn
ag union fan ei gladdu. Nid yw'n syndod,
felly, fod ganddo ddwy garreg fedd, un
yn Ystrad-fflur a'r llall yn Nhalyllychau.

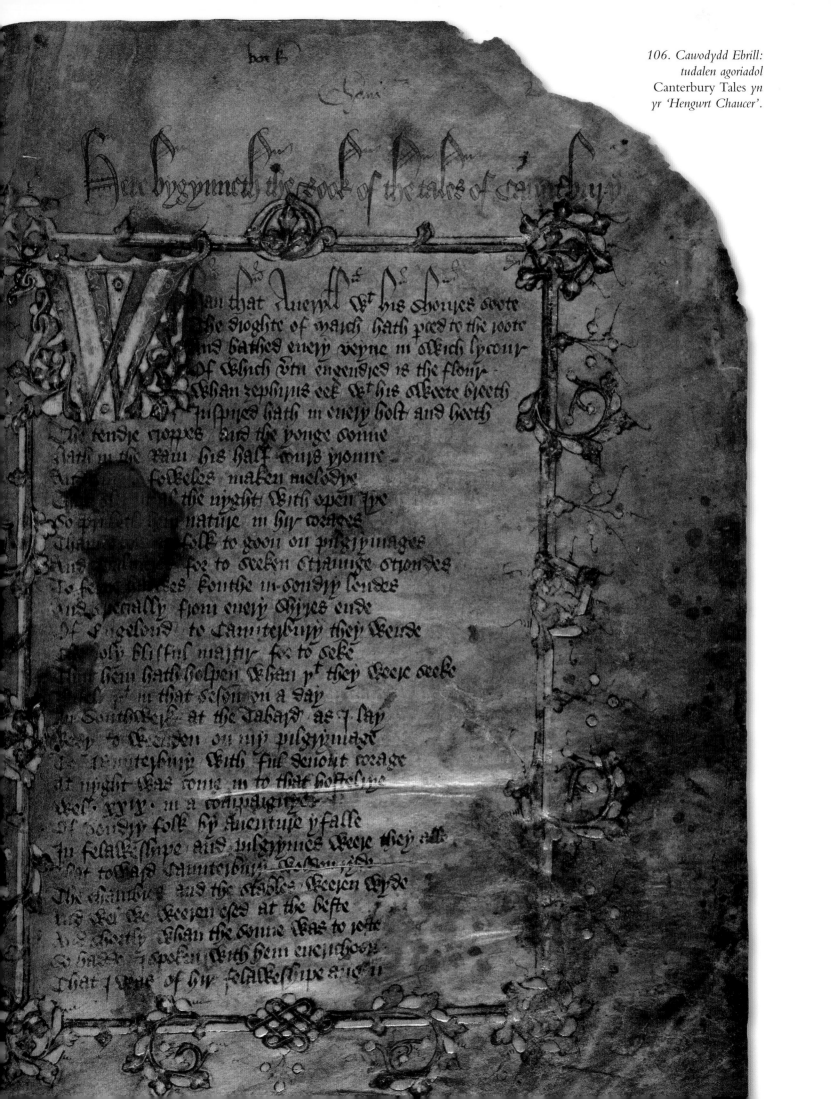

here bygynneth the book of the tales of Caunterbury

Whan that Aprill wt his shoures soote
The droghte of march hath perced to the roote
And bathed euery veyne in swich lycour
Of which vertu engendred is the flour
Whan zephirus eek wt his sweete breeth
Inspired hath in euery holt and heeth
The tendre croppes and the yonge sonne
hath in the Ram his half cours yronne
And smale foweles maken melodye
That slepen al the nyght with open Iye
So priketh hem nature in hir corages
Thanne longen folk to goon on pilgrymages
And palmeres for to seeken straunge strondes
To ferne halwes kouthe in sondry londes
And specially from euery shires ende
Of Engelond to Caunterbury they wende
The hooly blisful martir for to seke
That hem hath holpen whan y they weere seeke
Bifil that in that seson on a day
In Southwerk at the Tabard as I lay
Redy to wenden on my pilgrymage
To Caunterbury with ful deuout corage
At nyght was come in to that hostelrye
Wel xxix in a compaignye
Of sondry folk by auenture yfalle
In felaweshipe and pilgrimes weere they alle
That toward Caunterbury wolden ryde
The chambres and the stables weeren wyde
And wel we weeren esed atte beste
And shortly whan the sonne was to reste
So hadde I spoken with hem euerychoon
That I was of hir felaweshipe anon

106. Cawodydd Ebrill: tudalen agoriadol Canterbury Tales *yn yr 'Hengwrt Chaucer'.*

Y BARDD
LLAWEN

I DAWEL
LWYBRAU GWEDDI

Chwedlau Caergaint (*Canterbury Tales*)
oedd gwaith mwyaf Geoffrey Chaucer.
Mae'r pedair stori ar hugain hyn wedi
bod yn diddori ac yn diddanu pobl ar hyd
y canrifoedd. Y copi cynharaf o'r straeon
hyn yw un o drysorau pennaf y Llyfrgell
Genedlaethol, ac mae'r ffaith fod y llawysgrif
yng Nghymru yn profi'r diddordeb oedd
gan y Cymry mewn llawysgrifau Saesneg
o'r canol oesoedd ymlaen. Siopwr yng
Nghaer oedd perchennog y copi hwn yn y
1550au, ac mae'n debyg i'r gwaith gyrraedd
Caernarfon tua'r 1620au. Bu'n ddiogel yn
llyfrgell Robert Vaughan ger Dolgellau
am dros ddwy ganrif. Roedd Chaucer, fel
Shakespeare, yn ysgrifennu yn iaith y bobl,
a'i waith yn cyfleu doniolwch, cariad a
chymhlethdodau bywyd.

Yn y canol oesoedd, byddai addolwyr
selog yn dilyn Llyfr Oriau i'w tywys ar
lwybrau gweddi yn y cartref. Pe bydden
nhw'n gyfoethog, byddai ganddyn nhw eu
capel eu hunain ar gyfer y gwaith. Ond lle
bynnag y byddai'r addolwyr, byddai'r llyfr
bach hwn, gyda'i galendr o ddyddiau'r saint
a chyfarwyddiadau ynglŷn â myfyrdodau
cyson trwy'r dydd, yn gosod patrwm ar
gyfer eu gweddïau. Lluniwyd *Llyfr Oriau
Llanbeblig* tua 1390. Mae'r llyfr bychan
hwn wedi ei wneud o felwm, a'i faint
yw tua chwe modfedd a hanner o uchder.
Mae cyfeiriad at Eglwys Sant Peblig
yn ei gysylltu â Chaernarfon. Rhai o'i
nodweddion arbennig yw lluniau o Dduw
a'r Ysbryd Glân, llun Magnus Maximus,
sy'n ymddangos yn y *Mabinogion* fel
Macsen Wledig, a'r Forwyn Fair gyda
darlun annisgwyl o'r Iesu wedi ei
groeshoelio ar lili.

*107. Defosiwn dyddiol: (o'r chwith
i'r dde) Llyfr Oriau Llanbeblig,
o bosib yn eiddo i Isabell Godynough,
a fu farw ym 1413.
Duw yr Ysbryd Glân;
Magnus Maximus;
Croeshoeliad y lili.*

*108. 'Lle i enaid
gael llonydd' meddai
J. Glyn Davies, a dyna
a gafodd Wordsworth yn
Abaty Tyndyrn. Louis
Haghe, 1855.*

*109. Hardd a diffuant:
Beibl Tyndyrn.*

PRAWF UWCHFIOLED

Daeth y mynachod Sistersaidd o Cîteaux
ym Mwrgwyn, Ffrainc, i Gymru gan wneud
argraff ddofn ar y wlad drwy eu cariad at
ddysg, symlder eu ffordd o fyw a'u croeso
cynnes i bobl o bob math, y tlawd a'r
cyfoethog yn ddiwahân. I Dyndyrn yn Sir
Fynwy y daeth y Sistersiaid cyntaf i Gymru.
Cysegrwyd eu habaty ym 1288, ac er iddo
gael ei chwalu yn ystod teyrnasiad Harri VIII,
mae ei furiau hardd yn dal i sefyll yn urddasol.

Tra oedd yr abaty yn cael ei godi, yn ail
hanner y drydedd ganrif ar ddeg, daeth i'w
feddiant Feibl arbennig, sydd erbyn hyn yn
y Llyfrgell Genedlaethol. Mae'n enghraifft
odidog o'r cannoedd o Feiblau a gafodd
eu cynhyrchu yn y drydedd ganrif ar ddeg
mewn ymateb i dwf llythrennedd ac addysg

prifysgol. Mae'n rhyw naw modfedd a
hanner o uchder gyda dwy golofn i bob
tudalen ac ôl gwaith dau ysgrifwr arno.
Mae'r priflythrennau pwysicaf mewn coch
a glas ac yn hardd iawn, ac eto, yn unol â
natur y Sistersiaid a oedd yn well ganddynt
symlrwydd, nid ydyn nhw'n rhy amlwg
eu haddurn.

Mae'n bosibl nad yn Nhyndyrn y
cynhyrchwyd Beibl Tyndyrn. Efallai mai
o Ffrainc y daeth. Fe'i rhwymwyd yn yr
ail ganrif ar bymtheg ac fe'i prynwyd gan y
Llyfrgell Genedlaethol ym 1988 am £30,000.
Roedd arysgrif o'r bymthegfed ganrif wedi ei
dileu, ond gyda chymorth golau uwchfioled
fe ddaeth yn amlwg eto, gan gadarnhau fod
y Beibl wedi goroesi o ddyddiau llyfrgell
ganoloesol Tyndyrn.

*110. Astronomeg
y Canol Oesoedd:
Cytser Andromeda.*

*Cytser
Llys Dôn.*

Y byd uwchben.

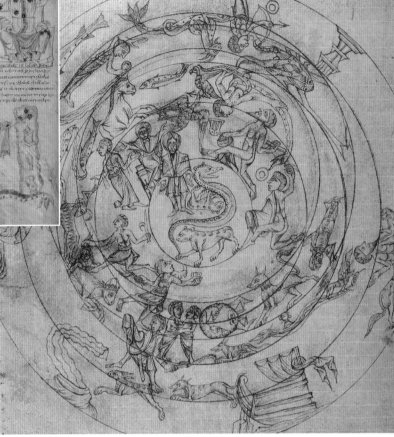

FFYRDD Y SÊR

Ymhell bell cyn i ddyn adnabod y ddaear,
roedd yn adnabod y ffurfafen. Gwyddai'n
iawn am symudiadau'r haul, y lleuad a'r sêr.
Roedd seryddiaeth yn cael ei hastudio'n
wyddonol, a'r prif ddefnydd a wnaed ohoni
oedd gan forwyr a theithwyr. Roedd teithio
mawr ar y moroedd ar hyd y canrifoedd,
ac roedd adnabod y sêr yn fater o raid.
Mae llawysgrif wyddonol hynaf y
Llyfrgell Genedlaethol, *Astronomeg y
Canol Oesoedd*, yn dangos y cyswllt hynafol
rhwng seryddiaeth, mytholeg ac astroleg.
Lladin yw iaith y llawysgrif, ac mae'n
cynnwys disgrifiadau a diagramau o'r
cytser. Mae yna hefyd ddarluniau o'r
sidydd, gan gynnwys y Tarw a'r Efeilliaid.
Cafodd y llawysgrif, sydd mewn dau ddarn,
ei llunio yn ardal Limoges yn Ffrainc, y darn
cyntaf tua'r flwyddyn 1000 a'r llall tua 1150.
Roedd y llawysgrif ym meddiant teulu Plas
Power, Sir Ddinbych, am tua dwy ganrif
cyn i'r Llyfrgell Genedlaethol ei phrynu
ym 1913.

*Cytser
Serpentarius.*

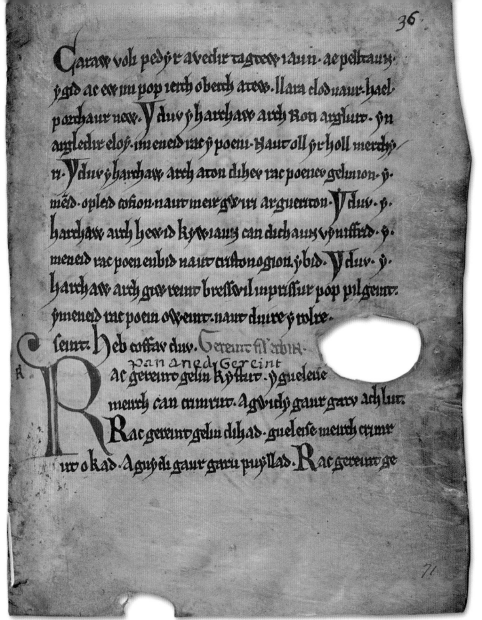

111. *Mewn twll:* Llyfr Du Caerfyrddin.

YN Y DECHREUAD

Roedd y mynachod yn ysgrifennu ar femrwn, sef croen dafad neu afr neu lo, a hwnnw wedi cael ei olchi a'i grafu hyd nes ei fod yn ddigon tenau, gyda'r braster wedi ei dynnu ohono. Yr enw a roddwyd ar groen fel hyn oedd 'felwm'. Doedd y felwm ddim yn hollol berffaith bob tro, gan fod yna rai tyllau wedi eu creu gan bryfed bychain a fwydai ar groen yr anifeiliaid tra oedden nhw'n fyw. Ond er mwyn peidio â gwastraffu deunyddiau prin, y cyfan yr oedd yr ysgrifennwr yn ei wneud oedd ysgrifennu o amgylch y tyllau hyn.

Gallai inc carbon gael ei ddileu, ond gellid gwneud inc mwy parhaol o haearn sylffad, gwm o goed acacia, dŵr ac afalau'r dderwen, sef tyfiant a gâi ei greu gan wenyn arbennig wrth iddyn nhw ddodwy eu hwyau y tu mewn i goeden dderwen. Byddai'r asid yn yr 'inc haearn' hwn yn llosgi ychydig ar y memrwn, ac felly'n aros am byth. Roedd hyn yn arbennig o ddefnyddiol, felly, er mwyn cadw cofnodion pwysig ac ar gyfer dogfennau cyfreithiol. Fodd bynnag, roedd yn rhaid sicrhau nad oedd gormod o asid ynddo rhag iddo losgi trwy'r memrwn yn llwyr.

Ysgrifennai'r Eifftwyr ar bapyrus a wneid o fath arbennig o frwyn. Yn yr ail ganrif, defnyddiai'r Tseineaid gyfuniad o hemp a brethyn a dŵr, a'r cyfan wedi ei sychu ar ffrâm. Roedd y cyfuniad hwn yn gyfrinach am saith canrif, hyd nes i'r Arabiaid ei ddarganfod. Yna, cyrhaeddodd y gyfrinach Sbaen, ac oddi yno fe ledodd i Ffrainc a Lloegr yn y drydedd ganrif ar ddeg a'r bedwaredd ganrif ar ddeg. Ymddangosodd yng Nghymru tua 1450. Gyda dyfeisio'r wasg argraffu, dechreuwyd defnyddio papur fel hwn ar hyd a lled y byd.

CÂN I DDEWI

Roedd y swyddogion a chwiliai'r mynachlogydd a'r eglwysi am bapurau a llyfrau dan orchymyn Harri VIII yn drylwyr a didrugaredd. Llosgwyd bron pob dogfen a ddefnyddid yn y gwasanaethau Pabyddol. Ond mae'r ddogfen hon yn enghraifft brin o'r ychydig rai sydd wedi goroesi. Efallai iddi gael ei chuddio'n ofalus gan rywun a sylweddolai ei phwysigrwydd. Dyma'r llawysgrif gerddorol Gymreig hynaf sydd gennym. Fe'i hysgrifennwyd yn ail hanner y bedwaredd ganrif ar ddeg, a'i defnyddio yn esgobaeth Tyddewi. Dyma gofnod cynnar iawn o wasanaeth llawn i ddathlu Gŵyl Ddewi, ac mae'r gerddoriaeth yn dyddio'n ôl i'r drydedd ganrif ar ddeg, tystiolaeth o ddefnydd cynnar o gerddoriaeth yn eglwysi Cymru. Mae'r gerddoriaeth yn antiffonig: byddai dau grŵp o gantorion yn canu penillion am yn ail, gydag un grŵp yn adleisio'r llall. *Llyfr Antiffonau Penpont* yw'r enw ar y llawysgrif, ac roedd ym Mhenpont yn Sir Frycheiniog yn ystod y 1550au.

112. Y gân yn ei gogoniant: Llyfr Antiffonau Penpont.

DROS GYMRU'N GWLAD

Roedd Owain Glyndŵr tua chwech a deugain pan gododd yn erbyn y Saeson ym Medi 1400. Roedd gormes y Saeson wedi gwneud i'r Cymry deimlo'n alltudion yn eu gwlad eu hunain. Roedd Glyndŵr yn ddyn i'w ddilyn.

Roedd yn uchelwr o fri ac, yn rhyfedd iawn, bu unwaith yn ymladd gyda'r Saeson yn erbyn yr Albanwyr.

Yn ôl Shakespeare, roedd yn ddyn nerthol, yn llawn dirgelwch ac yn arweinydd naturiol. Mae'r Cymry'n cofio hyd heddiw ei weledigaeth am wlad gyda'i Senedd, ei Phrifysgol a'i Heglwys ei hun. Ni ildiodd Glyndŵr erioed. Yn hytrach, diflannodd oddi ar wyneb y ddaear, a bu farw tua 1416 yn drigain a dwy. Ei wrthryfel ef oedd y gwrthryfel olaf yn erbyn y Saeson. Roedd rhai mân uchelwyr Cymreig yn ei ddilorni, ond roedd mwyafrif y Cymry yn ei weld am yr hyn ydoedd: rhyfelwr, gwladweinydd a gŵr o weledigaeth. Roedd yn ymgorfforiad o'r arwr cenedlaethol, yn un a weithiai'n ddiflino dros y Gymru y credai ynddi, ac mae ei enw wedi para'n fyw yng nghalon y Cymro ar hyd y canrifoedd.

113. I'r gad: disgrifiad Gruffudd Hiraethog o fuddugoliaeth Glyndŵr ar Fynydd Hyddgen, 1401.

114. Brenin y sêr: arwydd y sidydd ac effaith y bydoedd uwchben ar iechyd meidrolion.

15. Profi'r dyfroedd.

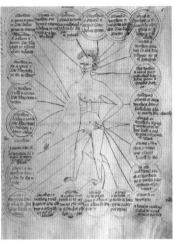
Mesur gwaed.

Dyddiau'r seintiau.
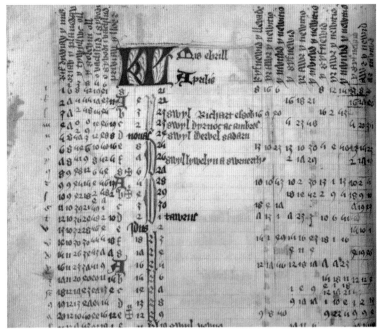

ACHAU

Wrth geisio cipio coron Lloegr, roedd Harri VII yn barod iawn i ddibynnu ar ei gysylltiadau Cymreig. Roedd wedi datgan ei hawl i'r frenhiniaeth trwy berthynas ei daid, Owain Tudur, â hen frenhinoedd Cymru a Phrydain. I'r perwyl hwn, ym 1491, sefydlodd gomisiwn i olrhain achau Owain, a phenodi Gutun Owain i wneud y gwaith. Gutun Owain oedd un o brif achyddwyr y cyfnod, yn ogystal â bod yn fardd enwog. Fel ysgolhaig, bu'n gyfrifol am gopïo rhannau o *Llyfr Du Basing*. Roedd ganddo ddiddordeb mawr mewn meddygaeth ac astroleg, ac yn y 1490au fe luniodd lyfr arbennig yn llawn gwybodaeth feddygol, gyda lluniau'n dangos sut y dylid gwaedu'r corff i drin gwahanol glefydau, a sut y dylid dadansoddi lliw dŵr y corff. Lluniodd 'ddyn y sidydd' i ddangos dylanwadau astrolegol ar y corff.

O FAN I FAN

Arferai beirdd deithio o amgylch tai bonedd i gyfansoddi marwnadau, cerddi priodasol, ac unrhyw waith a fyddai'n clodfori'r uchelwr a'i deulu. Roedd gan y crwydryn cyffredin enw drwg ymhlith y bonedd, ond roedd y crwydryn o fardd yn wahanol. Felly, er mwyn gwahaniaethu rhwng y ddwy garfan, cyhoeddodd Lewys Morgannwg, yn yr unfed ganrif ar bymtheg, y ddogfen a welir isod, fel math o drwydded i'r beirdd allu profi eu bod yn grefftwyr geiriau.

116.

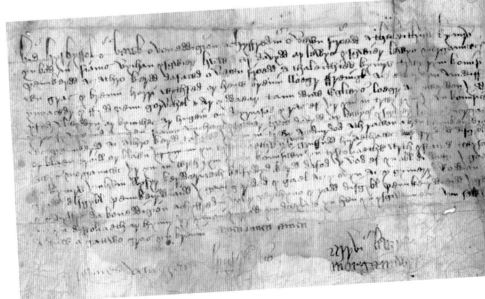

*117. Arbed croen y Cymry:
pardwn Harri IV i gefnogwyr
Glyn Dŵr ym 1410, yn cynnwys
Jenkin ap Jenkin, Llewelyn ap Madog
ap Llewelyn, Rys ap David ap Howel,
a Madog ap Ieuan ap Madog.*

ENWAU'R CYMRY

Roedd yr hen Gymry'n gwybod yn union pwy oedden nhw. Roedd eu henwau'n cynnwys enwau eu hynafiaid, a hyn a fyddai'n dangos eu safle mewn cymdeithas. Roedd gan ddyn enw ei dad, ei daid ac efallai ei hen daid, wedi eu cysylltu ag 'ap' yn golygu 'mab'. Enghraifft o hyn yw enw beili Llanfyllin ym 1585: Cadwaladr ap Dafydd ap Siôn ap Huw ap Moris.

Wedi'r Ddeddf Uno ym 1536, Saesneg oedd unig iaith llywodraeth yng Nghymru, a mynnai'r swyddogion fod y Cymry'n dilyn yr arfer Seisnig o osod cyfenw. Roedd yr eglwys hithau hefyd yn mynnu'r math hwn o enwi ar gyfer cofrestru bedydd. Bu'r bonedd Cymreig, yn ogystal, yn barod iawn i dderbyn y ffordd Seisnig. Perswadiwyd Thomas ap Richard ap Hywel ap Ieuan o Fostyn i newid ei enw i Thomas Mostyn. Roedd Harri VII, Harri VIII ac Elizabeth I yn defnyddio'r ffurf Tudur ar yr enw gan fod Owain wedi dewis enw ei daid, Tudur, yn gyfenw yn hytrach nag enw ei dad, Maredudd.

Seisnigwyd y cyfenwau Cymreig, a daeth Ifan ab Ifan yn Evan Evans. Yn aml daeth yr 'ab' neu'r 'ap' yn rhan o'r enw newydd; er enghraifft, trodd Huw ab Owen yn Hugh Bowen, gyda'r 'b' yn 'ab' wedi cael ei roi ar flaen 'Owen'. Yn yr un modd, daeth Tomos ap Hywel yn Thomas Powell neu Thomas Howells. Gan fod nifer yr enwau bedydd yn gymharol fach yng Nghymru, enwau fel William, Robert, Thomas ac Edward, cyfyng hefyd oedd nifer y cyfenwau Cymreig. Newidiwyd John yn Jones, a chan mai ffurfiau ar yr enw John oedd yr enwau bedydd mwyaf poblogaidd yng Nghymru, er enghraifft Siôn, Ieuan ac Ioan, daeth Jones i fod y cyfenw mwyaf poblogaidd, ac mae'n amhosibl dyfalu sawl 'John Jones' sydd wedi byw yng Nghymru ar hyd y canrifoedd. Er gwaethaf y newidiadau sylfaenol hyn, mae enwau'r Cymry yn dal i fod yn rhan o'n hunaniaeth ni fel cenedl.

YN Y LLYFR HWN

Un o enwau mawr yr unfed ganrif ar bymtheg yng Nghymru oedd Syr Siôn Prys o Frycheiniog. Cafodd ei addysgu yn Rhydychen; roedd yn Aelod Seneddol ac yn dirfeddiannwr. Disgrifiwyd ei fywyd llwyddiannus unwaith fel 'diwrnod hir o haf'. Ymhlith ei ffafrau lu i'r genedl, saif dwy uwchlaw pob un arall. Dyma'r gŵr a achubodd *Llyfr Du Caerfyrddin* rhag cael ei golli am byth, ac ef hefyd, ym 1546, a ysgrifennodd y llyfr cyntaf i gael ei argraffu yn Gymraeg. Y Llyfrgell Genedlaethol yw cartref yr unig gopi cyflawn sydd ar ôl heddiw. Credai Syr Siôn yn gryf mai rhodd gan Dduw oedd y wasg argraffu, a bod gweld llyfrau'n cael eu cyhoeddi yn eu hiaith eu hunain yn llesol i'r Cymry. Nid oes teitl i'w gyfrol, ond mae'n cael ei hadnabod oddi wrth ei geiriau agoriadol: 'Yny lhyvyr hwnn'. Mae'n cynnwys yr wyddor, calendr, y Credo, Gweddi'r Arglwydd, y deg gorchymyn, a saith rhinwedd yr eglwys, ymhlith pethau eraill.

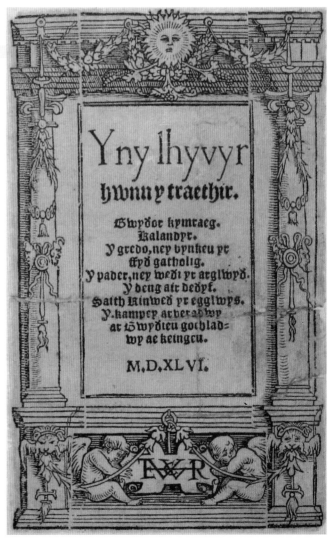

118. Yny lhyvyr hwnn, *1546; blaenddalen.*

WILLIAM MORGAN

Ar ddiwedd 1587 dyma William Morgan yn cyfrwyo'i farch ac yn dechrau ar y siwrnai hir o Dŷ Mawr, Wybrnant, Sir Ddinbych, tua Llundain. Yn ei sachell roedd ganddo lawysgrif bwysig – ei gyfieithiad Cymraeg o'r Beibl. Wedi astudio yng Nghaergrawnt, roedd yn medru Groeg a Hebraeg, a threuliodd ddeng mlynedd yn cyfieithu'r Hen Destament a'r Testament Newydd o'r ieithoedd hyn i'r Gymraeg. Gallwn ei ddychmygu'n cyrraedd tafarn yn hwyr y nos wedi blino'n lân, yn diolch i Dduw fod ei lawysgrif yn ddiogel ac nad oedd rhyw leidr pen ffordd wedi dwyn ei waith.

Ar ôl teithio dros 200 milltir, dyma gyrraedd Llundain, ac aros gyda Gabriel Goodman, Deon Westminster, a chyfaill o'i ddyddiau coleg. Bob dydd byddai'n mynd i wasg George Bishop ar dir Eglwys Sant Paul i arolygu'r gwaith o argraffu'r Beibl. Ef ei hunan fu'n gyfrifol am wneud y gwaith hollbwysig o gywiro'r broflen. Wedi'r cyfan, doedd gan argraffwyr Llundain fawr o syniad am yr iaith Gymraeg a byddai'r camgymeriadau'n frith. O'r diwedd, ym mis Medi 1588, gwelodd y Beibl cyntaf, argraffiad o fil, olau dydd. Wedi eu rhwymo mewn cloriau lledr, roedd 1,222 tudalen o bapur Ffrengig ac ar bob un ohonynt roedd geiriau Cymraeg mewn inc Ffrengig.

119. Llyfr cyntaf Moses: Beibl 1588.

John Whitgift, Archesgob Caergaint, oedd un o'r cyntaf i gefnogi'r cyfieithu, gan ofni y byddai Cymru'n cael ei dylanwadu gan y Pabyddion heb y cyfieithiad hwn. Rhoddodd Whitgift gymorth ariannol i'r prosiect, gan orchymyn i'r Beibl Cymraeg gyrraedd yr eglwysi yng Nghymru erbyn y Nadolig. Pris y Beibl oedd punt y copi. Roedd y pris yn llawer rhy uchel i bocedi'r werin. Ond anogodd Thomas Jones, y person, y Cymro i 'werthu ei bais' i'w brynu, a'r un anogaeth a gafwyd gan y Ficer Prichard yn ddiweddarach:

Mae'r 'Beibl bach' yn awr yn gyson
Yn iaith dy fam i'w gael er coron;
Gwerth dy grys cyn bod heb hwnnw,
Mae'n well na thref dy dad i'th gadw.

Mae llawer yn dweud bod William Morgan, trwy gyfieithu'r Beibl, wedi achub y Gymraeg rhag marw. Yn sicr, trwy aberth William Morgan, roedd gan y Gymraeg yn awr yr un statws â Ffrangeg, Almaeneg, Saesneg a Sbaeneg. Roedd hi'n iaith y Beibl. Roedd hi'n cyfri.

Cafodd William Morgan addysg prifysgol yng Nghaergrawnt a bu'n offeiriad yn Llanbadarn Fawr ger Aberystwyth, yn y Trallwng, Dinbych a Llanrhaeadr-ym-Mochnant cyn dod yn esgob Llandaf a Llanelwy. Bu farw ym 1604, gan adael ar ei ôl £110, cyfrwy, dau baun a dau alarch.

120. Y Beibl Cysegr-lân: blaenddalen Beibl 1588.

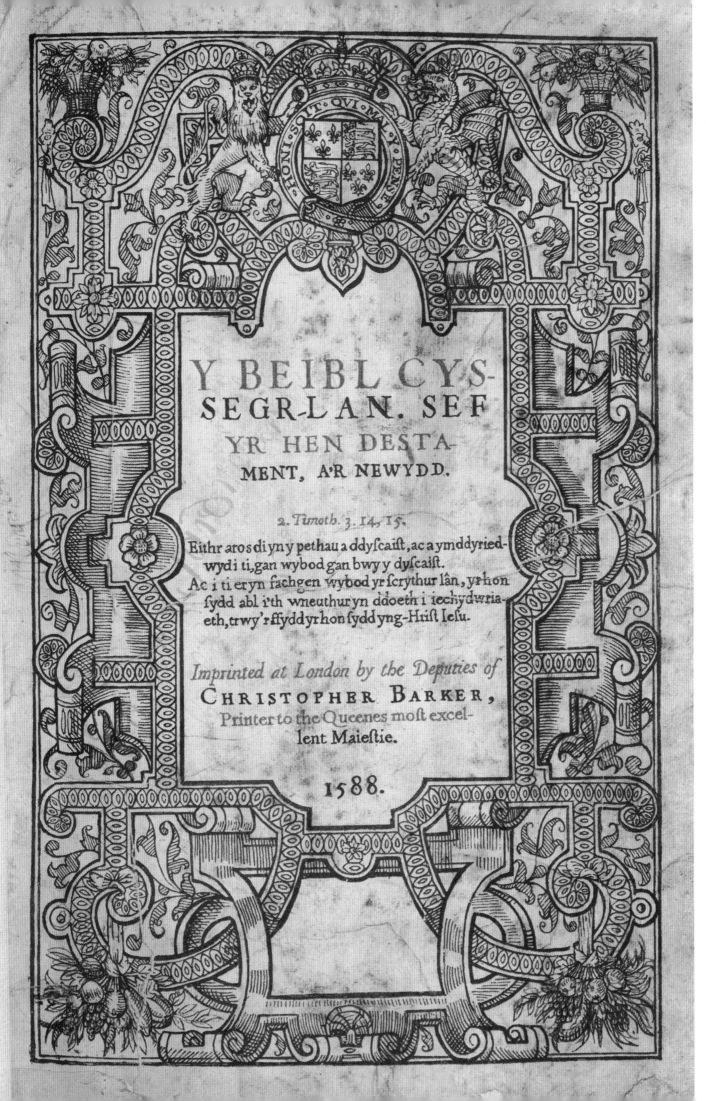

Y BEIBL CYS-
SEGR-LAN. SEF
YR HEN DESTA-
MENT, A'R NEWYDD.

2. Timoth. 3. 14, 15.

Eithr aros di yn y pethau a ddyfcaift, ac a ymddyried-
wydi ti, gan wybod gan bwy y dyfcaift.
Ac i ti eryn fachgen wybod yr fcrythur lân, yr hon
fydd abl i'th wneuthur yn ddoeth i iechydwria-
eth, trwy'r ffydd yr hon fydd yng-Hrift Iefu.

Imprinted at London by the Deputies of
CHRISTOPHER BARKER,
Printer to the Queenes most excel-
lent Maiestie.

1588.

GEIRIAU'R GELL

*121. Llawysgrifen
John Jones, Gellilyfdy:
copi o adroddiad am
losgi Rhuthun gan
luoedd Owain
Glyndŵr.*

Roedd cyfraniad y copïwr John Jones i
lenyddiaeth Cymru yn enfawr. Treuliodd
ddeuddeng mlynedd mewn carchar oherwydd
ei ddyledion, ac yn ei gell treuliai ei amser yn
copïo gweithiau beirdd. Oherwydd ei grefft
arbennig, roedd ei gopïau ef yn weithiau celf
ynddyn nhw eu hunain. Cafodd ei eni ym
1585, yng Ngellilyfdy, Sir y Fflint. Roedd yn
gyfreithiwr wrth ei alwedigaeth, ac yn gyfaill
i Robert Vaughan. Bu farw yng ngharchar
Fleet yn Llundain ym 1658, ac aeth Robert
Vaughan ei hunan yno'n syth wedyn i achub
y cannoedd o gopïau o'i gell. Mae'r rhain
i gyd bellach yn y Llyfrgell Genedlaethol.

Y CASGLWR

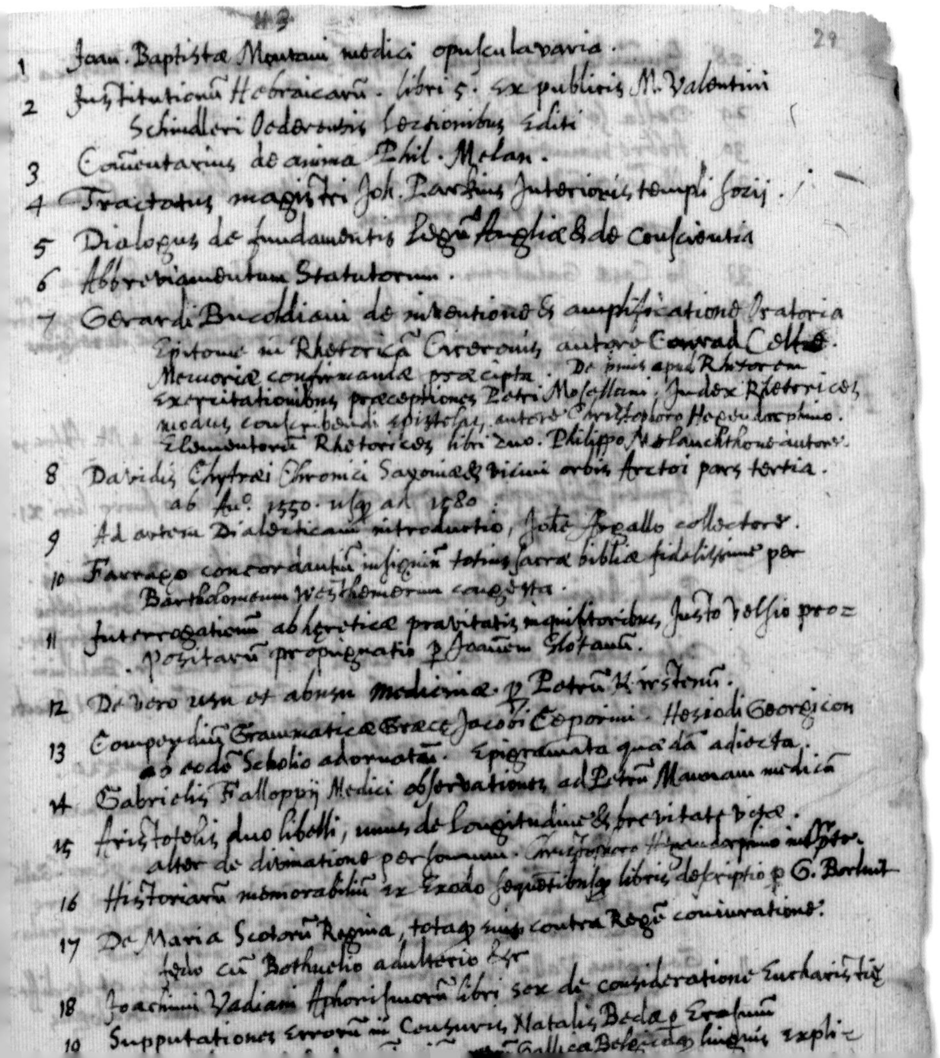

Robert Vaughan yw'r gŵr sydd wedi llwyddo
yn fwy na neb arall 'i gadw i'r oesoedd a
ddêl y glendid a fu'. Mae tua 250 o lyfrau
o Gymru'r canoloesoedd wedi goroesi hyd
heddiw, a Robert Vaughan a fu'n gyfrifol
am gasglu dros eu hanner. Yn Hengwrt,
ei gartref ym Meirionnydd, cadwodd lyfrau
megis *Llyfr Du Caerfyrddin, Llyfr Gwyn
Rhydderch, Llyfr Taliesin, Cyfreithiau Hywel
Dda* a *Brut y Tywysogyon.* Cafodd ei addysg
yn Rhydychen, ond fe ddysgodd hanes ac
achyddiaeth gan y beirdd, a'r rhain oedd yn
gyfrifol am drosglwyddo hen lawysgrifau'r
canrifoedd iddo. Roedd yn gopïwr heb ei
ail, ac yn gasglwr a chanddo barch mawr
at ei wlad a'i hanes.

*122. Catalog personol
Robert Vaughan o'i
lyfrgell yn Hengwrt.*

Ar ddiwedd teyrnasiad Elizabeth I ym 1603, roedd llai na mil o Babyddion yng Nghymru. Roedd rhai yn gweithio yn y dirgel i gadw'r hen ffydd yn fyw. Un ohonyn nhw oedd Robert Gwyn, cenhadwr a aned ger Pwllheli. Ef mae'n debyg oedd awdur *Y Drych Cristianogawl*, y gyfrol gyntaf i gael ei hargraffu ar dir a daear Cymru. Sefydlodd saith o Babyddion wasg mewn ogof yn y Gogarth ger Llandudno ym 1586–87, ac argraffu llyfr Robert Gwyn yno. Rhoddwyd argraffnod Rouen i'r gwaith er mwyn ceisio dangos ei fod wedi cael ei gyhoeddi yn y dref honno, a hynny er mwyn drysu swyddogion y llywodraeth. Serch hynny, daeth y swyddogion hyn i wybod am yr ogof, a bu'n rhaid i'r argraffwyr ffoi. Arestiwyd un ohonyn nhw, sef William Davies, a'i grogi ym Miwmares ym 1593, gymaint oedd ofn yr awdurdodau o ddylanwadau Pabyddol. Mae'r unig gopi cyflawn sydd ar ôl o lyfr Robert Gwyn bellach yn y Llyfrgell Genedlaethol.

123. Geiriau peryglus: mentrodd dynion eu bywydau i argraffu'r llyfr hwn. Roedd yn trafod y ddysgeidiaeth Gatholig ar Farwolaeth, Dydd y Farn, Uffern a Nefoedd.

CILCYN O DDAEAR

*126. Ar y dde:
map 1580 Christopher
Saxton yn dangos
arfordir Cymru yn glir.*

Dechreuwyd y grefft o lunio mapiau, fel y
gwyddom ni amdani heddiw, 'nôl ym 1477,
pan ddechreuodd ysgolheigion ail-greu
mapiau Ptolemy o Alecsandria a ddyddiai'n
ôl i'r ail ganrif. Er mai syniadau gŵr a oedd
wedi marw dros dair canrif ar ddeg ynghynt
oedd y rhain, eto i gyd, dyma oedd darlun
y rhan fwyaf o bobl o sut yr edrychai'r byd.
Ym 1569 lluniodd Gerardus Mercator
gyfrol o fapiau yn dangos y cymeriad Atlas
yn cario'r byd crwn ar ei ysgwyddau. Dyna
pam y galwn ni gyfrol o fapiau yn 'Atlas'
hyd y dydd heddiw.

Gan fod yr unfed ganrif ar bymtheg yn
ganrif o deithio a masnachu, roedd galw
mawr am fapiau a siartiau morwrol yn y
cyfnod. Lluniwyd y map safonol cyntaf o
Gymru gan Humphrey Llwyd o Ddinbych
ar raddfa un fodfedd i ychydig dros wyth
milltir. Fe'i hargraffwyd gan Abraham

Ortelius yn Antwerp. Fel llawer o fapiau'r
cyfnod, mae llun anghenfil y môr arno.
Cafwyd mapiau ardderchog yn dilyn
arolwg Christopher Saxton yn y 1570au,
a dylanwadodd ei waith ef a Humphrey
Llwyd yn fawr ar John Speed yntau.
Gosododd map Speed ym 1611 safonau
uchel newydd o ran cywirdeb mapiau.

Ond cafwyd cwynion gan forwyr fod y
mapiau yn achosi llongddrylliadau gan nad
oedden nhw'n ddibynadwy. Felly, aeth Lewis
Morris ati ym 1737 i wneud arolwg manwl
o arfordir Cymru. Swyddog y tollau yn Sir
Fôn oedd Lewis Morris a oedd hefyd yn
ysgolhaig ac yn dirfesurydd. Bu wrth y gwaith
am un mlynedd ar ddeg, a chyhoeddodd siart
o'r arfordir, o Landudno i Aberdaugleddau,
ynghyd â chynlluniau pum harbwr ar hugain.
Ym 1800, aeth ei fab, William, ati i gwblhau'r
gwaith o lunio siart o arfordir Cymru gyfan.
Lewis Morris a'i frawd Richard a sefydlodd
Anrhydeddus Gymdeithas y Cymmrodorion,
sef cymdeithas i hybu'r diwylliant Cymraeg
a Chymreig yn Llundain.

*124. Rhag marw ar y
môr: tudalen deitl llyfr
arloesol Lewis Morris
yn sôn am bob
porthladd, ffordd,
bar a bae yn Sianel
San Siôr, 1748.*

*125. Hafan ddiogel: bar a
harbwr Bae Ceredigion,
Lewis Morris.*

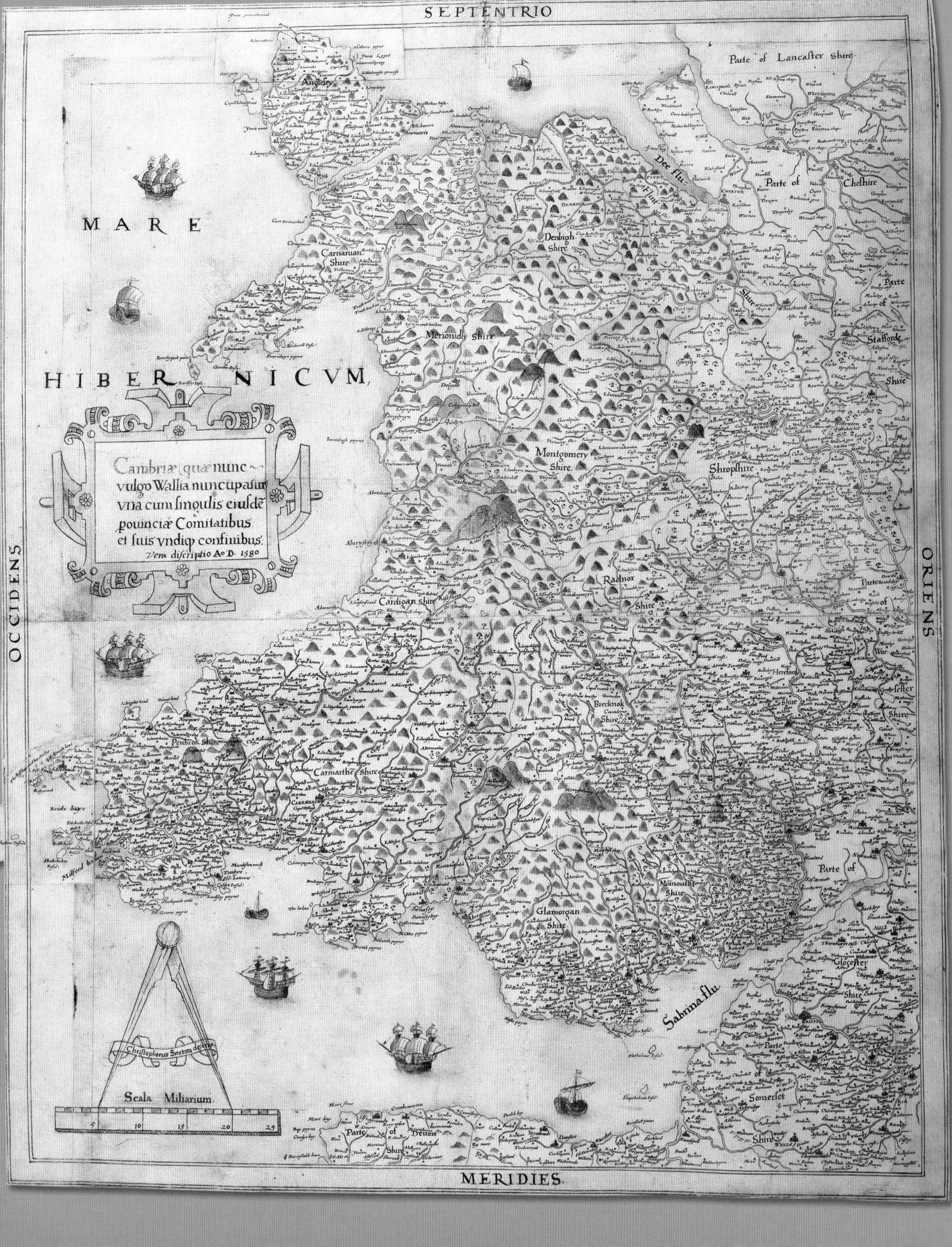

OCCIDENS

ORIENS

MARE

HIBER NICVM,

Cambriæ (quæ nunc
vulgo Wallia nuncupatur)
vna cum singulis eiusdẽ
pouinciæ Comitatibus
et suis vndiꝗ confinibus.
Vera discriptio Aᵒ D. 1580

Parte of Lancaster shire

Parte of Chelhire

Parte Shire of

Stafforde Shire

Angleley

Carnaruan Shire

Menouidh shire

Denbigh Shire

Montgomery Shire

Shrophire

Radnor Shire

Cardigan shire

Penbrok Shire

Carmarthe Shire

Brecknok Shire

Hertford Shire

Glamorgan Shire

Mõmouth Shire

Glocefter Shire

Somerfet Shire

Worcefter

Sabrina flu.

Dee flu.

Flint

Christophorus Saxton describ.

Scala Miliarium.

| 5 | 10 | 15 | 20 | 25 |

Parte of Deuon Shire

CORN, PISTOL A CHWIP

Os oedd teithwyr priffyrdd Lloegr wedi arfer â gwaedd Dick Turpin a'i debyg, 'Stand and deliver', wrth i'r lladron pen ffordd ysbeilio'r goets fawr, clywodd teithwyr un goets ym Morgannwg ym 1755 y geiriau a gofnodwyd fel hyn yn Llys y Sasiwn Fawr:

'Sefwch, God dammoch chwi, efe ceiswch arian chwi.' Gwrthododd y teithwyr ag ildio yr un ddimai, a ffodd y lladron llwfr. Cawsant eu dal a'u hanfon i bellafoedd byd am saith mlynedd.

127. Ymaith i ben draw'r byd: gorchymyn llys i alltudio John Jones, wedi iddo ei gael yn euog o dwyll ym 1790.

128. Cyhuddo lladron pen ffordd.

MÔR O GARIAD

Mae'r fôr-forwyn wedi bod yn rhan o lên gwerin gwledydd dros y byd i gyd. Hyd at y ddeunawfed ganrif, roedd adroddiadau cyson yn cael eu cofnodi fod morwyr wedi eu gweld ac roedd pobl yn credu ynddyn nhw. Efallai bod gweld math o forlo o bell yn chwarae tric â llygaid ambell forwr hiraethus, a bod cân ddolefus yr anifail yn chwarae tric â'r clyw. Mae llu o gofnodion fod pobl wedi gweld môr-forynion o amgylch arfordir Cymru. Dyma daflen sy'n cofnodi sut y gwelodd Thomas Raynold ac eraill fôr-forwyn ym Mhentywyn, Sir Gaerfyrddin, ym 1604. Roedd pobl wrth eu boddau yn clywed hanesion o'r fath.

STORI'R SMYGLWR

Tra oedd yn aros i gael ei ddienyddio yng ngharchar Caerfyrddin, ysgrifennodd William Owen hanes ei fywyd troseddol ei hun. Cafodd ei eni yn Nanhyfer, Sir Benfro, a daeth yn smyglwr a deithiodd mor bell â Môr y Caribî. Fe'i cafwyd yn ddieuog o ladd swyddog y tollau ym 1744, a dychwelodd i fyd o smyglo ar y môr. Ond ym 1747 fe'i cafwyd yn euog o lofruddio smyglwr arall yn Aberteifi. Mae cofnodion tebyg i gofnodion William Owen yn brin iawn. Prynodd y Llyfrgell Genedlaethol y gwaith ym 1982, a'r hyn sy'n ei wneud mor werthfawr yw mai dyma'r unig drawsysgrifiad o lys barn troseddol yng Nghymru yn y ddeunawfed ganrif. Mae'n debyg fod y carcharor wedi gwerthu ei stori i swyddog y carchar yng Nghaerfyrddin yn dâl am fwyd yn ystod ei ddyddiau olaf cyn wynebu'r crocbren.

129. Merch y môr: adroddiad rhyfeddol a gwir am bysgodyn anferth.

130. Bywyd dihiryn.

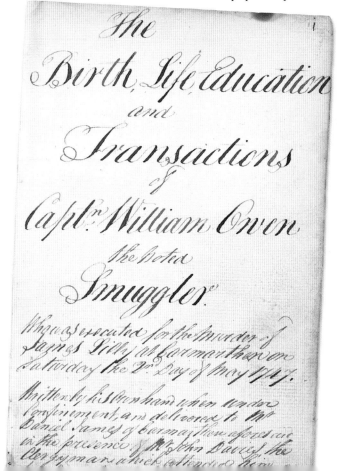

ALMANACIAU

Roedd almanaciau'n llyfrynnau poblogaidd iawn yn eu dydd. Roedden nhw'n llawn baledi, penillion gan forwyr, gwybodaeth am y tywydd, calendrau, dyddiadau ffeiriau ac adroddiadau am lofruddiaethau, damweiniau a llongddrylliadau. Gwael iawn oedd safon yr argraffu, ac ychydig yw'r rhai sydd wedi

goroesi. Maen nhw'n ffynonellau pwysig i ddod i wybod am arferion a thafodieithoedd lleol. Roedd llunwyr almanaciau'n cynnal eisteddfodau mewn tafarndai, gan gadw traddodiadau cyfansoddi a chanu'n fyw. Cyhoeddwyd yr almanac cyntaf yn y Gymraeg ym 1681 gan Thomas Jones o Amwythig, ond bu'n rhaid aros tan y flwyddyn 1733 cyn gweld yr almanac cyntaf yn cael ei gyhoeddi yng Nghymru. Un o'r agweddau mwyaf poblogaidd yn yr almanac oedd y lluniau, a byddai'r rhain yn aml yn harddu muriau bythynnod y cyfnod. Gwerthodd almanac Hughes o Wrecsam dros 60,000 o gopïau bob blwyddyn yn y 1870au. Roedd gwybodaeth ddefnyddiol, caneuon teimladwy, straeon am gariad a throsedd a chosb yn gyfuniad a oedd yn apelio. Dyma'r union batrwm ar gyfer papurau newydd poblogaidd Oes Fictoria, ac fel yr oedd y papurau hyn yn dod yn fwy amlwg ar aelwydydd Cymru, lleihau a wnaeth apêl yr almanac.

Y GOEDEN GARU

Deg ar hugain oed oedd Howel Harris pan wnaeth gais am drwydded i briodi Anne Williams o Erwood, Brycheiniog. Roedd ei thad yn yswain lleol, ac aeth i gyfraith i geisio atal y briodas rhag digwydd. Dringodd Anne drwy ffenest yn nhŷ ei thad, i lawr coeden gellyg ac i freichiau Howel Harris. Yna, ceisiodd y ddau am drwydded yn nhŷ'r Esgob yn Aberhonddu, a chael caniatâd i briodi.

131.

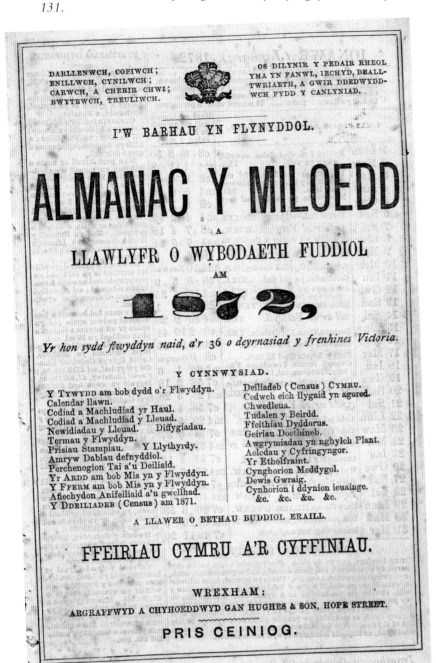

RWYF INNAU'N FILWR BYCHAN

Howel Harris, Daniel Rowland a William Williams oedd ar flaen y gad wrth ledaenu'r neges efengylaidd yn y ddeunawfed ganrif. Howel Harris oedd y trefnydd craff, Daniel Rowland oedd y pregethwr cyfareddol a William Williams oedd y dewin geiriau a chyfansoddwr tua mil o emynau. Achub eneidiau oedd eu nod, a rhoddent ddewis i'w cynulleidfaoedd: nefoedd ynteu uffern.

Cafodd Howel Harris ei eni yn Sir Frycheiniog ym 1714, a dechreuodd bregethu yno ym 1735. Roedd ei neges yn ddigyfaddawd, ac yn aml byddai rhai'n ymosod arno, wedi cael eu hannog gan ysweiniaid ac offeiriaid Anglicanaidd. Yn ystod ei fywyd, fodd bynnag, roedd gogledd Cymru yn amharod i dderbyn cenhadon Methodistaidd. Ym 1737, dechreuodd weithio gyda Daniel Rowland, 1713–90.

Curad yng Ngheredigion oedd Daniel Rowland, ac roedd yntau hefyd yn codi arswyd ar ei wrandawyr. Byddai tyrfaoedd yn heidio i glywed y ddau'n pregethu, a gelwid eu dilynwyr yn 'neidwyr' oherwydd y ffordd y neidien nhw a gweiddi mewn llawenydd o glywed y neges.

Ymhen amser, pellhaodd Daniel Rowland a Howel Harris. Roedd y ddau'n gymeriadau cryf ac yn dadansoddi'r ysgrythur yn wahanol i'w gilydd. Fe rannwyd y mudiad. Siomwyd gwraig Howel Harris a'i ddilynwyr yn sgil ei berthynas â'i gydymaith, Madam Sidney Griffith. Credai Howel Harris ei bod yn broffwyd, a hi oedd yr un a noddai'r gymuned hunangynhaliol o 120 o ddilynwyr Howel Harris yn Nhrefeca ym mhlwyf Talgarth. Pan dorrodd y rhyfel yn erbyn Ffrainc, daeth Howel Harris yn swyddog recriwtio oherwydd gwelai'r rhyfel fel brwydr yn erbyn Pabyddiaeth.

Llwyddodd i ddarbwyllo un o'i ddilynwyr, Iarlles Huntingdon, i sefydlu coleg Methodistaidd yn Nhrefeca. Aeth Howel Harris i ddysgu yn y Coleg, ac fe ysgrifennodd lawer yn ystod ei gyfnod yno. Mae'r 290 o gyfrolau o'i ddyddiadur yn y Llyfrgell Genedlaethol. Llwyddodd William Williams i gael Howel Harris a Daniel Rowland i gymodi yn y 1760au. Adeiladodd Daniel Rowland gapel yn Llangeitho a ddaeth yn ganolbwynt Methodistiaeth yng Nghymru. Bu farw Howel Harris ym 1773 wedi bron i ddeugain mlynedd cythryblus o bregethu. Roedd ugain mil o bobl yn ei angladd.

132. Parchedig ofn: Howel Harris.

Y PÊR GANIEDYDD

Ganed William Williams ym 1717. Pan oedd yn ugain mlwydd oed, dywedodd iddo 'glywed llais y nefoedd' wrth wrando ar un o bregethau Howel Harris yn Nhalgarth. Ymhen amser, dilynodd yr emynydd ysbrydoledig hwn Howel Harris fel trefnydd Methodistiaeth yng Nghymru. Nid oedd gystal pregethwr â Howel Harris na Daniel Rowland ychwaith, ond roedd geiriau ei emynau yn cynnau dychymyg ei gynulleidfa gyda llawn cymaint o angerdd â'r pregethau mwyaf.

Cyfansoddodd gannoedd o emynau, ac yn aml fe'u ceir mewn llyfrau emynau gyda'r llythyren 'W' yn unig wrth eu hochr. Mae pawb yn gwybod pwy yw'r 'W' hwn.

Er nad oedd ei waith yn dilyn unrhyw draddodiad llenyddol cydnabyddedig, roedd ganddo ddawn ddigamsyniol i fynegi cariad a rhyfeddod. Mae ei eiriau'n cyrraedd y galon ac yn cario neges ei weledigaeth Gristnogol ymhell, bell. Dyma un o'r mwyaf o blith beirdd a llenorion Cymru.

133. Aelwyd yr awen: Fferm Pantycelyn, Sir Gâr, tua 1925.

134. Ysbrydoledig: y ddawn i farddoni.

Yn aml, cyfeirir ato'n syml fel 'Pantycelyn', ar ôl y fferm lle'i magwyd yn Sir Gaerfyrddin. Mae ei deulu yn byw yno hyd y dydd heddiw a bydd ei emynau byw tra pery'r iaith Gymraeg.

135. William Williams a'i gadair gadarn, sydd nawr yn llyfrgell y genedl.

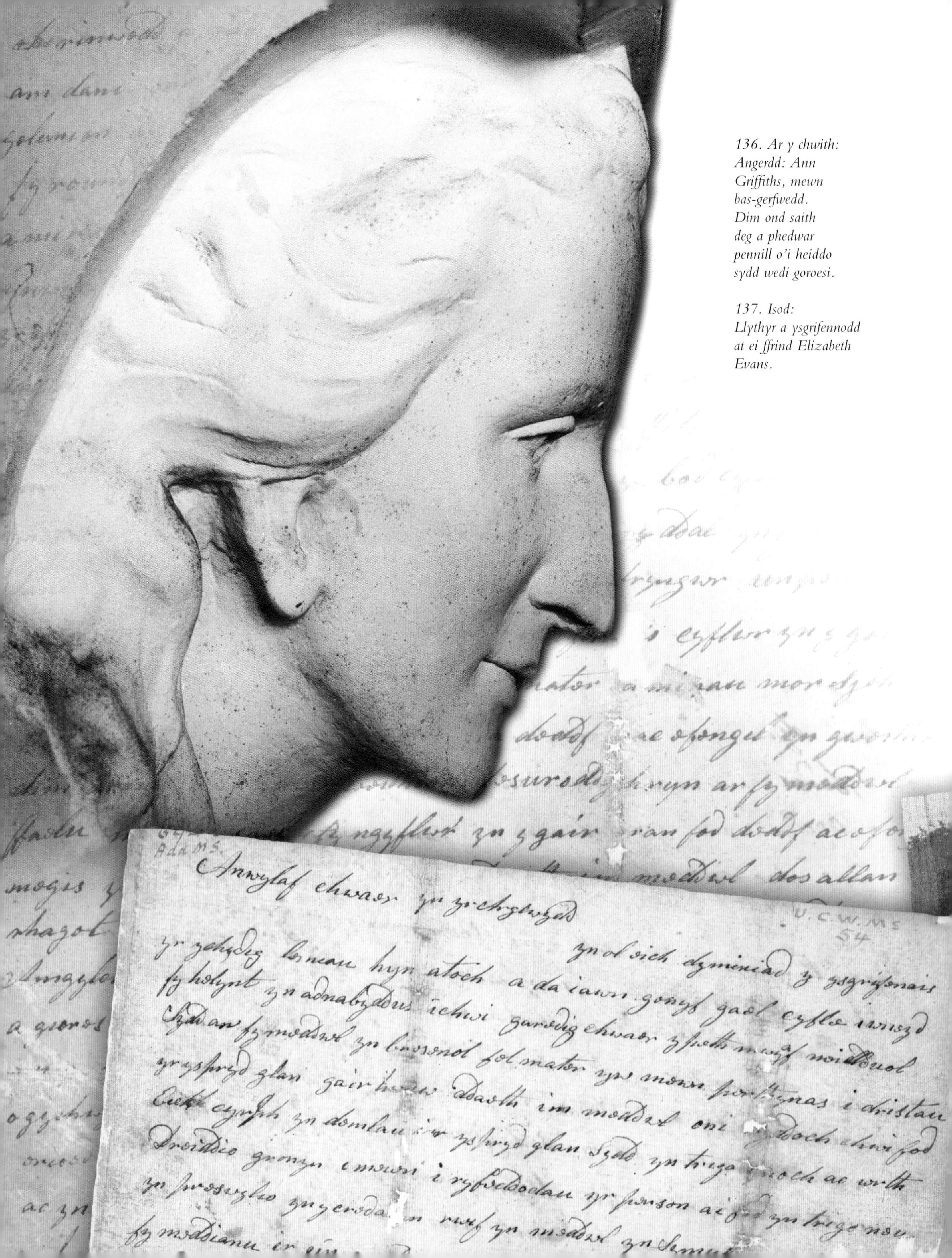

136. *Ar y chwith:*
Angerdd: Ann
Griffiths, mewn
bas-gerfwedd.
Dim ond saith
deg a phedwar
pennill o'i heiddo
sydd wedi goroesi.

137. *Isod:*
Llythyr a ysgrifennodd
at ei ffrind Elizabeth
Evans.

GWRTHRYCH TEILWNG

Roedd Ann Griffiths yn ferch a fwynhâi ganu a dawnsio, ond un diwrnod, wrth wrando ar bregeth, cafodd dröedigaeth. Treuliodd weddill ei bywyd yn canu clod ei Phrynwr mewn emynau. Cyfansoddi ar lafar a wnâi, ac nid ar bapur, ac mae'r clod i'w morwyn, Ruth, am gadw'r holl emynau ar ei chof. Priododd Ann â ffermwr ym 1804, a bu farw flwyddyn yn ddiweddarach ar enedigaeth plentyn. Bu farw'r plentyn hefyd. Priododd Ruth y pregethwr John Hughes, ac ef oedd yr un a ysgrifennodd emynau Ann Griffiths ar bapur wrth i Ruth eu dweud. Yn y Llyfrgell Genedlaethol mae llythyr wedi goroesi yn llawysgrifen Ann Griffiths, ac ar ei gefn mae pennill cyntaf yr emyn:

> Er mai cwbwl groes i natur
> yw fy llwybr yn y byd ...

Bu fyw trwy ei bywyd yn Nolwar Fach, fferm yn Sir Drefaldwyn, ac mae pobl hyd y dydd heddiw yn mynd yno ar bererindod i weld cartref un o emynwyr mwyaf Cymru.

CAWR Y PULPUD

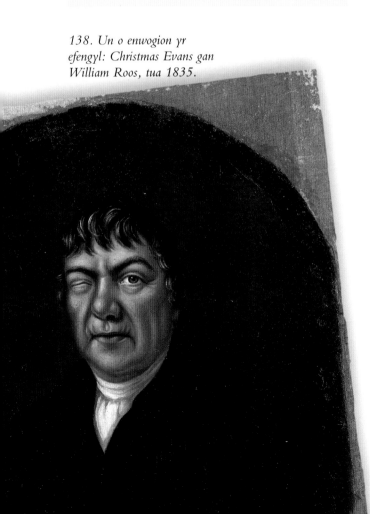

138. Un o enwogion yr efengyl: Christmas Evans gan William Roos, tua 1835.

Christmas Evans oedd seren y pulpud yn y bedwaredd ganrif ar bymtheg. Roedd ei bresenoldeb carismatig, ei arddull ddramatig, ynghyd â'i un llygad, yn sicrhau ei fod yn cael mwy o sylw na'r pregethwyr teithiol eraill. Yn ôl un a oedd wedi'i glywed, fe lewyrchai fel llosgfynydd wrth bregethu. Cafodd ei eni ar Ddydd Nadolig 1776, ac ni allai ddarllen nac ysgrifennu hyd nes oedd yn ddwy ar bymtheg. Yna, dim ond mis a gymerodd i ddysgu darllen y Beibl. Bu'n weinidog gyda'r Bedyddwyr yn Sir Fôn o 1791 hyd at 1826, ac yna yng Nghaerffili, Caerdydd a Chaernarfon. Roedd sôn amdano ar hyd y wlad, a byddai cannoedd yn tyrru i'w glywed yn pregethu, a llawer wedyn yn fwy na pharod i gyfrannu arian at adeiladu capeli ar hyd a lled Cymru.

DRAW, DRAW YN TSEINA

Roedd cenhadon Cymru yn arwyr yng ngolwg cynulleidfaoedd y capeli a fu mor ddiwyd yn casglu arian i'w hanfon i Affrica, India, Tseina, i'r Môr Tawel, Corea a'r Caribî. Hwyliodd John Davies, y gŵr a fu'n ddylanwad mawr ar Ann Griffiths, i Tahiti ym 1800 a threulio hanner cant a phedair o flynyddoedd yno. Fe'i cofir hyd heddiw fel John Davies Tahiti. Lluniodd ramadeg Tahiti a chyfieithodd *Taith y Pererin* a rhannau o'r Beibl i'r iaith honno. Mae ei lythyron at John Hughes, Pontrobert, yng nghasgliad y Llyfrgell Genedlaethol.

Lawn mor enwog ag ef oedd Thomas Jones, melinydd o Sir Feirionnydd, a aeth, ym 1841, i sôn am Iesu Grist i blith pobl bryniau Casia yng ngogledd-ddwyrain India, y lle mwyaf glawog yn y byd. Ef oedd y cyntaf i gofnodi'r iaith frodorol a chyfieithodd

ddarnau o'r Beibl, gan gynnwys yr efengyl yn ôl Mathew, heb sôn am gyfansoddi emynau. Ond dioddefodd un golled ar ôl y llall. Bu farw ei wraig ym 1845. Yna, ar ôl priodi Saesnes bymtheng mlwydd oed ac wedi sawl dadl gyda chenhadon eraill, cafodd ei ddiarddel o'r eglwys. Fe'i herlidiwyd yn ddidrugaredd o'r bryniau gan fasnachwr a bu farw yng Nghalcutta ym 1849. Hyd heddiw cofir ei enw. Bu cenhadon o Gymru'n ddiwyd yn Casia am 128 o flynyddoedd yn codi ysgolion ac ysbytai, a chymaint fu eu dylanwad ar y wlad fel bod ei hanthem genedlaethol yn rhannu'r un dôn â ni.

Roedd adroddiadau am waith y cenhadon yn boblogaidd ym mhapurau newydd Cymru yn ystod oes Fictoria; roedden nhw'n fodd o feithrin balchder a theimlad bod Cymru yn gwneud ei rhan yn y frwydr yn erbyn yr hyn a welid fel paganiaeth. Ond, gydag amser, daeth rôl y cenhadon o dan y chwyddwydr a phobl yn gweld eu gwaith yn fwyfwy fel rhan o'r ymgyrch i gynyddu grym yr ymerodraeth.

139. Storïau o'r Môr Tawel: John Davies yn ysgrifennu gair at John Hughes, Pontrobert, ym 1842.

ENFYS GARREG

Ym 1756 cwblhaodd William Edwards ei bont enwog dros afon Taf ym Mhontypridd. Dyma oedd y bont fwa sengl hiraf yn y byd, yn ymestyn 140 o droedfeddi; roedd yn fwy o ryfeddod na phont enwog y Rialto yn Fenis hyd yn oed, a hyd heddiw mae pobl yn dod o bell ac agos i edmygu'r gwaith arloesol.

'Tri chynnig i Gymro' yw'r hen ddywediad, ond bu'r tri chynnig cyntaf i William Edwards yn fethiant. Ddeng mlynedd ar ôl ei gynnig cyntaf, ac wedi iddo ddysgu oddi wrth ei gamgymeriadau, ymgeisiodd am y pedwerydd tro. Wedi gweld y bont orffenedig, cyhoeddodd un bardd y byddai hi'n sefyll 'hyd ddydd y Farn', ac yn ôl erthygl yn y cylchgrawn dylanwadol *Gentleman's Magazine* fe ddywedwyd ei bod yn 'very remarkable bridge' ac yn werth ei gweld. Un o'r arlunwyr cyntaf i dynnu llun y bont oedd Richard Wilson, ac yn ei lun gwelir y bont yn ymestyn yn fain gan uno dwy lan brydferth â'i gilydd. Gellid gweld y ddelwedd drawiadol ar grochenwaith Nantgarw ac ar lestri cinio Catrin Fawr o Rwsia. Yng nghysgod y bont cododd pentref Newbridge, ond newidiwyd yr enw i Bontypridd ym 1856 am fod cynifer o bentrefi â'r enw Newbridge arnynt yn barod. Y bont yw arwyddlun y dref hon erbyn hyn. William Edwards a fu'n gyfrifol am gynllunio tref newydd Treforys ger Abertawe hefyd.

Cafodd William Edwards ei gyffroi gan angerdd Howel Harris, a daeth yn Fethodist ac yna'n Annibynnwr, cyn cael ei ordeinio ym 1745. Tyfodd i fod yn bregethwr grymus ei hunan. Ar ei gofeb yng nghapel y Groes-wen ger Caerffili fe ddywedir ei fod yn 'Adeilydd i'r Ddeufyd'.

140. Pont fawr afon Taf: Richard Wilson, 1775.

THE GREAT BRIDGE OVER THE TAAFFE. — LE GRAND PONT SUR LA TAAFFE.

Y CYCHOD COPOR

Gelyn pennaf y rhai a fentrai o Ewrop ar foroedd y byd oedd y teredo, sef taradr y môr, math o anifail bach a wnâi dwll ym mhren y llongau. Roedd y broblem ar ei gwaethaf yn y Caribî ac ar hyd arfordir yr Amerig. Ceisiodd morwyr warchod gwaelod eu llongau â chot o wêr, pyg a sylffwr. Ond yr unig wir ateb i'r broblem oedd gosod cot o gopor ar hyd gwaelod y llongau. Byddai hyn hefyd yn eu galluogi i fynd yn gyflymach gan ei fod yn atal chwyn rhag tyfu ar y pren. Roedd capteiniaid y Llynges Brydeinig eisiau adeiladu cychod â gwaelod copor er mwyn iddyn nhw drechu'r teredo a'r Ffrancwyr. Dôi'r rhan fwyaf o'r copor o Fynydd Parys ar Ynys Môn. Y perchennog oedd Thomas Williams, ac fe gafodd y ffugenw 'y Brenin Copor' oherwydd maint ei gyfoeth. Câi'r mwyn copor ei gloddio â llaw gan gannoedd o ddynion, gwragedd a phlant, ac yna ei dorri yn ddarnau llai ar gyfer ei doddi. Roedd yn waith caled, ond oherwydd ei ofal dros ei weithwyr, cafodd Thomas Williams, a fu farw ym 1802, ei gofio'n garedig yn Sir Fôn gyda'r enw 'Twm Chwarae Teg'.

141. Amlwch: diolch i fasnach copor Ynys Môn, roedd hwn yn borthladd bywiog yn y ddeunawfed a'r bedwaredd ganrif ar bymtheg. William Daniell, 1813.

142. Plas Teg, yn llyfr Thomas Pennant, A Tour in Wales.

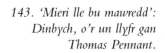

143. 'Mieri lle bu mawredd': Dinbych, o'r un llyfr gan Thomas Pennant.

Y TEITHIWR TALOG

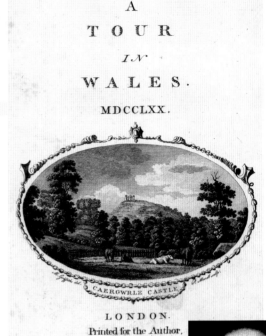

Am ganrifoedd, gwelid Cymru gan ymwelwyr fel lle i'w ofni. Ond o ganol y ddeunawfed ganrif, penderfynodd ysgrifenwyr ac artistiaid fod yma ryw brydferthwch gwyllt a chyffrous. Aethai teithio i Ewrop yn llai atyniadol oherwydd y rhyfela, a daeth Cymru yn gyrchfan fwy poblogaidd. Roedd ffyrdd a gwestai newydd, a'r Goets Fawr yn hwyluso'r daith, a daeth Wordsworth, Coleridge, Shelley ac eraill yma i ysgrifennu. Daeth nifer o arlunwyr yma hefyd i ddarlunio'r prydferthwch. Yn ei lyfr ar Ddyffryn Gwy ym 1782, fe agorodd yr ysgrifennwr o Sais, William Gilpin, yntau lawer o lygaid i werthfawrogi harddwch ein tirlun.

Y llyfr mwyaf dylanwadol yn disgrifio Cymru oedd *A Tour in Wales* gan Thomas Pennant, a gyhoeddwyd ym 1778, 1781 a 1783. Canolbwyntiai ar chwe sir y gogledd yn unig. Bonheddwr o Sir y Fflint oedd Thomas Pennant, ac roedd wedi syrthio mewn cariad â hanes Cymru a'i chefn gwlad. Doedd Thomas Pennant ddim yn rhamantydd, ac roedd yn well ganddo ffeithiau gwyddonol na straeon tylwyth teg. Yn ei waith, daw ei wybodaeth am fyd natur, daeareg a swoleg i'r amlwg. Roedd ganddo lawer o gysylltiadau dysgedig, a chyda'i fanylder trylwyr sicrhaodd fod ei lyfrau'n cael eu cyfrif fel llyfrau taith gorau ei gyfnod. Roedd ganddo ddigon o fodd i fforddio mwynhau ei deithiau i'r Alban, Cernyw, Iwerddon a Chymru.

Roedd lluniau'n bwysig i Thomas Pennant, ac ym 1769 darganfu dalent newydd ifanc o'r enw Moses Griffith i ddarlunio ei lyfrau. Gweithiodd Moses Griffith i Thomas Pennant a'i fab am hanner canrif yn ddi-dor. Teithiodd y ddau i'r Alban yn gyntaf, yna trwy ogledd Cymru. Prif waith Moses Griffith oedd cyfres o ddarluniau ar gyfer deuddeg copi arbennig o *A Tour in Wales*. Dau gopi yn unig sydd ar ôl, ac mae'r ddau yn y Llyfrgell Genedlaethol.

Ychydig o Gymraeg oedd gan Thomas Pennant ei hun, ond cafodd gymorth gan ei gyfaill, y Parch. John Lloyd o Gaerwys. Lluniodd bortread o Owain Glyndŵr, ac arweiniodd at ailddarganfod pwysigrwydd Owain ymhlith y Cymry. Roedd hefyd yn gyfaill i'r naturiaethwr Syr Joseph Banks a hwyliodd gyda Capten Cook. Cook oedd yn gyfrifol am enwi arfordir dwyreiniol Awstralia yn New South Wales. Roedd Joseph Banks yn cefnogi'r cynnig i roi'r enw hwn gan ei fod yn gwybod y byddai'n plesio ei gyfaill Thomas Pennant.

Cafodd Thomas Pennant ei eni ym 1726 yn Downing, Sir y Fflint, ac wedi'r holl deithio ar hyd y blynyddoedd, bu farw ym 1798 yn yr un lle yn union ag y'i ganed.

145. *Hunan-
bortread gan
Moses Griffith,
1747–1819.*

THE BATTLE OF BANGOR

147. Testun sbort: gwneud hwyl am ben esgob Bangor drwy daflu brechdan gaws ato mewn dadl etholiadol, 1796.

DAFYDD, DAFI, TAFFI

O'r ail ganrif ar bymtheg ymlaen dechreuodd y Saeson stereoteipio'r Cymry mewn cartwnau a oedd yn ein dangos yn canu'r delyn ac yn marchogaeth geifr. Yn aml, Taffy oedd yr enw a roddid i'r cymeriadau hyn, llurguniad o'r enw Dafydd. Byddai cennin yn eu hetiau,

148. Shon-ap-Morgan, Shentleman, tua 1747.

cleddyfau wyneb i waered yn eu dwylo, a bydden nhw'n cario caws a phenwaig cochion. Yn ôl y cartwnau hyn yn yr ail ganrif ar bymtheg a'r ddeunawfed ganrif, bu farw Shon ap Morgan wedi gwledd Gŵyl Ddewi o 'gennin, caws a phenwaig cochion'.

Byddai hwyl yn cael ei wneud ar ben ffordd y Cymry o ynganu Saesneg, ynghyd â ffordd y Cymry o roi 'ap' yn eu henwau yn lle cyfenw. Câi sylwadau dilornus am ferched Cymru eu cyhoeddi hefyd. Câi'r Cymro ei gynrychioli yn y darluniau hyn gan ŵr tlawd, ond penboeth a styfnig. Doedd Tywysog Cymru, a oedd yn Sais, ychwaith ddim yn dianc rhag gwawd y cartwnydd. Câi hwnnw ei ddarlunio'n aml ar gefn gafr. Roedd un cartŵn o'r flwyddyn 1786 yn dwyn y teitl, 'Taffy and Hur Wife, Shentleman of Wales', yn dangos y tywysog a'i wraig, Mrs Fitzherbert, ar gefn gafr. Roedd hi'n dangos coes dew a gardys, a'r portread o'r ddau yn un grotesg.

Roedd y Cymro'n gyff gwawd gan y Saeson ymhell cyn iddyn nhw droi eu golygon at yr Albanwyr a'r Gwyddelod.

149. Tandem y Cymry: A Welch Tandem gan James Gillray, 1801.

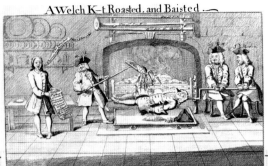

150. Rhostio'r llo pasgedig: gwneud cyff gwawd o Syr Watkin Williams Wynn.

151. Un o'r ladis yn dangos ei gardis: cartŵn o Dywysog Cymru (ac yn ddiweddarach Siôr IV) ym 1786.

DEWIN MORGANNWG

Gwyddai Edward Williams yn fwy na neb pa mor bwysig oedd traddodiad i barhad cenedl, ac aeth ati, lle roedd angen, i lenwi unrhyw fylchau yn ein traddodiad ni'r Cymry. Rhoddodd inni falchder am chwedlau a beirdd, a chof am arwyr a brwydrau, ac roedd ei enw barddol, Iolo Morganwg, yn dweud y cyfan am ei gariad angerddol tuag at fro ei fagwraeth.

*152.
Taflen busnes y
saer maen, 1779.*

Edward Williams, jun.
M A R B L E - M A S O N,
A T
Flimſton, near Cowbridge ;

MAKES all Sorts of *Chimney-pieces, Monuments, Tombs, Head-ſtones*, and every other Article in the M A R B L E and F R E E S T O N E M A S O N R Y, in the neweſt and neat-eſt Manner, and on the moſt reaſonable Terms.

As he has for many Years regularly followed *LONDON* and other capital Towns under the b hopes he will be found capable of executing any of cles to the Satisfaction of all who may be pleaſed to their Commands, and on cheaper Terms than th the Trade without ever having followed it where Knowledge of it could be acquired.

As there are various Sorts of good *Marble* found of GLAMORGAN, *Monuments, Tables, Chimney pieces,* had very cheap.

Marble Tables, Chimney pieces, &c. clean'd and n reaſonable Terms ; alſo Letters cut on old *Monume*

Orders directed to him at *Flimſton*, or at the *Pr* to Mr. *Bradley*, at the *Horſe and Jockey*, in *Cowbrid* attended to.

R. THOMAS, PRINTER, COWBRIDGE, 1

*153. Gweld ymhell: Iolo Morganwg
Robert Cruikshank o* Recollections
and Anecdotes of Edward Williams.

IOLO MORGANWG, A PERSONAL RECOLLECTION.

Fe'i ganed yn Llancarfan ym 1747 yn fab i saer maen, a dysgodd grefft ei dad. Ac yntau'n blentyn, dysgodd am farddoniaeth a hanes ar lin ei fam, ac yn ŵr ifanc, fe'i dysgodd ei hunan am lenyddiaeth ac iaith, cerddoriaeth a byd natur. Astudiodd hen lawysgrifau yn llyfrgelloedd plastai Morgannwg, a thyfodd i fwynhau cerdded a chasglu nodiadau'n ddiflino. Nid oedd dim na fyddai ei lygad barcud yn ei weld. Roedd ganddo egni a chrebwyll hanner dwsin o ddynion a mwy.

Yn Llundain, tra oedd yn chwilio am waith fel saer maen, tyfodd ei ddiddordeb mewn llenyddiaeth i fod yn gariad angerddol. Disgleiriai fel seren ymhlith Cymry Llundain, a gallai ddadlau'n frwd am hanes a llenyddiaeth a syniadau radical gwleidyddiaeth y chwyldro yn Ffrainc ac America. Gwelodd hanes Cymru fel un stori ddi-dor o'r cyn-oesoedd i'r presennol, a hawliai fod ganddo awdurdod cyfrinachau'r derwyddon. Ei weledigaeth ef oedd casglu Gorsedd Beirdd Ynys Prydain ynghyd ar Fryn Briallu yn Llundain ym 1792. Ac yng Nghaerfyrddin ym 1819, trawsblannodd yr Orsedd i ŵyl yr Eisteddfod a'i gwneud yn rhan bwysig a pharhaol o'r dathlu hwnnw.

Aeth ati i addurno'r dystiolaeth am hanes disglair Cymru, ac weithiau byddai'r addurn yn fwy na'r dystiolaeth ei hunan. Roedd yn anfodlon gyda'r holl gyfeirio at ogledd Cymru fel canolbwynt diwylliant Cymru ac aeth ati i ddadlau mai ei Forgannwg hoff oedd gwir galon y genedl. Honnai fod ei waith, *Cyfrinach Beirdd Ynys Prydain,* yn gopi cywir o hen lawysgrif farddol Gymreig, a bu'n ddiwyd yn ysgrifennu barddoniaeth dan enw neb llai na Dafydd ap Gwilym. Roedd hi'n hawdd camarwain pobl yn y dyddiau hynny. Roedd ysgolheigion, wedi'r cyfan, yn arfer copïo llawysgrifau, doedd dim prifysgol i blismona'r honiadau ac roedd gan Iolo gymaint o argyhoeddiad. Roedd ar bobl angen ei gredu. Hyd yn oed yn ei gyfnod ei hunan, roedd Iolo yn gymeriad chwedlonol yn ogystal â bod yn awdurdod uchel ei barch.

Am flynyddoedd, yn enwedig yn ystod ei amser yn Llundain, bu Iolo'n gaeth i lodnwm, cyffur sy'n deillio o opiwm, ac mae'n debyg fod hyn wedi rhoi lliw ar ei ddychymyg. Gofynnodd ei wraig Margaret yn daer iddo ddod adref yn ôl i Fro Morgannwg a dengys un o'i lythyrau o Lundain nad oedd yn gwybod a oedd ei dri phlentyn yn fyw ynteu'n farw. Ond ar y cyfan

CYFRINACH IOLO

Hawliodd Iolo Morganwg fod y wyddor farddol a ddyfeisiodd yn tarddu o oes bell y derwyddon. Lluniodd ffrâm bren gydag erwydd bedair-ochrog a phob ochr yn dangos llinell o farddoniaeth wedi ei cherfio yn ei ysgrif arbennig ei hunan. Enw Iolo ar y ddyfais oedd 'peithynen'. Gwnaed sawl un wedi ei farwolaeth gan ei ddilynwyr a'i edmygwyr.

roedd yn ddyn rhadlon a difyr, un a alwai ei hunan yn 'arweinydd ffyliaid Ynys Prydain'.

Llenwodd ei gartref ym Mro Morgannwg â llythyrau a llawysgrifau, a dywedodd y dylid eu rhoi i gyd i'r Llyfrgell Genedlaethol pan fyddai honno'n dod i fodolaeth ryw ddydd. Bu farw ym 1826. Cadwyd ei lawysgrifau'n ddiogel gan Arglwyddes Llanofer cyn iddynt, yn y pen draw, gyrraedd celloedd gofalus y Llyfrgell yn Aberystwyth. O dipyn i beth, daeth yn amlwg ei fod wedi taenu llwch dros lygaid nifer o ysgolheigion. Ac eto, roedd y dadlennu hwn hefyd yn dangos rhywfaint o'i athrylith. Roedd llawer iawn o'r hyn a ysgrifennodd yn gwbl ddibynadwy a disglair. Wrth gloddio ei archif enfawr heddiw, mae ysgolheigion wedi dod o hyd i athrylith o genedlgarwr ysbrydoledig.

154. Iolo gan William Owen Pughe, 1805.

155. Peiriant y prydydd: peithynen yn ôl cynllun Iolo Morganwg, o waith David E. Williams.

Bu hanes yr Indiaid Cymraeg yn gaseg eira o chwedl. Yn ôl y stori, hwyliodd Madog, tywysog Gwynedd, ar draws môr Iwerydd ym 1170 gan lanio yn America, ac ef, felly, oedd tad llwyth o bobl groen-welw a adwaenid fel y Madogwys, neu'r Padoucas, neu, yn syml, yr Indiaid Cymreig.

Ym 1578, defnyddiodd John Dee, ymgynghorydd i'r Frenhines Elizabeth, y stori hon i wrthwynebu hawl y Sbaenwyr i America, gan ddweud mai'r Prydeinwyr oedd piau'r Byd Newydd gan fod Madog wedi ymgartrefu yno dair canrif cyn Columbus. Cododd yr un stori wrth-Sbaenaidd ei phen yn ystod y rhyfel rhwng Sbaen a Phrydain ym 1740 ac eto ym 1790 yng nghanol ffrae arall. Erbyn hyn roedd adroddiadau niferus yn cyrraedd y wlad am Indiaid a siaradai Gymraeg, nes troi Madog yn arwr yn America, Cymru a Llundain.

Roedd y syniad o lwyth Cymreig coll yn anialwch America mor ddeniadol i Iolo

156. Trychineb yn Hawaii: adroddiad David Samwell ar farwolaeth Capten Cook.

A
NARRATIVE
OF THE
DEATH
OF
CAPTAIN JAMES COOK.
TO WHICH ARE ADDED SOME
PARTICULARS,
CONCERNING HIS
LIFE AND CHARACTER.
AND
OBSERVATIONS
RESPECTING THE
INTRODUCTION
OF THE
VENEREAL DISEASE
INTO THE
SANDWICH ISLANDS.

BY DAVID SAMWELL,
SURGEON OF THE DISCOVERY.

LONDON:
PRINTED FOR G. G. J. AND J. ROBINSON, PATER-NOSTER-ROW.
MDCCLXXXVI.

NARRATIVE OF THE

or common ftake, gave him a blow on the back of th head, and then precipitately retreated. The ftroke feeme to have ftunned Captain Cook : he ftaggered a few paces then fell on his hand and one knee, and dropped his muf ket. As he was rifing, and before he could recover hi feet, another Indian ftabbed him in the back of the neck with an iron dagger. He then fell into a bite of water about knee deep, where others crowded upon him, and endeavoured to keep him under : but ftruggling very ftrongly with them, he got his head up, and cafting his look towards the pinnace, feemed to folicit affiftance. Though the boat was not above five or fix yards diftant from him, yet from the crowded and confufed ftate of the crew, it feems, it was not in their power to fave him. The Indians got him under again, but in deeper water : he was, however, able to get his head up once more, and being almoft fpent in the ftruggle, he naturally turned to the rock, and was endeavouring to fupport himfelf by it, when a favage gave him a blow with a club, and he was feen alive no more. They hauled him up lifelefs on the rocks, where they feemed to take a favage pleafure in ufing every barbarity to his dead body, fnatching the dag- gers out of each other's hands, to have the horrid fatif- faction of piercing the fallen victim of their barbarous rage.

count of many others, who were alfo eye-witneffes, I am confident, in faying, that he was firft ftruck with a club. I was afterwards confirmed in this, by Kaireekea, the prieft, who particularly mentioned the name of the man who gave him the blow, as well as that of the chief who afterwards ftruck him with the dagger. This is a point not worth difputing about : I mention it, as being folicitous to be accurate in this account, even in circumftances, of themfelves, not very material.

I need

Morganwg nes iddo alw am ymgyrch i
fynd i archwilio'r lle. Honnodd ei fod wedi
cwrdd â dyn a oedd wedi clywed yr Indiaid
yn siarad ffurf bur ar y Gymraeg. Dywedodd
y byddai'n mynd i America ei hunan a
dechreuodd baratoi ar gyfer y daith drwy
wersylla yn yr awyr agored a bwyta dim ond
ffrwythau gwyllt. Roedd ei ffrind o fardd,
David Samwell, hefyd yn credu yn hanes
Madog ac ysgrifennodd gerdd, 'The
Padouca Hunt', i gefnogi'r stori.

Fodd bynnag, ni hwyliodd Iolo o
gwbl, ond mentrodd John Evans, Waunfawr,
Caernarfon, ar y fordaith. Ac yntau'n ddwy
ar hugain mlwydd oed, ac yn credu'r hanes
yn ei galon, croesodd i America, ac ym 1793
dechreuodd ar ei siwrnai faith i ddod o hyd
i blant Madog. Dywedwyd wrtho mai nhw
oedd llwyth y Mandan a oedd yn byw yn
y lle a elwir heddiw yn North Dakota, tua
1,800 o filltiroedd o Saint Louis. Aeth â
rhodd o Gymru gydag ef – Beibl Cymraeg.

Treuliodd ddwy flynedd gyffrous a
pheryglus yn teithio i gwrdd â'r Mandaniaid.
Er bod yr Indiaid wedi bod yn groesawgar,
bu'n rhaid iddo ddod i'r casgliad nad Cymry
oedden nhw. Bu farw yn Saint Louis yn
ddim ond wyth ar hugain mlwydd oed.

Daeth y siart a gofnododd yn ystod ei
daith i ddwylo'r Arlywydd Thomas Jefferson
a rhoddodd hwnnw'r siart i Meriwether
Lewis a William Clark pan aethon nhw ym
1804 ar un o deithiau ymchwil enwocaf
America. Daethon nhw o hyd i ffordd i'r
Iwerydd a agorodd y Gorllewin i ymfudwyr.
Ar eu taith, arhoson nhw gyda'r Mandaniaid
ac adroddodd dau o'r criw: 'these savages
have the strangest language but they are the
honestest savages we have seen ... we take
them to be the Welsh Indians'.

MEDDYG Y MÔR

Roedd David Samwell, 1751–98, yn feddyg
ac yn fardd. Hanai o Sir Ddinbych, ac yn
bump ar hugain oed ymunodd â thrydedd
daith Capten Cook, 1776–79. Daeth yn
feddyg ar fwrdd HMS *Discovery*, un o'r
ddwy long a oedd ar y daith. Fel llawer o'r
gwŷr ifainc a hwyliodd gyda Capten Cook,
sylwodd ar y cyfeillgarwch arbennig a fodolai
ymhlith y morwyr. Ym 1779 gwelodd â'i
lygaid ei hun Capten Cook yn cael ei guro

i farwolaeth gan
drigolion Hawaii, ac
ysgrifennodd ddisgrifiad
dramatig o'r digwyddiad. Pan ddychwelodd
adref o'i deithiau morwrol, daeth yn aelod
brwdfrydig o gymdeithasau llenyddol Cymry
Llundain, ac ymunodd â Iolo Morganwg i
sefydlu Gorsedd y Beirdd. Cafodd yr enw
barddol Dafydd Ddu Feddyg – roedd y
'du' yn cyfeirio at liw ei wallt.

157.

LLADD AMSER

Ym Mhen-caer ger Abergwaun ym 1797, a hithau'n nosi, daeth milwyr o Ffrainc i'r tir, a dyma'r tro olaf i filwyr o dramor lanio ar diroedd Prydain. Arweinydd y goresgynwyr oedd William Tate, hen anturiaethwr o America, ac fe ddibynnodd ar leidr ceffylau o'r ardal am wybodaeth leol. Mae rhai'n dweud mai camgymeriad oedd eu bod wedi dod i Gymru o gwbl. Roedden nhw'n bwriadu glanio ym Mryste cyn gorymdeithio i Lerpwl, a hynny er mwyn tynnu sylw oddi wrth y bwriad i lanio yn Iwerddon. Gwyntoedd o gyfeiriad gwahanol a'u gyrrodd i Gymru. Carcharorion oedd nifer o'r goresgynwyr hyn o Ffrainc, heb fawr o glem milwrol, a dechreuon nhw ddwyn o ffermydd lleol, ac yn arbennig o'r seleri gwin. Cyn pen dim, roedden nhw'n feddw. Roedd un wedi camgymryd cloc mawr am filwr, ac wedi'i saethu! Casglodd Jemeima Niclas, crydd lleol, rai o'r gwragedd ynghyd, ac wrth weld y criw menywod yn eu gwisgoedd cochion, twyllwyd y Ffrancod i gredu mai milwyr bygythiol oedden nhw. Yn eu braw, ildiodd y goresgynwyr i gyd ar draeth

Wdig, ac fe'u carcharwyd. Yn y cyfamser, roedd nifer o drigolion yr ardal wedi ffoi gan ofn. Roedd rhai Saeson yn poeni y byddai'r Cymry yn ymuno â'r Ffrancod i ymosod arnyn nhw, ond ni ddigwyddodd hynny. Ceisiodd yr awdurdodau gael dau ffermwr Cymraeg yn euog o deyrnfradwriaeth, ond methodd yr ymgais yn llwyr.

158. Wynebu'r Ffrancod: un o'r 'Fishguard Fencibles' yn Abergwaun, 1797.

HEIDIAU'R EIDION

159. Porthmyn
Sir Drefaldwyn,
tua 1885.

Mae nifer y tafarndai sy'n dwyn yr enw 'Y Porthmyn' neu'r 'Drovers' yn tystio i ffordd o fyw arbennig yng Nghymru. Bu porthmyn am ganrifoedd yn chwarae rhan flaenllaw ym mywyd economaidd a diwylliannol Cymru. Yn ogystal â gyrru eu hanifeiliaid yr holl ffordd i farchnadoedd Lloegr, roedden nhw hefyd yn trosglwyddo arian, taliadau treth, nwyddau a llythyrau. Y rhain oedd yn gyfrifol am drosglwyddo newyddion, caneuon, syniadau a ffasiwn rhwng Cymru a Llundain. Yn yr ail ganrif ar bymtheg, fe'u disgrifiwyd gan John Williams, brodor o Gonwy a ddaeth yn archesgob Efrog, fel 'Llynges Sbaen yng Nghymru, yn rhoi i ni'r ychydig aur ac arian sydd gennym'. Roedd yr olygfa'n werth ei gweld – cannoedd o wartheg ar gerdded, a sŵn y corgwn a'r porthmyn ar gefn ceffylau i'w glywed filltiroedd i ffwrdd. Cerddai'r gwartheg ugain milltir y dydd, ar gyflymder araf o ddwy filltir yr awr er mwyn sicrhau na fydden nhw'n colli pwysau cyn cyrraedd y farchnad. Roedd rhaid osgoi cloffni a byddai'r gwartheg yn cael eu pedoli a'r moch yn gwisgo esgidiau bach i arbed eu traed. Câi tar ei roi dan draed y gwyddau.

Gwisgai'r porthmyn hetiau llydain, smoc, a phapur oel brown am eu coesau. Byddai teithwyr i Lundain yn aml yn cadw cwmni i'r porthmyn ar eu taith, gan y bydden nhw eu hunain yn teimlo'n saffach. Roedd rhai porthmyn yn llai gonest na'i gilydd ond, er mwyn ennill eu trwydded borthmona, byddai'n rhaid bod ganddyn nhw enw da. Dyma'r rhai a ffurfiodd Fanc y Ddafad Ddu ym 1762 a Banc yr Ychen Du ym 1799. Yn raddol, fodd bynnag, gyda dyfodiad y rheilffordd, daeth symud anifeiliaid mewn trenau yn fwy hwylus, a daeth yr hen ffordd o borthmona i ben yn y 1860au.

Tudalen nesaf:
160. Ffair
Cilgerran,
Sir Benfro,
tua 1885.

161. Arian
papur lleol.
(mewnosodiad)

No. 523   Aberystwith 20 May 181_

Mess.rs Evans, Jones, Davies & Co.

ABERYSTWITH & TREGARON BANK.

Pay to Mr _____ or Bearer

TEN SHILLINGS.

by a Bank Note for two of these Checks.

£o.10.o.

Wm Davies

ABERYSTWITH & TREGARON BANK £2
CARDIGANSHIRE
N² 394

Value received

Ent⁴

Two Pounds

ABERYSTWITH & TREGARON BANK £1
CARDIGANSHIRE
N² 765

Promise to pay the Bearer

the Sum of One Pound on demand.

Value received ABERYSTWITH 4 Mar 1814 N² 765

Ent⁴   For Evans Jones Davies & Co.

One   Wm Davies

162. *Arbedwyd:*
pardwn i Evan
Jenks a oedd wedi
ei ddedfrydu i'r
grocbren am
ddwyn dafad,
1787.

GWŶDD A GWENNOL A GWLÂN

Am flynyddoedd bu gwlân yn rhan annatod o gefn gwlad Cymru, a than y 1850au roedd prif ganolfannau'r diwydiant pwysig hwn i'w cael yn Siroedd Trefaldwyn, Meirionnydd a Dinbych. Yn ystod y ddeunawfed ganrif roedd tröell y bythynnod a'r ffermydd yn brysur a'r pandy lleol yn ddyfal wrthi'n golchi ac yn pannu'r wlanen. Er i beiriannau ddod yn rhan o'r gwaith cynhyrchu, roedd gwehyddu â llaw yn dal i fod yn bwysig, a chyflogid cannoedd yn y diwydiant i bannu a rhannu a gwehyddu a nyddu.

163. *Defaid colledig:*
cneifio am y tro olaf
yng Nghapel Celyn,
1961.

164. *Adroddiad am dreialon*
cŵn defaid cyntaf Cymru
ger y Bala ym 1873.

The First Bala Trials.

MR. JAMES THOMPSON'S "TWEED."

Winner of the first Sheep Dog Trials of outstanding importance held in this country, Bala, 9th October, 1873. To the late R. J. Lloyd Price, Esq., of Rhiwlas, Bala, primarily belonged the honour of instituting the Bala Trials, under notable patronage, in 1873. The Trials were continued annually until 1877, but in 1878 they were merged in, or superseded by, the Llangollen Trials, which have been held annually ever since, except during the War. For permission to republish the above photograph acknowledgment is due to the proprietors of *The Field*, in the issue of which for 18th October, 1873, an excellent account of the first Bala Trials appeared. Mr. James Thompson, winner of the Trials, was a Scotsman from Dumfriesshire, resident in Wales.

Roedd y Drenewydd a Llanidloes yn enwog am eu crysau gwlanen a'u carthenni; roedden nhw hefyd yn enwog am wneud cam â'u gweithwyr. Roedd gan y Drenewydd Gyfnewidfa Wlanen ac entrepreneur yn y maes, Syr Pryce Pryce-Jones, a ymffrostiai yn y ffaith fod y Frenhines Fictoria a Florence Nightingale ymhlith ei gwsmeriaid. Ef oedd yn gyfrifol am gyflenwi carthenni i fyddinoedd Rwsia a Phrwsia. Dyfeisiodd hefyd y syniad o 'gatalog archebu', gan anfon parseli o'r Drenewydd ar goets y Post Mawr, ac yn ddiweddarach ar drên arbennig i Lundain. Canodd clychau

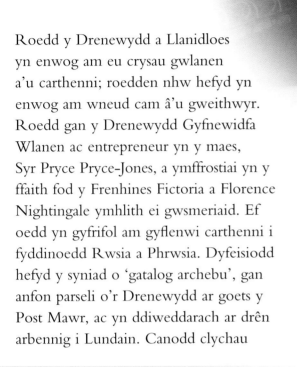

165. Melin Llanidloes, tua 1880.

eglwys y Drenewydd mewn llawenydd ym 1869 i ddathlu'r ffaith fod y Frenhines wedi archebu llwyth enfawr o frethyn, ac am y rheswm hwnnw mae llun ohoni i'w weld ym mhrif ffenest liw yr eglwys tan y dydd heddiw. Yn ystod y 1860au dechreuodd y diwydiant golli gafael yn y Canolbarth, ond tyfodd yn llewyrchus yn Nyffryn Teifi rhwng tua 1880 a 1920. Eto, ar y cyfan, parhau gyda'r arfer o dalu gweithwyr yn annigonol a chyflogi plant ar ôl oriau ysgol a wnâi'r perchnogion yn yr ardal hon hefyd.

166. Cneifio, Nantglyn, tua 1885.

167. Brethyn brenhinol: Broad Street, Y Drenewydd, tua 1900.

168.
Bygwth Beca:
perchennog cored
yng Ngheredigion a
llywodraethwr Banc
Lloegr yn rhybuddio
Merched Beca o'i
fwriad i ddial, 1843.

Ym 1839 daeth Beca i arwain ei byddin. Wedi eu gwisgo fel merched a'u hwynebau wedi eu pardduo, mentrodd dynion allan liw nos i chwalu'r tollbyrth yn Sir Gaerfyrddin. Ysbrydolwyd yr enw 'Merched Beca' gan adnod o lyfr Genesis, pennod 24, adnod 60, sy'n sôn am ddisgynyddion Rebeca yn 'etifeddu porth eu gelynion'. Lledodd yr ymgyrch dros dde-orllewin Cymru ac, un noson, lladdwyd ceidwad y tollborth ac anfonodd yr awdurdodau filwyr a heddlu o Lundain i gadw trefn. Carcharwyd sawl un o'r 'Merched' ac anfonwyd rhai i Awstralia fel cosb.

Roedd mwy nag un achos yn bwydo gwreiddiau'r gynnen. Roedd hi'n dân ar groen y ffermwyr eu bod yn cael eu gorfodi i dalu degwm i'r eglwys, bod eu rhent mor uchel, a'u bod yn gorfod talu tollau i gario calch ar hyd ffyrdd mor wael. At hyn, gwnaeth cyfres o gynaeafau gwael ac agwedd ddidrugaredd yr ynadon waethygu pethau. Roedd y tollbyrth a'r wyrcws yn symbolau pwerus o annhegwch ac yn dargedau amlwg i chwerwder y werin. Dyma, felly, fynd ati i'w llosgi'n ulw. Anfonodd papur newydd *The Times* ohebydd, Thomas Campbell Foster, i adrodd ar y terfysgoedd, a gwelodd ef fod gan Ferched Beca achos teilwng. Yn dilyn yr helbul cafwyd ymchwiliad gan y llywodraeth a arweiniodd yn ei dro at ddiwygio system y tollbyrth.

169. Yma o hyd: flynyddoedd wedi'r terfysgoedd, roedd Beca'n bygwth ailgodi yn erbyn gormes y degwm, 1854.

UN OHONOM NI

Go brin nad oes yr un Cymro na chlywodd
sôn am wrthdystiadau gwaedlyd Merthyr
ym 1831. Roedden nhw'n rhan o ymgyrch
a arweiniodd yn y pen draw at newidiadau
gwleidyddol ym Mhrydain. Roedd Merthyr
yn gadarnle i'r dosbarth gweithiol radical,
a phan aeth William Crawshay ati i dorri
cyflogau yn ei waith haearn, cythruddwyd
y dyrfa a dyma nhw'n galw'n groch am
newid. Yn gynnar ym mis Mehefin,
ymgasglodd torf yn Hirwaun, tua chwe
milltir o Ferthyr, gan godi baner a oedd, yn
ôl traddodiad, yn goch gan waed llo. Dyma
orymdeithio i Ferthyr a meddiannu'r llys
a thorri i mewn i siopau.

Galwodd yr ynadon am y fyddin a
daeth tua wyth deg o filwyr o Aberhonddu
i Ferthyr. Aeth hi'n ymladd ffyrnig gydag
o gwmpas 10,000 yn rhan o'r gyflafan, ac
arweinydd y bobl, Lewis Lewis, yn annog
cadw brwdfrydedd pawb ynghyn. Saethodd
milwyr tua phump ar hugain o brotestwyr
yn y Castle Inn ac ar ôl pum niwrnod bu'n
rhaid i'r dyrfa ildio'i gafael ar y dref.

Ymddangosodd dau o'r gwrthdystwyr
o flaen llys barn yng Nghaerdydd a'u cael yn
euog o frifo milwr. Danfonwyd un, Lewis
Lewis, i Awstralia am weddill ei oes.

Enw'r llall oedd Richard Lewis, neu Dic
Penderyn fel y'i hadwaenid. Dyn ifanc, tair
ar hugain mlwydd oed, oedd y diffynnydd
hwn ac fe'i cafwyd yntau'n euog o frifo
milwr ac fe'i crogwyd yn Heol Fair,
Caerdydd, yn ferthyr dros gyfiawnder.
Yn ôl rhai, Dic Penderyn oedd merthyr
cyntaf y dosbarth gweithiol yng Nghymru.
Mae hi bron yn gwbl sicr ei fod yn ddieuog
o'r drosedd honedig, ac yn wir, ddeugain
mlynedd yn ddiweddarach fe gyfaddefodd
gŵr arall i'r drosedd. Un o'r dorf yn unig
ydoedd Dic Penderyn. Roedd yn un
ohonom ni.

170.

THE CAMBRIAN.

SWANSEA, FRIDAY, AUG 12.

CONVICTED RIOTERS AT MERTHYR.—On Viscount
Melbourne's granting the respite to the 13th inst. for *Richard
Lewis*, as stated in our last, he promised to send the case which
Mr. Price submitted to him, and which the Lord Chancellor ad-
mitted to be such as to render a respite proper, to Mr. Justice
Bosanquet, for his report. Mr. Price, in the mean time, proceeded
to Merthyr, and met the Judge at Brecon, from whom he learnt
that a strong impression had been made, in confirmation of the
evidence given in Court, of Richard Lewis's guilt, by a document
appended to the petition of the inhabitants of Merthyr, admitting
the guilt of the prisoners, *Lewis Lewis* and *Richard Lewis*, and of
the justice of their sentence. This document was intended by the
parties to have been submitted to the prisoners for their approval,
but it was never done. Mr. Price, on the contrary, presented to
the Judge a declaration, signed by the Chaplain of the goal at
Cardiff, and others, that *Richard Lewis* had uniformly denied the
charge of stabbing Donald Black. This declaration was for-
warded through Lord James Stewart to the Home Office.— Mr.
Price, after revisiting Merthyr, and collecting further evidence,
waited finally on the Judge at Brecon, on Friday last, and laid
before him a further statement, which we have had the privilege
of perusing, and which we understand the Judge transmitted to
the Home Secretary with his report. It exhibited to our view
strong grounds for obtaining for the prisoner the extension of
the Royal Mercy for a commutation of his sentence. Contrary to
our hopes, however, the execution of *Richard Lewis* is to take
place on the 13th (to-morrow), the day to which he was respited,
the Home Secretary, Lord Melbourne, having given attentive con-
sideration to the circumstances brought under his notice by Mr.
Price since the trial, and having decided that he "*sees no grounds
for mitigating the sentence.*" We cannot too deeply lament the issue
of Mr. Price's benevolent and unparalleled exertions to save the
life of a fellow-being; but we trust this case will prove the strong
necessity that exists *for an early and complete revision of our*
Criminal Code.

CARMARTHEN ELECTION.

MYND MAWR

171. *O Lundain i Gaergybi: agorwyd Pont
Britannia Robert Stephenson dros y Fenai
ym 1850. George Hawkins.*

172.
*Gorsaf Tan-y-bwlch
ar lein Ffestiniog, tua
1900. Francis Frith.*

Erbyn 1840 roedd y peiriannydd enwog
Isambard Brunel hyd at flaen ei sigâr mewn
cynlluniau. Ym 1841 agorodd reilffordd o
Ferthyr i Gaerdydd ac yn yr un flwyddyn
dechreuodd wasanaeth y Great Western.
Yn fyddinoedd mawr cododd dynion
reilffyrdd ar hyd ac ar led y wlad, ac erbyn
1844 clywyd Brunel ei hunan yn ochneidio:
'The whole world is railway mad, I wish it
were at an end.'

Newidiodd y rheilffyrdd bopeth. Daeth
Prydain gyfan dan drefn un amserlen fawr,
a chwiban ceidwaid yr orsaf yn rym dros

2994.   TAN-Y-BWLCH STATION AT THE TURN OF THE CENTURY.

173. *Tyrfa'r trên:
gorsaf Machynlleth, tua 1885.*

bawb a phopeth. Erbyn 1840 roedd trenau'n cyrraedd Caergybi, erbyn 1856 roedden nhw ym mhen draw Sir Benfro ac erbyn 1864 yn Aberystwyth. Ond roedd dechrau'r rheilffyrdd yn golygu diwedd ar y goets fawr a theithiau'r porthmyn. Golygodd hefyd gyfnod o ffyniant i ffermwyr cefn gwlad am fod dyfodiad y trên wedi dod â gostyngiad ym mhris cludo cig a llaeth a gwrtaith. At hyn, roedd y we o haearn yn gwasanaethu chwareli'r gogledd a meysydd glo'r de.

Doedd pentrefi bach ddim mor anghysbell bellach a daeth bri ar drefi fel Llandudno a Bae Colwyn fel canolfannau gwyliau, a threfi fel Llandrindod yn ganolfannau sba. Roedd hi'n haws hefyd ar gorau i gael teithio o 'steddfod i 'steddfod. Drwy gyfrwng y rheilffyrdd daeth Cymru'n llai. Ym 1845 trefnodd Thomas Cook ei daith fasnachol gyntaf, gan gludo 350 o bobl ar wibdaith ar y trên i Gaernarfon ac Eryri. Ond roedd y teithwyr eu hunain yn atynfa a llifodd y bobl leol i syllu arnyn nhw. Rhwng 1840 a 1870 codwyd mil pedwar can milltir o reilffyrdd yng Nghymru, a'r cwbl gydag arian preifat. Fodd bynnag, doedd dim un rhwydwaith o ffyrdd wedi ei chynllunio er budd Cymru fel gwlad gyfan.

174. Taran drwy'r Trallwng, 1950.

Mae dwy gofgolofn i David Davies, y naill yn ei bentref genedigol yn Llandinam a'r llall yn y dociau a gododd yn y Barri. Mae'r ddwy yn union yr un peth, a'r ddwy'n dangos nid breuddwydiwr ond dyn â'i draed yn gadarn ar y ddaear. Gweddnewidiodd y gŵr busnes egnïol hwn Gymru â'i ddygnwch a'i allu, a rhwng ei gyfoeth yntau a chariad ei wyresau tuag at ddiwylliant y wlad, mae ei waddol yn parhau hyd heddiw.

Fe'i ganed ym 1818 ac yn un ar ddeg mlwydd oed aeth i weithio mewn pwll llifio cyn mynd ymlaen i wneud ei ffortiwn gyntaf yn adeiladu ffyrdd a rheilffyrdd. Gwnaeth ffortiwn arall yn y Rhondda. Am fisoedd bu yntau a'i ddynion yn gweithio'n galed yn ceisio dod o hyd i wythïen o lo ager (glo

175. David Davies yn mynd i gloddio yn y Rhondda: prydlesi mwyngloddio o'r 1860au.

rhydd) heb unrhyw sicrwydd o lwyddiant. O'r diwedd, ar ôl cloddio 660 troedfedd i ddyfnderoedd y ddaear, daethpwyd o hyd i'r aur du ym 1864. Daeth pyllau glo Parc a Maendy yn graidd i'w gwmni – Ocean Coal – ac adeiladodd borthladd y Barri er mwyn cludo'r glo i bellafoedd byd. Roedd yn ddyn digon diolwg a swta, yn ddarbodus a duwiol, ac roedd yn ymfalchïo yn yr enw a gafodd yn ei swydd gyntaf, sef 'Top Sawyer'. Diolch i'w areithiau hir fel Aelod Seneddol Rhyddfrydol, dywedodd y Prif Weinidog, Disraeli, amdano: 'David Davies is a self-made man who worships his creator.' Roedd yn hael ei gyfoeth ac yn barod i'w rannu pan ddaeth hi'n amser cynorthwyo ysbytai a chapeli ac yn amser agor y Brifysgol yn Aberystwyth ym 1872.

Bu farw ym 1890 a bu farw ei fab wyth mlynedd yn ddiweddarach, a throsglwyddwyd y ffortiwn deuluol i ddwylo'r wyrion, David, Gwendoline a Margaret. Gweithiodd David, sef yr Arglwydd Davies Llandinam cyntaf erioed, yn agos gyda Lloyd George a chododd fyddin Gymreig i ymladd yn y Rhyfel Byd Cyntaf. Rhoddodd yntau a'i chwiorydd arian sylweddol i geisio gwella'r ddarfodedigaeth ac ariannu nifer fawr o ysbytai. Yn nes ymlaen ymgyrchodd David yn ddiflino dros heddwch byd a chodi'r Deml Heddwch yng Nghaerdydd fel canolfan Cymru ar gyfer Cynghrair y Cenhedloedd.

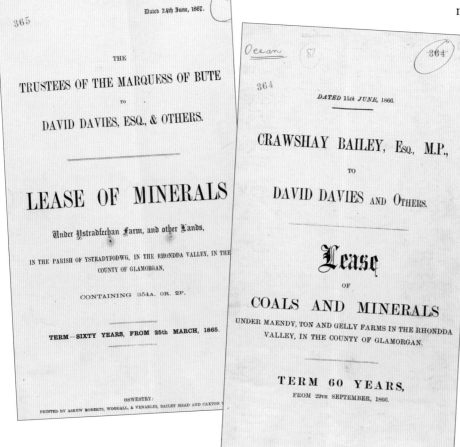

176. Cloddio am olau dydd: pwll glo'r Cambrian, Cwm Clydach, Y Rhondda, 1914.

Arhosodd y tri yn driw i egwyddorion eu tad-cu, gan deimlo rheidrwydd i gynorthwyo'r cymunedau glofaol a fu'n gyfrifol am eu gwneud mor gyfoethog. Ni phriododd y merched, a rhoddodd y ddwy eu bywyd i waith da ac i'r celfyddydau. Yr Amgueddfa Genedlaethol a dderbyniodd eu casgliad helaeth o waith yr Argraffiadwyr Ffrengig a rhwng y ddau ryfel trodd y ddwy eu cartref yng Ngregynog i fod yn hafan o ddiwylliant. Gwahoddid pob math o artistiaid i ddod yno i fwynhau harddwch a llonyddwch y lle, a chlywid y cerddorion gorau yn cymryd rhan yn y gwyliau cerdd yno. Ym 1923 sefydlodd y chwiorydd Wasg Gregynog er mwyn creu campweithiau ym maes argraffu a rhwymo llyfrau. Er gwaethaf sawl cyfnod anodd, mae'r wasg yn dal i gynhyrchu gwaith godidog hyd y dydd heddiw. Bu'r ddwy chwaer yn hael iawn tuag at y Llyfrgell Genedlaethol hefyd, gan noddi ei horiel yn ogystal â rhoi llawysgrifau ac ysgythriadau gan Rembrandt, Whistler ac Augustus John.

177. David Davies, Llandinam.

TRA MÔR YN FUR

Mae halen wedi bod yng ngwaed y Cymro erioed. Wrth gyrraedd Valparaiso, Chile, 'nôl ym 1906 daeth morwyr ar long o Gymru o hyd i ddwsin o longau gyda Chymry'n gapteniaid. Yn ôl Alan Villiers, yr awdur a'r morwr Awstralaidd, pe byddech chi'n tynnu pob Lloyd, Llewelyn, Lewis, Hughes, Davies, Williams a Jenkins – neu bob Jones yn unig – o wasanaeth llynges fasnachol Prydain, byddai mwy na'i hanner yn gorfod peidio â gweithredu.

Cyn amser rheilffyrdd a ffyrdd safonol, y môr oedd prif gyfrwng cludiant Cymru, ac ar fwrdd cwch neu long byddai bwyd, coed, gwrtaith, celfi a hyd yn oed organ y capel yn cael eu cludo. Ar draethau ar hyd a lled Cymru, byddai seiri yn adeiladu cychod o goed lleol yn ôl profiad a llygad yn hytrach nag unrhyw gynlluniau ffurfiol. Câi'r cychod a'r llongau hyn eu hariannu wrth i'r bobl leol – yn wŷr busnes, ffermwyr, gweinidogion y capeli ac ati – brynu un rhan o drigain a phedair yn ôl y traddodiad. Dynion lleol fyddai'n eu hwylio hefyd; felly, roedd gobaith a gofid yn ogystal ag arian lleol ynghlwm yn y fenter. Byddai'r rhan fwyaf o'r llongau'n cynnwys llanc neu ddau, gan fod nifer o Gymry ifainc yn dewis y môr yn hytrach na'r tir fel llwybr gyrfa, ac roedd angen dysgu'r grefft o fod yn forwr yn ifanc.

Adeiladwyd sawl sgwner ym Mhorthmadog a Chaernarfon a rhoddid llechi ar fyrddau'r rhain i'w cludo i bellteroedd byd. Hwyliai

178. Merch ei thad: ganed Sarah Jane Rees, 1839–1916, yn Llangrannog, yn ferch i gapten llong, a dysgodd grefft morwriaeth i ddynion yng Nghymru, Lerpwl a Llundain. Roedd hi hefyd yn bregethwraig, yn olygydd, yn ffeminist ac yn un o arweinyddion y mudiad dirwestol. Ei henw barddol oedd Cranogwen; dyddia'r llun o tua 1875.

179. Halen yn y gwaed: morwyr Aberdyfi.

180. *Goleudy Ynys Lawd, Caergybi.*
W. Daniell, 1813.

181. *Y Bermo. W. Daniell, 1813.*

cychod rownd yr Horn i ddod â chopor
i Abertawe ac i gario glo o Gymru. Daeth
Lerpwl yn dref gyfoethog ar elw masnach y
caethweision ac oddi yno gellid mynd i ben
draw Cefnfor Iwerydd ac Efrog Newydd.
Ym 1820 daeth telegraff masnachol cyntaf
Prydain i fod ac roedd deg gorsaf semaffor
ar hyd arfordir gogledd Cymru'n gallu anfon
neges am gargo a chwch o Gaergybi i Lerpwl
mewn pum munud. Roedd cryn barch i
allu morwyr o Gymru yn Lerpwl ac
wedi i gwmni'r Blue Funnel
gyflogi cynifer ohonynt
fe'i hadwaenid fel y
Llynges Gymreig.

182.
*Ceinewydd
yn y 1880au.*

183. *Sgwner a
chychod eraill ym
Mhorthmadog,
tua 1880.*

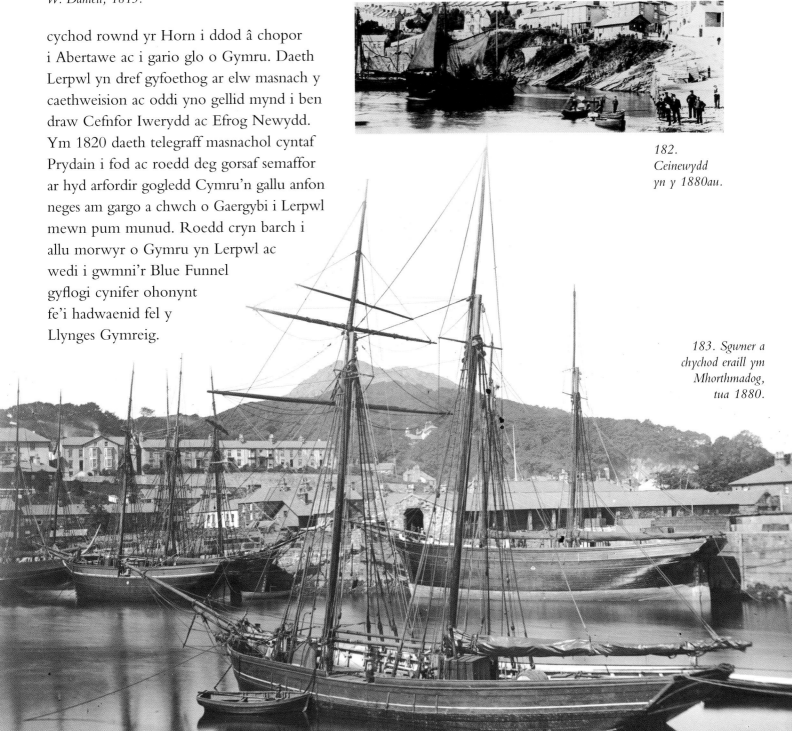

184. Peilot ar y môr: cychod tywys yn mentro allan o Abertawe. George Chambers, 1836.

COPOROPOLIS

Bu dinas Abertawe yn ei thro yn gartref i'r Llychlynwyr, yna i'r concwerwyr Normanaidd, yna'n darged i gynddaredd Owain Glyndŵr, yna'n borthladd, yna'n gyrchfan gwyliau ffasiynol, yna'n ffwrn i lestri hardd, yna'n farchnad lo, ac yn anterth y chwyldro diwydiannol daeth yn fan i smeltio mwy na thri chwarter cynnyrch copor y byd. Ar hyd glannau afon Tawe roedd yna ffwrneisi ffyrnig yn llyncu'r mwyn o Ciwba, De Affrica, Awstralia a De America. Erbyn 1820 roedd y barwniaid copor – y Morrisiaid, teulu'r Vivian a'r Grenfells – yn magu gwreiddiau balch yn y dref. Gyda phrofiad hir yn y diwydiant metel, datblygodd Abertawe yn gartref i'r diwydiant tun, a ffynnodd y diwydiant hwn o'r 1850au ymlaen.

Am flynyddoedd gwelid mastiau'r llongau copor fel fforestydd ar ddŵr y porthladd.

Ac yn y blynyddoedd pan oedd llongau'n hwylio'n gyson i Chile am fwynau copor, byddai morwyr Abertawe yn llawn mor gyfarwydd â rowndio'r Horn ag y byddent â theithio o gwmpas y Mwmbwls. Wedi iddo ddod ar draws dwsinau o longau o Gymru yn Valparaiso, cwynodd un capten llong o Americanwr: 'It looks as if Swansea owns the whole darned Pacific.' Talodd nifer o forwyr y pris eithaf am deithio i Chile a chollwyd sawl llong hefyd. Cyrhaeddodd y llwyth olaf o fwynau copor o'r Horn i Abertawe 'nôl ym 1905.

Roedd teulu'r Bath o Abertawe yn berchnogion llongau a arferai roi llythyren o'r wyddor Roegaidd i'w cychod. Un ohonyn nhw oedd y llong 700 tunnell, *Zeta*. Rhoddwyd enw'r llong i ferch fach o Abertawe unwaith, a phan ddaeth wyres y ferch fach honno i fod yn actores, mabwysiadodd enw ei mam-gu. Mae blas halen hwyliau Abertawe, felly, ar enw Catherine Zeta-Jones.

'PRŴNS'

Câi'r ffotograffwyr cyntaf eu hystyried yn ddewiniaid, yn bobl a allai ddal golau mewn blwch a dal yr eiliad. Roedden nhw'n creu ac yn cofnodi cynnydd gwyddoniaeth yn ystod oes Fictoria. Roedd hi'n hysbys ym 1820 fod golau yn tywyllu halwynau arian. Roedd Louis Daguerre wedi dal delweddau ar blât copor a hwnnw wedi'i orchuddio â haenau o ïodid arian, ac ym Mharis ym 1839 bu pawb yn rhyfeddu o weld y 'daguerreotype' cyntaf. Ym Mawrth 1841 tynnodd y Parchedig Calvert Richard Jones

lun 'daguerreotype' o gastell Margam, sef y ffotograff cynharaf y gwyddom amdano yn deillio o Gymru.

Gan nad oedd y 'daguerreotype' yn cynhyrchu yr un 'negatif' roedd pob llun yn unigryw. Yna, aeth William Henry Fox Talbot ati i wella gwaith Daguerre, gan greu'r 'Talbotype', a oedd yn cynhyrchu negatif. Cyhoeddodd ei lyfr cyntaf o ffotograffau, *The Pencil of Nature*, ym 1844, ac mae copi anghyflawn ohono yn y Llyfrgell Genedlaethol. Treuliodd lawer o'i

185. Sgrin arian: llun 'daguerreotype' o Gastell Margam.

ieuenctid ym Mhen-rhys, ar benrhyn Gŵyr, a rhannodd gyfrinachau'r camera gyda'i gefndryd a ddaeth yn eu tro i fod yn arloeswyr yn yr un maes. Yn y cyfnod cynnar hwn, byddai'n rhaid aros yn hir cyn i'r camera ddal y golau, a byddai'n rhaid i wrthrych y llun sefyll yn stond am hydoedd. Er mwyn creu darlun dymunol, câi'r merched eu hargymell i ddweud y gair 'prune'. Fel

hyn byddai eu gwefusau yn edrych yn bert!

Lledodd y diddordeb mewn ffotograffiaeth yn gyflym iawn ac erbyn canol y bedwaredd ganrif ar bymtheg roedd gan bron bob tref ei stiwdio'i hun.

John Thomas, o Geredigion, oedd un o brif ffotograffwyr Cymru. Ym 1863 dechreuodd deithio o fan i fan, gan godi chwe cheiniog am lun. Tynnodd luniau dros 400 o

186. Jones bach, bardd, tua 1885.

187. Teiliwr Bryn-du, tua 1875.

188. Hen fenyw fach, tua 1885.

189. Gwraig yn gwau, tua 1875.

190. Siân Phillip y Mynydd, tua 1870.

191. Dillad parch: trigolion elusendy Cerrigydrudion, Dinbych.

192. Gwŷr mawr y Gair: un o luniau poblogaidd John Thomas o bump ar hugain o bregethwyr oes Fictoria, tua 1875.

weinidogion, gan ateb y galw mawr am luniau o arwyr y cyhoedd. Am ddeugain mlynedd, tan ei farwolaeth ym 1905, teithiodd ar hyd a lled Cymru, gan gofnodi pobl a llefydd. Byddai hefyd yn tynnu lluniau ar gyfer cylchgrawn O. M. Edwards, *Cymru*. Mae tair mil o negatifau o'i luniau yng nghasgliad y Llyfrgell Genedlaethol sy'n cynnwys dros 750,000 o ffotograffau. Dyma'r casgliad mwyaf o bell ffordd o ffotograffau Cymreig.

Fel John Thomas, bu Geoff Charles yn ffoto-ohebydd am dros ddeugain mlynedd, ac mae ei waith ef hefyd wedi cyfrannu'n fawr at gof y genedl. Ymddeolodd ym 1975 a rhoi 120,000 o negatifau i'r Llyfrgell Genedlaethol.

Ymhlith ei luniau enwocaf ceir portread o'r bardd Carneddog yn gadael ei fferm, postmon ar gefn ceffyl, a golygfeydd o Gwm Tryweryn. Mae'r lluniau i gyd yn ein hatgoffa'n hiraethus o ffordd o fyw sydd bellach wedi diflannu.

3. *Cyfeilles, Biwmaris, 1875.*

194. *Morris 'Babŵn', tua 1885.*

195. *Amser te, tua 1875.*

196. *Pwy sy 'na? Un o arloeswyr ffotograffiaeth oedd Mary Dillwyn, 1816–90, ac roedd ganddi arddull anffurfiol unigryw. Teitl y llun hwn yw: 'Sally and Mrs Reed – Mary Lindsay peeping'.*

197. *Cychod ar dir sych, traeth Dinbych-y-pysgod.*

AR GANIAD
Y CHWIBAN

Un a gafodd bleser mawr trwy dynnu
lluniau gyda chamera oedd y meistr haearn
blin o Ferthyr, Robert Crawshay. Byddai'n
gorchymyn i'w ferch, Rose, wisgo dillad
amrywiol a sefyll fel sipsi, neu ferch o'r
Swistir neu ferch o'r wlad. Yna, gan
chwythu ei chwiban, byddai'n ei galw o
flaen ei gamera. Hi hefyd oedd yn gorfod
prosesu'r lluniau a byddai'r cemegau'n
llosgi croen ei dwylo. Ceisiodd ei
thad ei orau glas i'w chadw gartref,
ond, yn naw ar hugain mlwydd
oed, mynnodd briodi. Ac yn
union fel golygfa mewn
melodrama Fictoraidd, dyma
Crawshay'r cymeriad creulon
yn ei thorri allan o'i ewyllys.
Bu farw'r tad anystyrlon hwn
ym 1879 ac ar ei garreg fedd,
mewn mynwent gerllaw
Merthyr, mae'r geiriau
iasol 'God Forgive Me'.

*199. Boneddiges yn
oes Fictoria; yn y
pen draw fe wnaeth
ffoi rhag gormes a
ffotograffiaeth
ei thad.*

*197. Mynd drot, drot:
llun o David Lewis
Jones y postmon yn
mynd â llythyron i
ffermydd ar hyd y
ffordd o Dregaron i
Abergwesyn, tua 1950.*

YN CANU YN Y CWM

*200. Annwyl i mi:
llawysgrif wreiddiol cân Evan
James yn datgan ei gariad at hen
wlad ei dadau. Mae'r recordiad
cyntaf o'r anthem, a wnaed gan
Madge Breese ym 1899, hefyd
yn y Llyfrgell Genedlaethol.*

*201. Geiriau: Evan
James, tua 1870.*

*202. Cerddoriaeth:
James James, tua
1890.*

Mae anthem genedlaethol Cymru, 'Hen Wlad Fy Nhadau', yn ganadwy, yn bwerus, ac yn gryno. Yn syml iawn, mae'n mynegi cariad at wlad, a gobaith y bydd Cymru a'r iaith Gymraeg yn parhau am byth. Wrth gerdded ar hyd afon Rhondda ym 1856, daeth y geiriau i'r gwehydd hyddysg Evan James. Fe'u rhoddodd i'w fab James i'w canu i gyfeiliant y delyn. Cyfansoddodd y gŵr ifanc hwnnw, yn ddwy ar hugain mlwydd oed, alaw hyfryd a rhoi iddi'r enw 'Glan Rhondda', ac fe'i canwyd am y tro cyntaf gan Elizabeth John yng Nghapel Tabor, Maesteg, ym 1856. Ond wrth eiriau'r llinell gyntaf yr adwaenir y gân sydd erbyn heddiw yn agos at galon pob Cymro a Chymraes. Recordiwyd yr anthem ar silindr wêr gan Madge Breese ym 1899 ac fe'i clywyd yn fyw am y tro cyntaf gan dorf o ddilynwyr rygbi ym 1905 pan gurodd Cymru Seland Newydd.

Heb ddim comisiwn na chais swyddogol, heb anogaeth gyhoeddus na chystadleuaeth eisteddfodol, daeth y gân o galon tad a mab a thyfu i fod yn anthem genedlaethol. Ond roedd y ddwy galon yn caru Cymru, ac mae'n bosibl fod y gân wedi'i hysbrydoli gan lythyr a dderbyniodd Evan James oddi wrth ei frawd yn ei wahodd yn daer i ymuno ag ef yn America. Efallai mai rhyw fath o lythyr ato ef ei hunan oedd geiriau Evan James felly, yn esbonio pam na allai adael y wlad oedd mor annwyl iddo. Waeth beth am hynny, mae'r gân wedi tyfu'n annwyl iawn i ni i gyd erbyn hyn.

DRAW DROS Y DON

Yn ystod ei flynyddoedd yn gweinidogaethu mewn capel Cymraeg yn Cincinnati, sylwodd Michael D. Jones o Lanuwchllyn pa mor gyflym oedd yr ymfudwyr o Gymru yn ymaddasu i'r bywyd newydd yn America a pha mor gyflym yr oedden nhw'n colli gafael ar eu mamiaith. Aeth ati i gynnig dihangfa i bobl wedi eu llethu gan dlodi a gorthrwm yr eglwys a thrachwant landlordiaid. Ac yn ei freuddwyd newydd ef byddai'r Cymry hynny a fyddai'n ymsefydlu ym mhen draw'r byd yn ddiogel rhag dylanwad y Saeson a'r Saesneg. Ymatebodd tua 160 o bobl i'w alwad, ac ym mis Mai 1865 hwyliodd y fintai o Lerpwl ar fwrdd y *Mimosa* i gyfeiriad Patagonia, dros 7,000 o filltiroedd i ffwrdd. Newidiwyd blaenddelw benywaidd trawiadol y cwch am gerflun siâp sgrôl, ac yna, wedi iddo helpu i godi arian ar gyfer y fordaith, canodd Michael D. Jones yn iach i'r ymfudwyr dewr.

Roedden nhw'n gobeithio cyrraedd gwlad yr addewid, ond yn lle llaeth a mêl doedd dim ond anialwch yn eu disgwyl. Trwy gyrraedd ym mis Gorffennaf, yng nghanol caledi'r gaeaf, roedd hi'n rhy hwyr i blannu had ar gyfer cnydau. Bu'n rhaid i'r dynion gerdded dros ddeugain milltir i gyrraedd y darn tir a glustnodwyd ar eu cyfer, ac yfed eu dŵr eu hunain, gymaint oedd eu syched. Cafodd yr ymfudwyr cyntaf hyn gymorth gan y trigolion lleol a ddysgodd iddynt dechnegau hela; drwy hyn, drwy greu eu system ddyfrio eu hunain, a thrwy gymorth rhywfaint o arian gan lywodraeth yr Ariannin, llwyddodd rhai i oroesi.

Cymraeg oedd iaith gyntaf y weinyddiaeth, a masnach, am dros ddeng mlynedd ar hugain. Fe'i siaredir hyd y dydd heddiw yn y Wladfa, er bod Sbaeneg wedi cymryd ei lle fel prif iaith y byd cyhoeddus. Yn y pen draw, daeth y drefedigaeth yn rhan o'r Ariannin. Hwyliodd y criw mawr olaf o Gymru, rhyw 113 ohonynt, ym 1911. Ym 1886 hwyliodd Llwyd ap Iwan, mab Michael D. Jones, i'r Wladfa ond fe'i saethwyd yn farw gan herwr Americanaidd, a oedd, yn ôl y sôn, yn aelod o griw chwedlonol Butch Cassidy a'r Sundance Kid.

203. Breuddwyd yr arloeswyr cyntaf oedd gweld cenedl gref a hunangynhaliol yn tyfu mewn gwladfa newydd. Michael D. Jones, tua 1880.

204. *Cymru fach ym Mhatagonia: Ysgol Cwm Hyfryd, 1909.*

205. *Tocyn i fro dy freuddwyd: taith y Mimosa.*

206. *Siop y co-op, Trelew, tua 1900.*

207. *'Llawlyfr y Wladychfa Gymreig', 1863.*

Ysgol Cwm Hyfryd.
neu
Ysgol y Rhyl.

No. 4

CAMBRIAN EMIGRATION OFFICE, 41, UNION STREET, LIVERPOOL.

PASSENGERS' CONTRACT TICKET.

1. A Contract Ticket in this Form must be given to every Passenger engaging a Passage from the United Kingdom to any Place out of Europe, and not being within the Mediterranean Sea.
2. The Victualling Scale for the Voyage must be printed in the Body of the Ticket, and the Ticket must be legibly signed with the Christian Names and Surname and Address in full of the Party issuing the same.
3. All the Blanks must be correctly filled in, and the Ticket must be legibly signed with the Christian Names and Surname and Address in full of the Party issuing the same.
4. The Day of the Month on which the Passengers are to embark must be inserted in words and not in figures.
5. When once issued, this Ticket must not be withdrawn from the Passenger, nor any alteration, addition or erasure made in it.

Ship *Mimosa* of *450* tons register, to take in Passengers at Liverpool, for *New Bay* on the *Eighteenth* day of *May* 1865.

I engage that the Persons named in the margin hereof shall be provided with a Steerage Passage to, and shall be landed at the Port of *New Bay* in South America, in the Ship *Mimosa* with not less than 10 cubic feet for luggage for each statute adult, and shall be victualled during the voyage and the time of detention at any place before its termination, according to the subjoined scale, for the sum of £ _____ including Government Dues before Embarkation, and Head Money, if any, at the Place of Landing, and every other charge, except freight for excess of luggage beyond the quantity above specified, and I hereby acknowledge to have received the sum of £ *45* in *full* payment.

NAMES.	AGES.	EQUAL TO STATUTE ADULTS.
Abraham Matthews	*32*	
Gwenllian de	*23*	
Mary A. de	*do*	*Rof*
Mary John	*26*	
John Hona	*16*	*4*

The following quantities at least, of Water and Provisions (to be issued daily) will be supplied by the Master of the Ship as required by Law; viz. to each Statute Adult, 3 quarts water daily, exclusive of what is necessary for cooking the articles required by the Passengers Act; to be issued in a cooked state, and a weekly allowance of provisions, according to the following scale:—3½lbs. Bread or Biscuit, not inferior in quality to Navy Biscuit, 1lb. Wheaten Flour, 1½lb. Oatmeal, 1½lb. Rice, 1½lb. Peas, 2lbs. Potatoes, 1½lb. Beef, 1lb. Pork, 2oz. Tea, 1lb. Sugar, 2oz. Mustard, ¼oz. black or white ground Pepper, 2oz. Salt, 1 gill Vinegar.
N.B.—Mess Utensils and Bedding to be provided by the Passengers.

Signature in full *James Lamb*

On behalf of JAMES LAMB, of Liverpool.

LIVERPOOL, _____ day of *May* 1865.

Deposit £ _____ to be paid at the Office, 41, Union-st., Liverpool, one day before the above date for sailing, or deposit forfeited.

Balance £ _____
Total £ _____

NOTICE TO PASSENGERS.

1. If Passengers, through no default of their own, are not received on board on the day named in their Contract Tickets, or fail to obtain a Passage in the Ship, they should apply to the Government Emigration Officer at the Port, who will assist them in obtaining redress under the Passengers Act.
2. Passengers should carefully keep this part of their Contract Ticket till after the end of the voyage.
N. B.—This Contract Ticket is exempt from Stamp Duty.

Fernánde

208. *Arwain ffasiwn:*
awgrymiadau
Arglwyddes Llanofer
ar gyfer y Gymraes
drwsiadus.

GWENYNEN GWENT

Roedd Augusta Hall, Arglwyddes Llanofer,
yn un a garodd gerddoriaeth Cymru, ei
llenyddiaeth a'i dawns. Roedd hi'n ddynes
arbennig iawn ac er mai digon bratiog oedd
ei gafael hi ar yr iaith Gymraeg, mynnodd
fod ei chartref a'i hystad yn Llanofer ger y
Fenni yn atseinio â sŵn yr iaith. Llanwodd
y lle â gweithwyr a siaradai Gymraeg,
cyflogodd delynor, a mynnodd fod
gweinidog capel pentref yr ystad yn
Gymro Cymraeg barfog. Roedd ei henw
yng Ngorsedd y Beirdd, Gwenynen Gwent,
yn adlewyrchu ei gweithgarwch di-baid.
Aeth ati i greu gwisg draddodiadol Gymreig,
gan addasu'r siôl a'r het uchel a wisgai'r
werin. Roedd y creu a'r addasu hwn yn
debyg iawn i'r hyn a ddigwyddodd gyda'r
cilt yn yr Alban yn ystod oes Fictoria. Ond
un o'i chymwynasau mwyaf i'r Cymry,
heb os, oedd iddi gadw llawysgrifau Iolo
Morganwg yn ofalus fel y gellid eu
trosglwyddo i'r Llyfrgell Genedlaethol.

Roedd hi'n llwyrymwrthodwr llym iawn,
a throdd holl dafarnau'r ystad yn siopau te.
Nododd un pentrefwr anhapus:

> Grand house but small cheer
> Large cellar but no beer
> Lord Llanover lives here.

Ei gŵr, Arglwydd Llanofer, oedd neb llai
na Benjamin Hall, yr Aelod Seneddol tal a
roddodd ei enw a'i arian i gloch cloc Big
Ben. Cefnogodd yn frwd hawliau'r bobl i
gael gwasanaethau crefyddol trwy gyfrwng
y Gymraeg. Pan fu farw'r Arglwyddes ym
1896 yn naw deg a thair blwydd oed, fe'i
hebryngwyd i'r bedd gan ugain Cymraes
ifanc mewn gwisg 'draddodiadol'.

TAD MYFANWY

209. *Cân i Gymru:*
Joseph Parry, tua 1875.

Mae'n debyg mai tad cerddoriaeth fodern Cymru oedd y cyfansoddwr diflino Joseph Parry. Fe'i hystyriai ei hunan yn addysgwr, a'i nod oedd creu cerddoriaeth ar gyfer y bobl. Hyd heddiw clywir ei gân serch 'Myfanwy' yn aml, a hithau erbyn hyn dros gant oed. Ar wahân i gannoedd o ganeuon ac anthemau ac emynau, cyfansoddodd hefyd sawl agorawd, cantata, oratorio, a sonata i'r piano ac un symffoni. Roedd ei opera gyntaf, *Blodwen*, yn arbennig o boblogaidd ac fe'i perfformiwyd dros 500 gwaith.

Roedd bywyd Joseph Parry yn un siwrnai ramantus. Fe'i ganed ym Merthyr ym 1841. Yna, ac yntau ond yn ddeng mlwydd oed, roedd eisoes yn gweithio dan ddaear, ac yn ddeuddeg oed gweithiai yn y gwaith haearn. Fe'i magwyd yn sŵn bandiau'r dref. Yn ddiweddarach, ymfudodd gyda'i deulu i Bennsylvania a gweithiodd yno mewn melin ddur. Yn dilyn ei lwyddiant eisteddfodol yng Nghymru yn y 1860au cododd y cyhoedd arian i gydnabod ei dalent a thalu iddo fynd i astudio cerddoriaeth yn yr Academi Frenhinol. Ym 1874 ef oedd Athro Cerdd cyntaf Coleg y Brifysgol Aberystwyth, a dysgodd hefyd yn Abertawe a Chaerdydd. Mae cryn ddadlau ymhlith y beirniaid ynghylch ei safle fel cerddor. Cred rhai ei fod yn rhy sentimental ac ail-law. Mae'n wir ei fod yn aml yn fympwyol ac yn gorberfformio, ond roedd llawer iawn o'i gerddoriaeth yn arloesol. Roedd ei alawon bob amser yn ganadwy ac yn apelio at y cyhoedd. Nid syndod, felly, yr edrychai'r Cymry arno fel ffigwr cenedlaethol, ond felly hefyd yr edrychai ef arno'i hunan.

210. *Y Ceidwadwyr yn mynd i'r diawl:*
Cartŵn gwleidyddol James Cope, tua 1834.

211. Y Cymro: *rhifyn cyntaf 1830.*

212. Y Celt, *1878. Y golygydd cyntaf oedd*
Samuel Roberts, Llanbryn-mair, ymgyrchydd pigog
dros hawliau'r unigolyn a gelyn y perchnogion tir.

213. *Dyn dylanwadol: Thomas Gee, 1815–98, un a*
hyrwyddai radicaliaeth wleidyddol y Cymry yn ystod oes Fictoria.

A DYMA'R PENAWDAU ...

Yn ystod y bedwaredd ganrif ar bymtheg, gyda thwf diwydiant a gwleidyddiaeth ac wrth i'r boblogaeth gynyddu, ymddangosodd nifer fawr o bapurau newydd yng Nghymru.

Y papur newydd cyntaf oedd *The Cambrian*, wythnosolyn a ddechreuodd ar ei waith ym 1804 yn adrodd hanes Abertawe yn bennaf. Ym Mangor wedyn, daeth y *North Wales Gazette* ym 1808 a'r *Journal* yng Nghaerfyrddin ym 1810. Ymddangosodd *Seren Gomer*, yr wythnosolyn cyntaf yn y Gymraeg, ym 1814. Yn ystod y 1820au a'r 1830au sefydlwyd nifer o bapurau, yn eu plith y *Monmouthshire Merlin*, *The Welshman*, y *Merthyr Guardian* a'r *Carnarvon and Denbigh Herald*, ac, ar y cyfan, byddai'r papurau hyn yn dibynnu'n helaeth ar gloddio straeon o grombil papurau Llundain er mwyn adrodd ar faterion tramor, ar hanesion am lofruddiaeth a llongddrylliad ac ar grefydd.

Fodd bynnag, aeth y llywodraeth ati i roi taw ar yr holl ohebu drwy osod trethi trwm ar y papurau newydd a'u gwneud yn rhy ddrud i boced y Cymro cyffredin. Ond rhwng 1851 a 1863 gwelwyd y trethi hyn yn lleihau, a chyda'r awydd mawr am hanes o'r rhyfel yn y Crimea agorwyd y drws ar gyfnod llewyrchus i'r diwydiant argraffu. Dechreuodd *Yr Herald Cymraeg* ym 1855. Aeth y newyddiadurwr radical, Thomas Gee o Ddinbych, ati i ddatblygu busnes y teulu, Gwasg Gee, i arwain ym myd cynhyrchu llyfrau, cylchgronau a phapurau newydd a thrwy hyn daeth yn rym nerthol ym myd addysg a gwleidyddiaeth Cymru.

Ym 1859 sefydlodd ei wythnosolyn, *Baner ac Amserau Cymru*, neu *Y Faner* fel y'i hadwaenid, a daeth yn llais rhyddfrydol pwysig gyda dros 50,000 yn ei ddarllen erbyn yr 1880au. Yn ystod y cyfnod hwn daeth tua deugain o bapurau newydd Cymraeg i fod, gan esgor ar ddosbarth newydd o newyddiadurwyr yn yr iaith.

Lansiwyd y *Western Mail*, papur dyddiol cyntaf Cymru, ym 1869 er mwyn cefnogi achos y Ceidwadwyr. Ystad Arglwydd Bute oedd ei brif noddwr a thyfodd yn ffyniannus gyda help technoleg newydd y byd argraffu, newyddiadurwyr proffesiynol ac amrywiaeth o newyddion o ddefnydd cyffredinol ac erthyglau nodwedd. Dim ond y papurau newydd masnachol a oroesodd ddirwasgiad economaidd y Rhyfel Byd Cyntaf. Wedi 1918 tyfodd ymerodraethau byd y papur newydd. Daeth y perchennog pyllau glo, Arglwydd Rhondda, yn rheolwr ar gadwyn o bapurau newydd, gan gynnwys y *Western Mail*, *Y Faner*, y *Cambrian News* a'r *Merthyr Express*. Daeth cyfnod llewyrchus i'r brodyr Berry o Ferthyr hefyd. Henry oedd barwn cyntaf y wasg yng Nghymru, daeth William yn Arglwydd Camrose a Gomer yn Iarll Kemsley.

Nes iddo gael ei rannu ym 1937, roedd y Berry Group yn berchen ar bedwar o bapurau newydd Prydain a phedwar

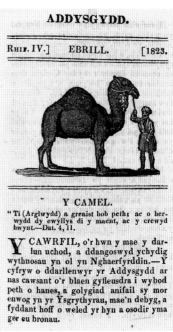

214. Addysgydd 1823, y papur Cymraeg cyntaf i blant; cyhoeddwyd a darluniwyd gan Hugh Hughes.

ADDYSGYDD.

RHIF. IV.] EBRILL. [1823.

Y CAMEL.

"Ti (Arglwydd) a greaist bob peth; ac o herwydd dy ewyllys di y maent, ac y crewyd hwynt.—Dat. 4, 11.

Y CAWRFIL, o'r hwn y mae y darlun uchod, a ddangoswyd ychydig wythnosau yn ol yn Nghaerfyrddin.—Y cyfryw o ddarllenwyr yr Addysgydd ar nas cawsant o'r blaen gyfleusdra i wybod peth o hanes, a golygiad anifail sy mor enwog yn yr Ysgrythyrau, mae'n debyg, a fyddant hoff o weled yr hyn a osodir yma ger eu bronau.

The Old Man of the Sea.

DAME WALES : Indeed, now, Mr. Asquith was very nice and sympathetic ; but I see I must give him no rest, if I am to get this load off my back.

[The imposition of the Coal Tax was deeply resented by the Welsh people, and continued appeals and protests were made to the Chancellor of the Exchequer in favour of its rescission.]

215.

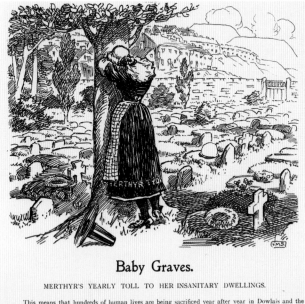

Baby Graves.

MERTHYR'S YEARLY TOLL TO HER INSANITARY DWELLINGS.

This means that hundreds of human lives are being sacrificed year after year in Dowlais and the other bad districts by the failure of the capitalists employing labour to rescue that labour from foul and filthy dwellings which are death-traps and murder-holes. . . . . Merthyr does not destroy its refuse but it destroys its children.—"Human Wales," by GEO. R. SIMS.

216.

A Path of Love.

[On July 20th and 21st, 1904, the King and Queen opened the King's Dock at Swansea, and the Birmingham Waterworks at Rhayader, amid scenes of great national rejoicing.]

217.

deg a naw y tu allan i Lundain. Ar ôl y 1920au gwelwyd cwymp yn nifer y papurau newydd Cymraeg a Saesneg yng Nghymru. Ond roedd tipyn o fynd ar rai papurau sosialaidd, efallai mewn ymateb i agwedd negyddol y *Western Mail* tuag at y dosbarth gweithiol.

Roedd y wasg leol yn dal i fod yn ddigon prysur yng Nghymru yn y 1950au, ond y papurau Llundeinig fyddai'n cyrraedd cartrefi mwy a mwy o Gymru, ac roedd cwymp cylchrediad y papurau lleol yn achosi problemau. Gyda dyfodiad y Cynulliad, cododd llu o broblemau i ohebwyr a golygyddion Cymru. Gyda diffyg gwybodaeth a lle i fynegi barn, a diffyg traddodiad o ohebu gwirioneddol genedlaethol roedd hi'n anodd clywed y lleisiau lluosog y mae eu hangen mewn democratiaeth iach. Mae teledu a radio'n gallu llenwi'r bwlch i ryw raddau, ond nid ydynt yn disodli gair ar glawr a barn ar bapur.

215. Trwy lygad Cymro: Adlewyrchodd cartwnau deifiol Joseph Staniforth fywyd yng Nghymru am ddeng mlynedd ar hugain o 1889. Er ei fod yn darlunio ar gyfer y papur ceidwadol, y Western Mail, *roedd hefyd yn ymosod ar y meistri ac yn tynnu sylw at dynged y tlawd. Cynrychiolai ei gymeriad cadarn, Dame Wales, farn y Cymry.*

Hen Ŵr y Môr: Dame Wales yn rhoi pryd o dafod i'r Canghellor.

Bedd y rhai bach: tynnu sylw at yr holl blant bach oedd yn marw ym Merthyr o achos diffyg glanweithdra.

Llwybr Cariad: Cymru'n cyfarch y Brenin Edward a'r Frenhines Alexandra yn agoriad Doc Abertawe ym 1904.

CWMWD KILVERT

Rhwng 1865 a 1872 roedd Francis Kilvert yn gurad yn ardal Cleirwy yn Sir Faesyfed. Roedd wrth ei fodd yn rhyfeddu at y pethau bychain, a chofnododd fywyd bob dydd y wlad mewn ffordd unigryw iawn. Er bod y darlun ar brydiau braidd yn sentimental, mae'r portreadu'n ddidwyll, yn enwedig wrth iddo adrodd am ei obeithion ofer o briodi. Gwelai rhieni'r merched ef fel curad tlawd heb fawr o obaith am ddyrchafiad. Priododd o'r diwedd ym 1879, ond bu farw o'r pendics ymhen pum mis. Llosgodd ei weddw nifer o'r dyddiaduron a oedd yn cyfeirio ati hi, ond argraffwyd detholiad o ddau lyfr ar hugain dan y teitl *Kilvert's Diary* ym 1938–40. Mae'n bosibl mai oherwydd yr elfen erotig yn y llyfrau nodiadau yr aeth ei nith ati i waredu pedwar ar bymtheg o'r ddau ar hugain. Ond o'r tri sy'n weddill, mae dau ohonynt yn y Llyfrgell Genedlaethol.

*218. Bywyd yn y wlad:
Cadwodd Kilvert ei
ddyddiadur o 1870
tan 1879.*

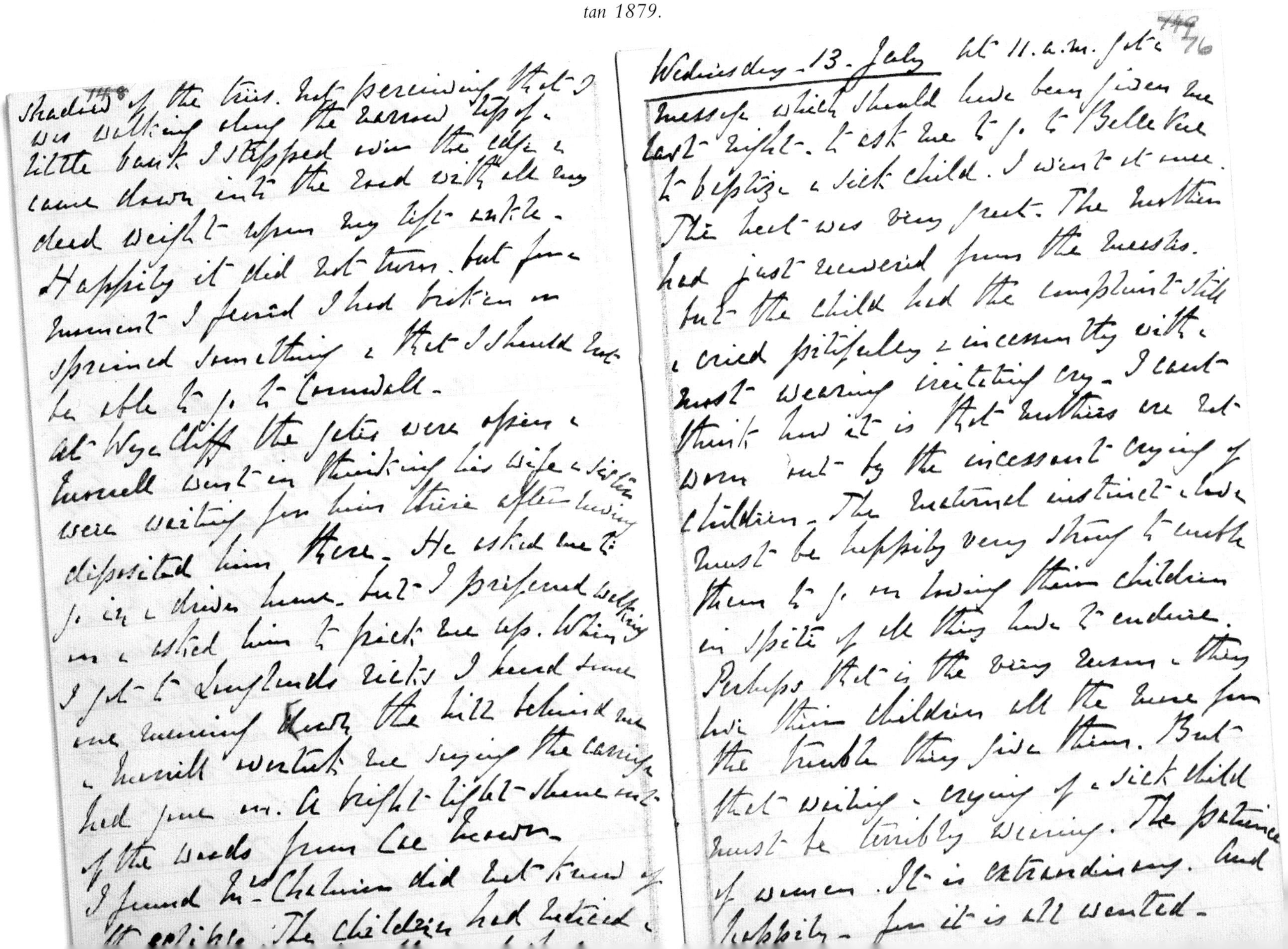

DISTANT VIEW OF LLANTRISSANT AND THE CREMATION

DR PRICE'S HOME, LLANTRISSANT.

THE CREMATION OF DR PRICE, JANY 31ST 1893.

HIS CHILDREN IESU GRIST AND PENELOPEN.

INTERIOR OF HOUSE

THE FUNERAL AT EARLY MORN.

GWEN LLEWELLYN.

DR PRICE, ARCH DRUID.

IN MEMORIAM. 1893.

AMLOSGI ARLOESOL

Ar ei ben blwydd yn bedwar ugain ac un, mewn seremoni dderwyddol, tyngodd Dr William Price lw o ffyddlondeb i Gwenllian, merch un ar hugain mlwydd oed. Daeth hithau'n fam i'w mab Iesu Grist. Pan fu farw'r mab ym 1884, yn ddim ond pum mis oed, aeth Dr Price ati i losgi'r corff. Wrth i gapelwyr droi am adref un bore roedden nhw'n siŵr eu bod yn gweld dyn yn aberthu plentyn. Bu'n rhaid i Dr Price ffoi rhag eu llid nes cael ei achub gan yr heddlu. Cynhaliwyd achos ym mrawdlys Caerdydd i gyhuddo'r Dr Price o losgi corff. Amddiffynnodd ei hunan yn huawdl a phenderfynodd y Barnwr nad oedd wedi cyflawni unrhyw drosedd a'i fod yn ddieuog. Dr Price oedd y dyn cyntaf i amlosgi corff ym Mhrydain a daeth pobl i edrych arno fel arloeswr.

Fe'i ganed ym 1800 a threuliodd ei oes hir yng nghymoedd de Cymru. Gwelodd yr ardal yn troi'n bair o ddiwydiant. Roedd yn Siartydd brwd a bu'n rhaid iddo ddianc i Ffrainc yn y 1830au wedi ei wisgo fel merch. Drwy gydol ei fywyd bu'n feirniad pigog o wŷr yr eglwys ac o drachwant y meistri glo a dur. Roedd yn feddyg deheuig, yn llwyr yn erbyn ysmygu, yn obsesiynol o lân, yn naturiaethwr ac yn credu mewn cariad rhydd. Roedd yn wladgarwr pybyr ac yn dderwydd yn nhraddodiad Iolo Morganwg. Yn aml, gwisgai wisg werdd a het o groen cadno gyda'r coesau a'r gynffon yn hongian oddi tani. Hoffai hefyd wisgo dilledyn un-darn lliw sgarlad, yn debyg iawn i wisg babi enfawr.

Roedd Dr Price yn wyth deg a phedair blwydd oed pan gafodd ef a Gwenllian fab arall ac yn wyth deg chwech pan aned merch iddyn nhw. Yn naw deg a dwy galwodd am wydraid o siampên, yfodd y gwydraid a bu farw. Gwerthodd Gwenllian docynnau i fynychu ei amlosgiad yn Llantrisant a daeth 20,000 o bobl i weld y digwyddiad hanesyddol. Llosgwyd corff y cenedlaetholwr unigryw hwn ar goelcerth bren a ddyfeisiwyd ganddo ef ei hunan.

220. Dywedodd William Price wrth ei gleifion: 'Gwnewch fel yr ydwyf i'n ei ddweud wrthych chi a byddwch yn gwella. Os na, byddwch yn marw.' Roedd yn gymeriad adnabyddus yn ardal Pontypridd, lle y'i gwelid yn aml yn gwisgo'r dillad lliwgar hyn.

156

DOCTOR
LIVINGSTONE?

Ganed Henry Morton Stanley yn fachgen
tlawd o Gymro, ond gyda'i ddewrder
a'i fentergarwch, tyfodd i fod yn un o
anturiaethwyr ac archwilwyr mwyaf Affrica.

Yn ôl y cofnodion, fe'i bedyddiwyd yn
Ninbych ym 1841 a rhoddwyd iddo'r enw
John Rowlands. Roedd yn fab anghyfreithlon
i was ffarm o'r un enw a merch o bobydd.
Mae un stori leol yn mynnu mai cyfreithiwr
oedd ei dad a dalodd John Rowlands i
ddweud mai ef oedd tad y plentyn er mwyn
osgoi sgandal. Cafodd y bachgen addysg
mewn wyrcws yn Llanelwy, ac yn ei arddegau

*221. Stanley o'r
Affrig: rhoddodd
foddion, papurau
newydd, llythyron
a siampên i
Dr Livingstone.*

hwyliodd i New Orleans lle y mabwysiadwyd
ef gan Henry Stanley, gŵr busnes cyfoethog
a roddodd iddo ei enw ei hunan. Ymunodd
y Stanley ifanc â staff y *New York Herald* fel
gohebydd ac ym 1871 aeth ar daith i chwilio
am y cenhadwr a'r anturiaethwr enwog o'r
Alban, David Livingstone. Roedd y gŵr
hwnnw wedi bod 'ar goll' yn nwyrain
Affrica am dros bum mlynedd.

Ar ôl taith wyth mis cyfarfu â Livingstone
yn Ujiji, yn Tanzania heddiw. Dyma beth oedd
sgŵp i'r gohebydd tri deg mlwydd oed. Yn
ddiweddarach, dilynodd daith afon Congo i'r
Iwerydd mewn 999 diwrnod. Ef hefyd oedd
yn gyfrifol am ffurfio trefedigaeth y Congo
ar ran brenin Gwlad Belg. Bu farw ym 1904.

MISS VULCANA

Un o'r ffotograffau mwyaf rhyfeddol
yn y Llyfrgell Genedlaethol yw'r llun o
Kate Roberts. Na, nid y llenor, ond seren
theatrau cerdd cyfnod Fictoria a roddodd
i'w hunan yr enw 'Miss Vulcana'. Ei
harbenigedd oedd cario dynion uwch ei
phen ag un llaw. Roedd hi'n ddynes gref
i'w ryfeddu; gallai blygu am yn ôl, rhoi ei
dwylo ar y ddaear, ac ar ei bola ar blatfform
pren gallai dau geffyl a'u tywyswyr sefyll.
Anogodd ferched i ofalu am eu cyrff ac
roedd yn gwaredu wrth yr arfer o wisgo
staes. Cyfarfu â William Roberts, gŵr
a oedd yn cadw campfa i ferched yn y
Fenni, a bu'r ddau'n byw gyda'i gilydd
am hanner can mlynedd, gan fagu
chwech o blant.

ELLIOTT & FRY 55, BAKER STREET

*222. Miss Vulcana:
eilun troad y ganrif,
tua 1895.*

O.M.

Dywedodd Owen Morgan Edwards mai peth
byw oedd Cymru ac nid bedd, a threuliodd
lawer iawn o'i fywyd yn sôn am egni a
rhamant hanes Cymru mewn llyfrau a
chylchgronau poblogaidd a gynhyrchid
ganddo. Ac yntau'n addysgwr ac yn
awdur toreithiog, cafodd O.M. Edwards
ddylanwad mawr ar ddiwylliant Cymru
fodern. Fe'i ganed yn Llanuwchllyn, Sir
Feirionnydd, ym 1858, a daliodd yn dynn
yn ei ddelwedd o'r werin wâr. A hwythau'n
ddynion ifainc, eisteddodd ef a David Lloyd
George a'r cyw-wleidydd Tom Ellis gyda'i
gilydd a gwrando'n astud ar Michael D. Jones
a ysbrydolodd yr ymfudo i Batagonia.

Ar ôl cyfnod disglair fel darlithydd
yn Rhydychen, trodd O.M. i olygu
cylchgronau misol i ddarllenwyr ifanc,
Cymru a *Cymru'r Plant*. Roedden nhw'n
llawn erthyglau difyr am hanes ac am dir
a daear Cymru. Daeth O.M. yn Aelod
Seneddol, ond nid oedd y gwaith wrth
ei fodd ac ildiodd ei sedd ar ôl dim ond
blwyddyn. Ym 1907, fe'i penodwyd yn brif
arolygydd addysg yng Nghymru. Ef
oedd y cyntaf i'w benodi i'r swydd
honno, a daliodd afael ynddi tan ei
farwolaeth ym 1920. Trwy ei waith,
fel trwy ei fywyd, galwodd yn daer
am yr angen i ddysgu hanes eu
gwlad eu hunain i blant, cyn
i'r hanes hwnnw fynd ar goll.

223. O.M. Edwards:
un o gymwynaswyr y genedl, tua 1910.

Y DARBWYLLWR

Yng nghanol y bedwaredd ganrif ar bymtheg,
roedd llyfrgelloedd gorau Cymru i'w cael
mewn llond dwrn o dai bonedd, a'r llyfrau
gwerthfawr ynddynt, felly, mewn perygl o
gael eu difetha gan dân, lleithder a phryfed.
Distrywiodd fflamau gasgliadau Rhaglan,
Hafod a Wynnstay, a'r bygythiad hollbresennol
hwn o dân a barodd i'r arbenigwr llawysgrifau,
John Gwenogvryn Evans, ymgyrchu dros
lyfrgell ddiogel i Gymru. Dim ond un o'i
hunllefau oedd llosgi, a gwyddai, er mawr
ofid iddo, fod un Athro yn Aberystwyth yn
defnyddio llyfrau amhrisiadwy fel bwrdd ar
gyfer ei de a'i fara menyn.

Roedd cysylltiad Gwenogvryn Evans
â Syr John Williams yn y 1890au yn elfen
bwysig yn hanes y Llyfrgell Genedlaethol.

224.

225.

Ganed Syr John ym 1840 ger Gwynfe, Sir
Gaerfyrddin. Roedd yn obstetrydd yn Stryd
Harley, ac ym 1886 fe'i penodwyd yn feddyg
i'r teulu brenhinol. Un diwrnod ym 1870,
ac yntau'n digwydd bod mewn arwerthiant
llyfrau yn Abertawe, clywodd rywun yn
sibrwd: 'Nawr yw'r amser i brynu llyfrau
Cymraeg; ymhen hanner can mlynedd
mi fydd hi'n rhy hwyr.' Yn y fan a'r lle,
penderfynodd fynd ati i greu'r casgliad gorau
posibl o lyfrau a llawysgrifau, a thros gyfnod
o ddeugain mlynedd casglodd 25,000 o
gyfrolau. Ym 1896, gydag Evans yn asiant
taer ar ei ran, prynodd gasgliad pwysig o
lawysgrifau Castell Shirburn, Henffordd.
Ymhlith y casgliad hwn yr oedd yr unig gopi
cyflawn y gwyddai neb amdano o *Yny lhyvyr
hwnn* a 'Cân o Senn i'w hen feistr Tobacco'
gan Siôn Prys, a argraffwyd gan wasg arloesol
Isaac Carter ym 1718. Gwenogvryn Evans
a'i darbwyllodd hefyd i fynd drwy'r broses
gymhleth o brynu llyfrgell Peniarth ym 1904.
Talodd Syr John £5,250 am y casgliad.

Yn ystod y 1870au, tyfodd y freuddwyd o
gael llyfrgell genedlaethol i Gymru. Drwy'r
1890au y cwestiwn mawr oedd ym mhle?
Ac fe aeth hi'n gystadleuaeth frwd rhwng
Caerdydd ac Aberystwyth. Yr hyn a
ysgogodd y llywodraeth i benderfynu o
blaid Aberystwyth oedd maint ac arbenigedd
casgliadau Syr John a John Humphreys
Davies. Roedd Gwenogvryn Evans wedi
perswadio'r ddau ohonynt i addo rhoi eu
llyfrau i'r Llyfrgell Genedlaethol pe byddai'r
adeilad yn dod i Aberystwyth. Ac i gadw'r
ddysgl yn wastad, rhoddodd y llywodraeth
yr amgueddfa i Gaerdydd.

Derbyniodd y Llyfrgell siarter frenhinol ym
1907. Y pensaer oedd Sidney Greenslade. Syr
John Williams oedd llywydd cyntaf y Llyfrgell
a chyn ei farwolaeth ym 1926 cafodd
weld ei freuddwyd yn dod yn wir wrth i'r
parthenon urddasol o wenithfaen a charreg
Portland godi ar y bryn uwchben y dref.
Erbyn heddiw mae'n gartref i bron i
bum miliwn o lyfrau.

226. Peniarth, yn llyfr Pennant, A Tour in Wales, tua 1780.

227. Cyhoeddwr y clasuron: J. Gwenogvryn Evans gan George Phoenix, 1923.

228. Llyfrgell y genedl: Syr John Williams, 1840–1926, Christopher Williams.

Y CRYS COCH

Daeth gêm draddodiadol ysgolion bonedd Lloegr, rygbi, i gymoedd dosbarth gweithiol Cymru drwy'r colegau ac yn fuan iawn roedd Cymry wedi mabwysiadu'r bêl hirgron. Daeth yn rhan o hunaniaeth y pentrefi glofaol ac yn fodd o dynnu pawb at ei gilydd. Roedd yn gêm ddramatig, gêm i'r dynion go iawn, ac roedd yn ddathliad o fywyd yr awyr agored i'r glowyr a dreuliai gymaint o'u hamser dan ddaear. Byddai'r gêmau clwb yn tynnu tyrfa o 20,000 yn hawdd.

229.
Y mewnwr
mawr:
Gareth Edwards.

230. Maes y gad:
Parc yr Arfau, Caerdydd,
Ionawr 1959.

231. Chwaraewr chwedlonol: enillodd John Charles ei gap cyntaf yn ddeunaw oed. Aeth yn ei flaen i gipio tri deg saith arall. Fe'i ganed ym 1931, ymunodd ag Abertawe yn bymtheg oed, cyn symud i Leeds ac yna i Juventus. Yn bêl-droediwr bonheddig, ni chafodd erioed yr un rhybudd gan ddyfarnwr. Bu farw'r arwr addfwyn yn 2004.

Roedd y dosbarth rheoli yn gweld rygbi fel ffordd wych o sianelu egni'r proletariat cythryblus. Ond weithiau, byddai'r egni hwnnw'n berwi dros ffiniau'r maes rygbi. Bu'n rhaid atal sawl clwb oherwydd ymddygiad terfysglyd y dorf. Caewyd Parc yr Arfau yng Nghaerdydd am bum wythnos ym 1897 ar ôl i'r dyrfa ymosod ar y dyfarnwr. Roedd rhai'n gobeithio y byddai diwygiad 1904–05 yn cael gwared ar rygbi'n gyfan gwbl. Ond tyfu a wnaeth poblogrwydd y gêm, a dod yn rym pwysig mewn ardal lle roedd un o bob tri dyn yn gweithio dan ddaear ac yn ysu am ymarfer corff yn rhyddid yr awyr iach. Cododd clybiau llewyrchus yng Nghaerdydd, Casnewydd, Abertawe a Llanelli ac roedd enwau rhai o'r clybiau llai yn ddigon i ryfeddu'r dorf: 'Moonlight Rovers', 'Dowlais Harlequins', 'Troedyrhiw Searchlights', 'Rhymney Pig's Bladder Barbarians', ac yng Nghaerfyrddin, cartre'r *Llyfr Du*, roedd dau dîm i arswydo unrhyw elyn – y 'Diamond Skull Crackers' a'r 'Shin Slashers'.

Ar y meysydd hyn magwyd cewri chwedloniaeth newydd. Arwyr y maes glo oedd y chwaraewyr rygbi a enillodd y goron driphlyg chwe gwaith rhwng 1900 a 1912, gan esgor ar enwau bythgofiadwy fel Arthur Gould, Gwyn Nicholls, Dickie Owen, Dickie Jones, Teddy Morgan a Rhys Gabe.

Y DIWYGIWR

Am dros flwyddyn, yn ystod 1904–05, arweiniodd Evan Roberts, glöwr chwech ar hugain mlwydd oed, ddiwygiad diwethaf Cymru. Dechreuodd ym Mlaenannerch, Ceredigion, gan fflamio drwy'r wlad i gyd. Roedd stori Evan Roberts ym mhob papur newydd, y dyn a allai danio cynulleidfaoedd cyfan â'i eiriau angerddol. Roedd y wasg wrth ei bodd yn adrodd yr hanes am fechgyn a merched ifainc yn llewygu yn y capel ac yn llefain wrth gael eu hachub. Ond roedd rhai'n barod iawn i feirniadu'r fath ymddygiad afreolus.

Mae'n bosibl mai adwaith i'r ansicrwydd cynyddol ym myd crefydd ac i'r newidiadau chwyrn ym mhatrwm cymdeithasol y Cymry oedd y diwygiad hwn. Beth bynnag y

232.
Cwrdd diwygiad mewn pwll glo, J.M. Staniforth, tua 1904.

rhesymau y tu ôl iddo, collodd ei afael yn fuan iawn, a chollodd Evan Roberts ei iechyd, gan ddioddef yn enbyd â'i nerfau. Diflannodd o lygad y cyhoedd, a bu farw yng Nghaerdydd ym 1951.

234.
Pennawd Papur.

233.
'Tyrd Ysbryd Glân': Evan Roberts, 1904.

HOLLTI'R FRENHINES

O ddiwedd y ddeunawfed ganrif y chwarel oedd gweithle'r rhan fwyaf o bobl gogledd-orllewin Cymru. Crëwyd ffyrdd a phorthladdoedd, rheilffyrdd, trefi, masnach ar y môr a bwrlwm diwylliannol. Pan oedd y diwydiant yn ei anterth ar ddiwedd y bedwaredd ganrif ar bymtheg roedd 18,000 o ddynion yn cloddio 451,000 tunnell o lechi, dros naw deg y cant o holl gynnyrch Prydain. Mae'r terasau mawr a'r tomenni enfawr o sbwriel yn dyst hyd heddiw i'r gwaith mawr.

Drwy gydol oes Fictoria teithiai'r sgwneri llechi yn rheolaidd o Gymru i'r Almaen, Ffrainc, gwledydd Sgandinafia, America a thu hwnt. Byddai trenau'n rhedeg ar ddeg lein fach i gario llechi o'r mynyddoedd i Borthmadog, Caernarfon, y Felinheli a phorthladdoedd eraill. Disodlodd y trên y cart a cheffyl.

Câi'r graig ei thorri'n grefftus a'i hollti'n llechi. Ystyr y gair Cymraeg 'llech' yw carreg wastad. O'r 1750au holltid llechen

235.
Creithiau gleision:
chwarel Dinorwig,
1999.

i wahanol feintiau yn dwyn enwau fel 'brenhines', 'tywysoges', 'duges', 'iarlles' ac 'arglwyddes'.

Perchnogion tir yng Ngwynedd oedd y rhan fwyaf o entrepreneuriaid y diwydiant llechi, dynion fel Richard Pennant, a ddaeth wedyn i fod yn Arglwydd Penrhyn, a Syr Watkin Williams-Wynn. Buddsoddodd Pennant y ffortiwn a wnaeth ei deulu ym mhlanhigfeydd siwgr Jamaica yn y chwarel. Arferai'r chwarelwyr ffurfio timoedd bach o bedwar neu chwech a fyddai'n cytuno ar gyflog gyda'r rheolwyr. 'Bargen' oedd yr enw ar y drefn hon ac roedd yn rhoi rhyw fath o falchder i'r gweithwyr a oedd felly'n eu hystyried eu hunain yn gontractwyr annibynnol yn hytrach nag yn weithwyr cyflog cyffredin. Byddai nifer o'r gweithwyr yn byw yng nghabanau'r chwarel rhwng dydd Llun a dydd Sadwrn. O'r cabanau hyn tyfodd diwylliant bywiog. Roedd gan bob caban gadeirydd, trysorydd a phlismon a fyddai'n cosbi pob achos o regi gyda dirwy.

Roedd yr amodau byw yn y pentrefi'n aml yn anodd ac roedd nifer yn dioddef o'r darfodedigaeth. Cyfrannodd y chwareli at y traddodiad radical gwleidyddol, y traddodiad a feithrinodd bobl fel David Lloyd George. Yn ystod 'streic fawr' 1900–03, ceisiodd Arglwydd Penrhyn dorri arfer y Fargen ac atal y dynion rhag ffurfio undeb. Daeth y milwyr traed, y gwŷr meirch a'r heddlu i Fangor a Bethesda yn barod i atal unrhyw derfysgwyr. Ond canodd y streicwyr:

Mae lluoedd o heddgeidwaid
i'w gweld yn britho'n gwlad,
dan nawdd yr awdurdodau
er mwyn amddiffyn Brad.

Bu cryn chwerwedd rhwng y
streicwyr a'r 'cynffonwyr' am
flynyddoedd wedi'r streic
a chwalwyd undod
y cymunedau am
amser maith.

236. To uwchben
y byd i gyd: chwarel
Llechwedd, Blaenau
Ffestiniog,
tua 1890.

237.
Llechi'n
aros am
y llongau
yn y Felinheli,
tua 1880.

LLYTHYRAU'R LLEDRITHIWR

238. Athrylith anghydffurfiaeth, 'A Nonconformist genius' gan Spy.

239. Seren swanc: llun o'r Lloyd George ifanc, tua 1890.

Wrth edrych yn ôl ar wleidyddiaeth yr ugeinfed ganrif mae dau brif weinidog yn codi uwchlaw'r lleill – David Lloyd George a Winston Churchill. Ad-drefnodd Lloyd George Brydain gyfan wrth ddiwygio'r gyfundrefn gymdeithasol ac yn y Llyfrgell Genedlaethol mae miloedd o lythyrau a ysgrifennodd at ei deulu sy'n taflu golau ar ei ffordd o feddwl, ei uchelgais a'i gymeriad dadleuol.

Fe'i ganed ym Manceinion ym 1863 ac fe'i magwyd mewn cartref cysurus yn Llanystumdwy gan ei fam weddw a'i ewythr, Richard Lloyd, crydd a phregethwr gyda'r Bedyddwyr. Yn un ar bymtheg mlwydd oed, dechreuodd ar ei hyfforddiant fel cyfreithiwr ym Mhorthmadog, a sefydlodd ef a'i frawd iau, William, fusnes cyfreithwyr a dalodd am ei yrfa wleidyddol. Rhoddodd y gwrthdaro chwyrn rhwng Anghydffurfiaeth a'r eglwys a rhwng y landlordiaid a'r tenantiaid gefndir dramatig, yn gymdeithasol ac yn wleidyddol, i'r gwleidydd ifanc, a digon o waith cnoi cil. At hyn, lliwiwyd ei syniadau gan dlodi cefn gwlad, rhyfel y degwm a thwf cenedlaetholdeb yng Nghymru.

Ym 1890, yn wyth ar hugain mlwydd oed, ac yn ddyn gwrthryfelgar, daeth yn Aelod Seneddol Rhyddfrydol dros Gaernarfon. Cymru oedd y bont a'i harweiniodd at wleidyddiaeth Prydain a'r byd. Gwelai ei hunan fel Cymro ar yr ymylon yn herio'r byd Seisnig. Swynai bobl ymhob man drwy ledrith ei lygaid gleision, a'i areithio angerddol a'i Gymreictod. Llwyddodd i gyrraedd calon ac enaid yr etholaeth drwy'r papurau newydd a'i anerchiadau yn hytrach na thrwy'r senedd. Ac ym 1890 ef oedd y seren newydd yng ngwleidyddiaeth Cymru.

Yn gymysgedd o Gymraeg a Saesneg mae ei lythyron at ei wraig Margaret a'i frawd William yn llawn hanes ac yn rhoi sylwebaeth fanwl ar ei yrfa. Ef oedd Llywydd y Bwrdd Masnach ym 1905, roedd yn Ganghellor ym 1908, yn awdur 'Cyllideb y Bobl' ym 1909, ac yn eiriolwr brwd dros ddeddfwriaeth yswiriant cenedlaethol ym 1911. Gyda'r gwaith hwn yn rhoi fframwaith cynnar i'w weledigaeth ar gyfer y wladwriaeth les, ei fwriad oedd rhoi cynhesrwydd a goleuni i fywydau llwyd y bobl.

Yn ystod y Rhyfel Byd Cyntaf, ef oedd y Gweinidog Arfau ac Ysgrifennydd Rhyfel, ac, wedi 1916, y Prif Weinidog a arweiniodd y Deyrnas Unedig yn ystod blynyddoedd olaf y rhyfel gyda'i egni heintus. Dan bwysau

240. Grym y gwleidydd, portread gan Augustus John, 1920.

241. Llygadu'r
dewin, tua 1890.

242. Lloyd George
yn Punch, 1910.

rhyfel, crebachodd ei lythyron i fod yn nodiadau'n unig, ond yn ei areithiau roedd ganddo lawn cymaint o weledigaeth ag erioed. Roedd ganddo'r ddawn i ffrwyno grym y wasg a chredai'n gryf mewn trafod wyneb yn wyneb. Roedd rhai yn drwgdybio'r arfer hon, gan gredu ei fod yn rhyw fath o 'fficsiwr'. Dyna sut yr aeth ati i greu'r Dalaith Rydd Wyddelig, ym 1921, llwyddiant a drodd yn sur yn fuan gyda dyfodiad y rhyfel cartref.

Collodd afael ar rym ym 1922; roedd y Blaid Ryddfrydol wedi colli'r ffordd.

Yn ystod y 1930au edmygodd fesurau economaidd yr Arlywydd Roosevelt gyda'i Fargen Newydd, ac am gyfnod byr, ffafriodd fesurau Hitler i ddelio â diweithdra. Oherwydd hyn, methodd weld gwendidau'r system natsïaidd ar y cychwyn cynnar. O 1936 ymlaen, fodd bynnag, roedd y gwendidau'n gwbl amlwg.

Bu farw Lloyd George ym 1945 ac fe'i claddwyd ar lan afon Dwyfor yn Llanystumdwy, ger y man lle yr arferai chwarae cyn iddo roi heibio pethau bachgennaidd.

243.
A oes heddwch?
Lloyd George
yn cwrdd â Hitler
ym 1936 yn
Berchtesgaden.

YN
Y LLE
HWN

244.
*Lloyd George
yn anfon gair
adref ar bapur
y llys ar ôl
marwolaeth
Edward VII,
1910.*

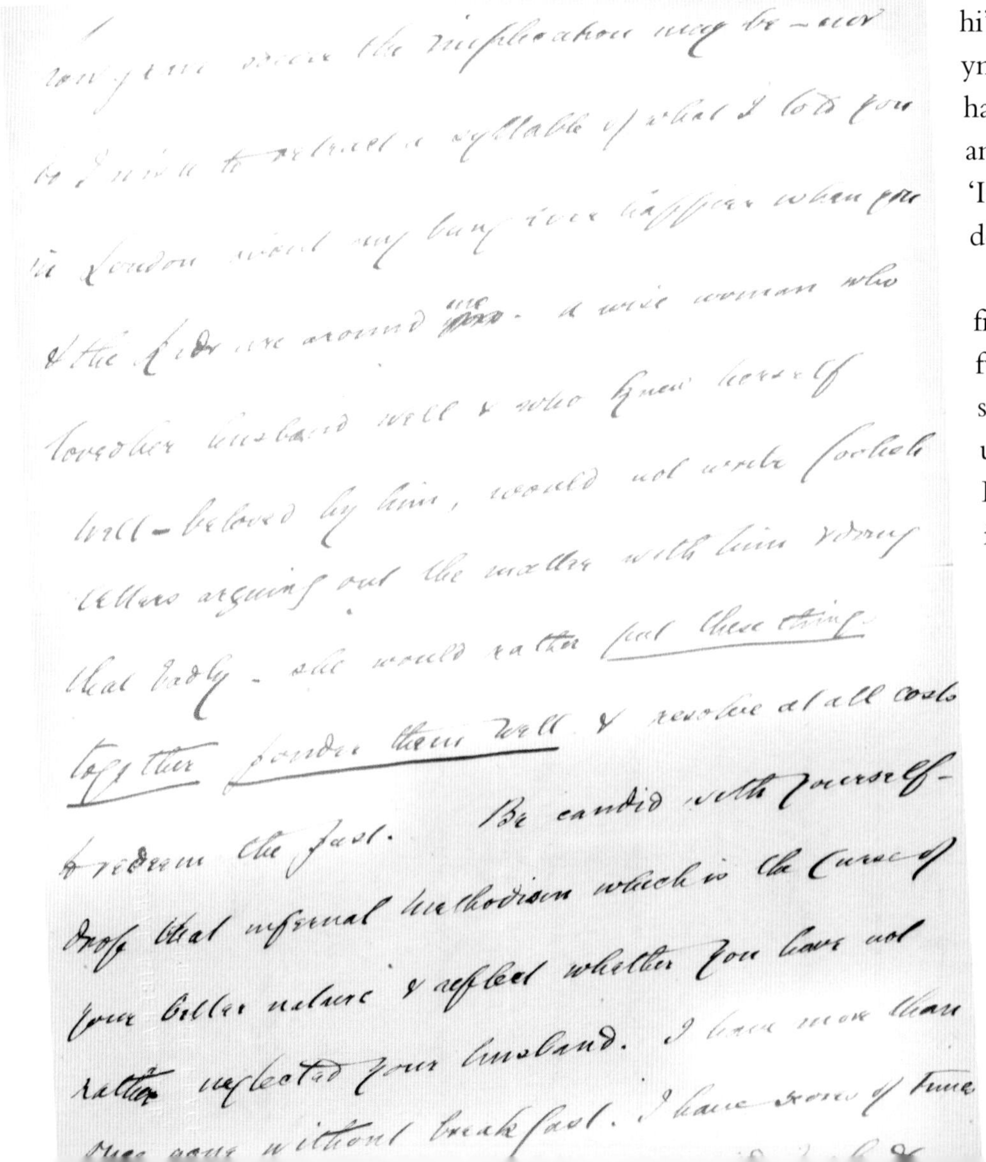

PRIODAS
DRWY'R POST

Priodwyd Lloyd George a Margaret Owen
ym 1888. Dros gyfnod o hanner canrif
ysgrifennodd dros 2,000 o lythyrau a
nodiadau ati, llawer ohonynt yn bersonol
ac yn angerddol. Roedd hi'n loes calon iddo
na fynnai Margaret adael Cymru i ymuno
ag ef yn Llundain. 'Drop that infernal
Methodism, the curse of your better
nature', meddai wrthi yn Saesneg, 'and
reflect whether you have not rather neglected
your husband [...] You have been a good
mother. You have not – and I say this now
not in anger – not always been a good
wife.' Roedd wrth ei fodd pan fyddai
hi'n dod yn achlysurol o Gricieth i aros
yn Llundain. 'Your placid, brave spirit
has a soothing effect on my turbulent
and emotional nature.' A thro arall,
'In spite of occasional sulks I cannot
do without my round little wife.'

Ysgrifennai ati mewn Saesneg yn
frith gan Gymraeg, weithiau'n hollol
fwriadol er mwyn cuddio rhyw sylw
sarhaus. Pan oedd yn aros yn Balmoral
unwaith, dyma oedd ei neges: 'The
King is a very jolly chap ond diolch
i Dduw does dim llawer yn ei ben.'

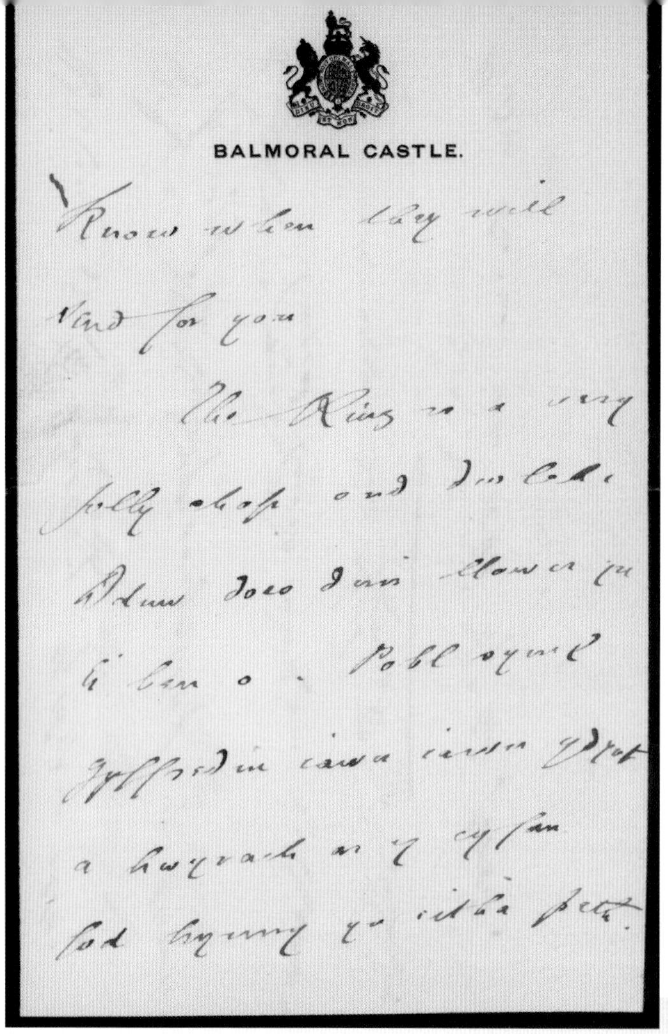

245.
*Stŵr ar
stumog wag.*

Dechreuodd Lloyd George ei garwriaeth hir gyda Frances Stevenson ym 1912 ac fe ddaeth hi i fod yn bersonoliaeth bwerus yn ei fywyd. Roedden nhw'n byw yn Surrey, a Margaret yn dal i fyw yng Nghricieth.

Nid oedd gan Lloyd George unrhyw fwriad o gael ysgariad ond pan fu farw Margaret ym 1943 priododd â Frances. Ni ddaeth yr un o'i blant i'w priodas.

CWRDD YN BRACCHI'S?

Yn ystod y 1890au daeth y caffi Eidalaidd yn rhan annatod o fywyd cymdeithasol cymoedd glofaol de Cymru. Roedd mewnfudwyr o'r Eidal wedi darganfod gwythïen fach o gyfoeth drwy werthu te a choffi, Oxo, Bovril, losin, hufen iâ a sigarennau, diodydd pefriog gyda blas lemwn neu sarsaparilla ac, yn nes ymlaen, coffi. Roedd sawl teulu yn cadw busnesau fel hyn – Conti, Basini, Rabaiotti, Figoni, Carpanini, a Sidoli ymhlith eraill, ond yr enw mwyaf adnabyddus oedd enw teulu'r Bracchi, a ymfudodd i Gasnewydd, Aberdâr a'r Rhondda yn bennaf.

Yn ymyl y silffoedd gwydr, y cownteri mahogani, y drychau, y jars o losin a'r ffynhonnau o farmor, roedd pobl wrth eu bodd yn bwyta brechdanau ac yn yfed te o'r bore bach tan un ar ddeg o'r gloch y nos. Dyma'r lle am sgwrs ac i gwrdd â chariad. Roedden nhw'n ganolfannau egsotig bron ac yn cynnig rhywle heblaw'r dafarn i bobl gael cwrdd â'i gilydd. Yn yr haf byddai bechgyn yn cael eu hanfon allan gyda whilber yn llawn hufen iâ ac yna sglodion yn y gaeaf.

Dôi'r teuluoedd hyn gan mwyaf o ardal Bardi yng ngogledd yr Eidal. Bu'n rhaid iddyn nhw adael oherwydd y tlodi mawr oedd yno, gan fynd i Lundain yn gyntaf a chael eu denu i dde Cymru gan dwf y diwydiant glo. Yn fuan iawn daethon nhw'n rhan annatod o gymdeithas y de, gan wneud cyfraniad unigryw i gymuned unigryw'r rhan honno o Gymru.

246.
Darn o'r Eidal: perchennog yr Express Cafè, Andrew Cavacuitti, yn cyfarch cwsmer ffyddlon, 1989.

247. Cyfri'r meirw:
arch ar ôl arch yn cael
eu cario o'r pwll yn
Senghennydd.

UFFERN DÂN

248.
Gweinidog lleol
yn cynnig cymorth.

Ym 1913 roedd meistri glo Cymru wedi cyrraedd penllanw eu cyfoeth. Roedd maes glo de Cymru wedi cynhyrchu pedwar deg chwech miliwn tunnell, a naw deg naw y cant ohono wedi ei gloddio â llaw. Enillodd cyfranddalwyr randaliadau o ugain y cant neu fwy. Ond yn yr un cyfnod, roedd chwyddiant yn dwyn pump ar hugain y cant o werth cyflogau'r gweithwyr ac roedd y peryglon yn y pyllau yn hysbys i bawb. Ym 1901 lladdwyd wyth deg a dau o lowyr mewn ffrwydrad yn Senghennydd ger Caerffili. Ym mis Hydref 1913, bu ffrwydrad 2,000 o droedfeddi o dan yr wyneb yn yr un pwll, gan ladd 439 o ddynion a bechgyn. Hon oedd y ddamwain waethaf yn holl hanes glofaol Cymru. Cofnodwyd y cyfan gan ffotograffydd crefftus, W. Benton, mewn pum llun ar hugain. Gwerthwyd y lluniau fel cardiau post, yn atgof poenus o alar cymuned gyfan. Cosbwyd y perchnogion gyda dirwy o £10 am eu hesgeulustod.

249. Cario cyrff cyfeillion.

CAMEO'R CYMOEDD

Roedd William Haggar yn perthyn i ddau gyfnod ym myd adloniant yng Nghymru. Roedd yn un o'r actorion olaf i fod yn rhan o fyd y theatr deithiol ac yn un o arloeswyr cyntaf y sinema. Fe'i ganed ym 1851 a gadawodd gartref er mwyn dod yn actor mewn theatr bren a chynfas a mynd o dref i dref yn perfformio comedïau a melodramâu. Roedd y rhain yn boblogaidd iawn, ac er i bobl y capel wgu ar y fath beth, roedd yr ynadon yn ddigon balch o'u gweld am eu bod yn cadw dynion o'r tafarndai am rai oriau. Yn y pen draw roedd gan Haggar ei gwmni ei hunan, ac o 1898 ymlaen ychwanegodd sioeau sgrin at yr adloniant.

Yna, ym 1901, daeth yn wneuthurwr ffilm, gan gynhyrchu drama bymtheg munud o hyd yn seiliedig ar stori Ann, y ferch o Gefnydfa, a'i chariad Wil Hopcyn. Dyma, mae'n siŵr, oedd y ffilm ffuglen gyntaf ym Mhrydain. Dros yr wyth mlynedd nesaf daeth yn gyfarwyddwr penigamp, gan gynhyrchu tua deugain o ddramâu a chomedïau. Ym 1909 daeth yn berchen sinema yn Aberdâr. Roedd yr Electric Palace yn enwog, a phan agorodd y Kosy Kinema, gyda'i 700 o seddi ym 1915, roedd yn deml o foethusrwydd. Daeth diwedd ar oes y theatr deithiol ym 1914 gyda dyfodiad y rhyfel a thwf y sinema. Yn y casgliad o ffilmiau cynnar sydd gan Archif Sgrin a Sain Cymru ceir un o'r ychydig gopïau o ffilm gan Haggar, *A Desperate Poaching Affray*, sef drama bedair munud o hyd, a wnaed ym 1903, yn dangos ymrafael rhwng yr heddlu a'r potsiars a'r rheini'n ymladd â'i gilydd â gynnau. Bu farw Haggar yn Aberdâr ym 1925.

250. Daliwch y dyn: gyda'i ddychymyg unigryw, mentrodd yr arloeswr ffilm, William Haggar, i greu tyndra yn ei ffilm A Desperate Poaching Affray, *1903, ffilm a leolwyd yn Sir Benfro.*

MORON MAETHLON

Roedd gan y byd bocsio ryw apêl ramantus ac arhosol yng nghymoedd y de. Gallai arwyr lleol ymladd eu ffordd fesul ergyd o dlodi i enwogrwydd yn oes aur y gêm rhwng 1900 a 1914. Daeth Jim Driscoll o Gaerdydd i fod yn bencampwr pwysau bantam Prydain, Ewrop a'r byd gan ymddeol yn frenin yn ei faes ym 1913. Roedd Jimmy Wilde, neu'r 'Tylorstown Terror', yn bencampwr pwysau pryf y byd ym 1916, gan golli dim ond pedair gornest allan o 864. Hwn oedd yr ymladdwr mwyaf llwyddiannus yn hanes bocsio Prydain.

Roedd Frederick Hall Thomas o Bontypridd, un y'i hadwaenir fel Freddie Welsh, yn bencampwr pwysau ysgafn Prydain ym 1908 ac yn bencampwr y byd ym 1914. Mae cofnod hynod o'i yrfa yn y Llyfrgell Genedlaethol ar ffurf pedwar llyfr lloffion a ddarganfuwyd yn llofft ei gartref yn America.

251.

Maen nhw'n llawn darnau a thoriadau o'r wasg ym Mhrydain a'r Unol Daleithiau yn cofnodi pob ergyd o'i yrfa.

Cofnod o ddyn a gododd yn y byd ar ei liwt ei hunan sydd yn y llyfrau hyn, oherwydd bu Freddie Welsh yn ddyfal yn naddu delwedd iddo ef ei hunan fel bocsiwr gwahanol i'r gweddill, yn llyfrbryf a hoffai ymlacio wrth wylio dramâu Ibsen, ac yn llysfwytäwr a ddibynnai ar foron am ei gryfder. Daeth yn enwog fel paffiwr proffesiynol yn America ym 1905. Gyda'i ddyrnau tynnodd ei hunan o dlodi a newyn, gan ennill pum gornest ar hugain heb golli yr un. Ym 1907 rhoddodd ei fryd ar ddod yn arwr y cylch ym Mhrydain. Llwyddodd yn fuan, gan gipio calonnau'r Cymry. A phan ddaeth hi'n bryd gadael eto, daeth tyrfa ynghyd ar orsaf Pontypridd i ganu'n iach iddo gyda'r gân boblogaidd 'Farewell My True Love'.

Daeth yn bencampwr pwysau ysgafn Prydain mewn gornest fythgofiadwy yng Nghaerdydd ym 1914, gan guro Jim Driscoll. Yn Llundain ym 1914 daeth yn bencampwr pwysau ysgafn y byd. Yn America daliai i fod yn arwr cyfoethog yn byw ar lysiau ac ar lyfrau. Ond trodd at y botel a dechrau colli gafael ar bethau. Collodd ei deitl fel pencampwr y byd ym 1917 a cholli ei ornest olaf ym 1921. Ymwahanodd oddi wrth ei wraig a diflannodd ei gyfoeth yn y dirwasgiad. Ym 1927 daeth y penawdau olaf amdano – hanes am ei hunanladdiad mewn ystafell mewn gwesty yn Efrog Newydd. Bu farw'n un a deugain mlwydd oed, a dyma'n sicr un o'r athletwyr gorau a welodd Cymru erioed.

252.

171

Winning a World's Championship on Carrots, Peas and Spring Water

"Vegetables Did It!" Declares Freddy Welsh, Who Has Wrested the Lightweight Title from Willie Ritchie—Whereupon Bob Edgren Flashes a Pen Picture of the Foxy Little Fighter That Has the Movies Beaten to a Standstill.

By Robert Edgren.

ALEXANDER THE GREAT swept through Asia Minor on a diet of goat's flesh and fermented wine carried in goat skins. Freddy Welsh became lightweight champion boxer of the world on carrots and peas and spring water. I leave it to the reader to decide which was the greater performance.

Of course Freddy's diet included a few other things, but neither goat's flesh nor any other kind of flesh. His usual draught of spring water was occasionally varied with a glass of milk or buttermilk, which was his nearest substitute for the "Dutch courage"

254.

FRED WELSH AND JIM DRISCOLL.
[Photo. C. Corn, Cardiff.

253.

Freddy Welsh's characteristic grin when telling about the virtues of the non-meat diet. He admits that he does not force his pet Airedale to follow the dietary precepts of the master. "Oh, yes, I give the poor dog a bone," the champion is fond of saying with a smile.

When threshing season came along Freddy Welsh hired himself out as a thresher, and for several weeks worked hard in the fields. To his amazement he found that his endurance was greater than that of the other men; that he never f... ... ... hard fourteen-hour day's ...

"Vegetables," said Fre... taking his share from the ... eating corn, carrots, pea... tables of all kinds. He ha... last, and he stuck to his ... glances of the farmer's ... jeers of his co-workers. ... rule was in the matter ... boiled at each meal.

With his threshing fiel... to New York. He was s... way, not Freddy Welsh, v... again and registered at t... few dollars left, but vege... this village, they were soc... vegetables, and New Yor... and peas and beans and ...

They set him to work mopping floors. And while he was mopping away one night he picked up a page torn from The World. It was a "Help Wanted" column, and Freddy saw an ad. calling for a "gymnasium instructor" ior an uptown gymnasium run by a gentleman named Knipe.

Freddy dropped his mop, glanced at the clock, and rushed out. At the Knipe gymnasium he found a hundred men waiting in line, and the doors closed. And here he showed the first symptom of that remarkable foxiness that was to have so much to do, later on, with Freddy's annexing of the world's championship. Freddy glanced down at the overalls he wore and instantly formed his plan of battle. Pushing his way through the waiting crowd he announced loudly. "I'm the plumber; don't keep me waiting." Reaching the door he hammered on it with his fist and called: "Here's the plumber; open up!" An assistant opened the door cautiously to let Freddy come in, then locked it again.

"What d' you mean? We don't want no plumber," said the assistant.

"Huh!" said Freddy loudly. "What did the doctor telephone the boss for then? I want to see Dr. Knipe in a hurry. I've no time to waste. Get a move on you."

Attracted by the noise, Dr. Knipe came out. Freddy at once explained his strategem and Knipe thought he deserved a trial.

The duties of the "instructor" were to box with pupils. Freddy was told he'd have to fight his way through the list of other candidates already picked. He knocked the first out in two minutes, outboxed
(Continued on page 17.)

...nns

...eddy, de-...ressing room.

... Welsh when he ... from him as he ... all comers and ...nber Welsh both ...egetarian. He's

... meat eater when ...ys his name was ...d left home at ... world. He had ... and buy a few ...ntreal, where he ...reddy, like other ... a nice evening's ...al. He hadn't ... or so on a train. ...t, when he was ... some farmhouse. ...gry.

...k as a mechanic's ... him the price of ...nt. Half rations ...rlust had him in ...d West as a regular hobo, riding on brakebeams and beating his way from town to town until he reached South Dakota. Between treks he worked as waiter in little restaurants, where he fattened up quickly on a hash diet. The hash was the main attraction for Freddy in those unregenerate and hungry days.

You see, the GREAT IDEA hadn't struck him yet. Here he had been passing through thousands of miles of vegetables, raw; of every kind. And he

still wanted the fleshpots.

But there came a time when Welsh was out of a job and every hashery had more help than it needed. Freddy took to camping out in the "jungles," as the hobo camps were called.

One day, starving as usual, he climbed a farmer's fence and stuffed himself with raw corn, which he gnawed hungrily from the cob. Lamb's Chinee, accidentally discovering the wonderful flavor of roast pig by licking his fingers after digging a defunct porker from the ruins of a burnt hut, had no greater feeling of ecstacy. Right on that spot Freddy Welsh became a vegetarian in practice.

Here was food with no hash house drawback. He experimented and found a number of vegetables which he could eat raw. For weeks Freddy dodged the hash houses and ruminated around among the vegetable gardens and corn patches. Any farmer was quite willing to let Freddy eat all the raw corn he wanted. Usually the farmers guffawed and looked on Freddy as a curiosity, for in South Dakota and the Middle Western States farmers have a saying that "corn is fit for hawgs." Only the most poverty stricken would think of putting boiled corn on his own table.

255. *Y Gadair Ddu:
y gadair yng nghartref y
bardd yn Nhrawsfynydd.*

256. *Cerdyn post poblogaidd gan J. Kelt Edwards,
yn galaru am Hedd Wyn, 1917.*

Y GADAIR DDU

Mae hanes y bardd o fugail a gollodd ei fywyd
yng nghyflafan y Rhyfel Byd Cyntaf yn dal
i gorddi'r galon. Gadawodd Hedd Wyn,
neu Ellis Humphrey Evans, ei gartref yn yr
Ysgwrn, Trawsfynydd, am Ffrainc ym Mehefin
1917. Yno, ymunodd â chatrawd y Ffiwsilwyr
Brenhinol Cymreig, ac ym mrwydr Cefn
Pilkem yn Fflandrys fe'i lladdwyd ar ddiwrnod
olaf Gorffennaf. Roedd eisoes wedi anfon awdl
at sylw beirniaid yr Eisteddfod Genedlaethol.
Teitl yr awdl oedd 'Yr Arwr' a cherdd Hedd
Wyn a ddaeth yn fuddugol. Gorchuddiwyd
y gadair â defnydd du yn arwydd o barch ac
o alar pan ddaeth hi'n amlwg i'r gynulleidfa
yn Eisteddfod Penbedw, ym mis Medi'r
flwyddyn honno, fod y bardd buddugol wedi
ei ladd. Hyd y dydd heddiw mae'r gadair yn
dal ym mharlwr ei gartref,
ond mae'r llythyr
a ysgrifennodd at
swyddogion yr
eisteddfod a cherddi
yn llaw'r bardd ei
hun yn y Llyfrgell
Genedlaethol.
Ym 1992 enwebwyd
ffilm am fywyd Hedd
Wyn am Oscar, y ffilm
gyntaf o Gymru erioed
i gael y fraint hon.

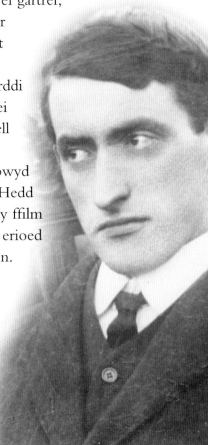

257. *Y groes: y groes
a fu ar fedd Hedd Wyn
yn Fflandrys, ac a
ddygwyd adref i
Gymru ym Mai
1952.*

257.
*Hedd Wyn,
tua 1914.*

ANNWYL FRAWD

Mae Kate Roberts yn enwog drwy Gymru gyfan am ei nofelau a'i straeon a'i gwaith fel gohebydd. Ond yn y Llyfrgell Genedlaethol mae ei llythyrau hefyd yn cael sylw, gan ffurfio rhan helaeth o'r casgliad o'i gwaith. Y rhai enwocaf mae'n debyg yw'r ohebiaeth a fu rhyngddi hi a'i chyfaill agos Saunders Lewis, a'r hyn sy'n arbennig am y casgliad hwn yw bod dwy ochr y gohebu wedi eu cadw mor ofalus. Ond ymhlith papurau'r llyfrgell hefyd mae llythyr annwyl iawn at ei brawd ac un ganddo ef ati hi. Roedd ef yn filwr a gollodd ei fywyd yn y brwydro. Mae ei llythyron yn rhoi cipolwg i ni ar ei chefndir a'i magwraeth a'r themâu a ysbrydolodd ei gwaith fel llenor.

259. Kate Roberts.

261. Newyddion o gartre ac o'r fferm. Llythyr Kate Roberts at ei brawd yn y rhyfel.

260. Nid ysgrifennu i blant yw 'fy ngwir elfen' – llythyr gan Kate Roberts at Saunders Lewis.

262. Lluniau llonydd o'r ffilm The Life Story of David Lloyd George*: Norman Page yn chwarae rhan Lloyd George, yn annerch y dorf, ac adref gyda'i ferch; llun yn dangos techneg arloesol sy'n peri i ysbrydion ddiflannu drwy wal cyn cerdded ymaith fel pobl o gig a gwaed.*

YN Y DYFROEDD MAWR A'R TONNAU

Ym mis Mai 1915 roedd Arglwydd Rhondda, teicŵn y glo, a'i ferch Margaret yn dychwelyd o daith fusnes i Efrog Newydd ar fwrdd y *Lusitania*, un o longau cwmni Cunard. Ar ôl cael ei thorpidio oddi ar arfordir de-orllewin Iwerddon, suddodd y llong mewn cwta ddeuddeg munud.

Gwahanwyd Margaret oddi wrth ei thad ond achubwyd y ddau. Daliodd Margaret ei gafael ar ddarn o bren ac fe'i tynnwyd yn hanner marw o'r môr. Dringodd ei thad i'r bad achub olaf wrth i'r llong droi drosodd yn llwyr. Adunwyd y ddau yn Queenstown. Mae'r siaced achub a wisgodd Arglwydd Rhondda yn y Llyfrgell Genedlaethol ac arni'r llofnod D. A. Thomas.

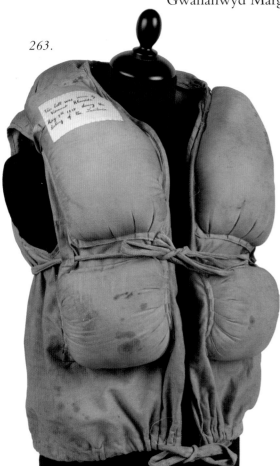

263.

264. Poced lawn: cartŵn J.M. Staniforth yn dangos D.A. Thomas yn cyfri elw streic y glowyr, 1898.

DIRGELWCH Y FFILM

Roedd yr alwad ffôn gan Arglwydd Tenby, wyr i Lloyd George, yn destun chwilfrydedd mawr. 'Mae rhai hen flychau ffilm gen i. Yn fy 'sgubor. Falle byddai gennych chi ddiddordeb ynddyn nhw.' Yn sicr ddigon, roedd gan staff yr adran a adwaenir heddiw fel yr Archif Sgrin a Sain, ddiddordeb mawr. Gyrrodd un draw yn syth i Hampshire i weld beth yn union oedd yn y blychau. Pan agorodd y trysor yn ôl yn Aberystwyth, cafodd, ymhlith ffilmiau newyddion hir a chyfweliadau, negatif i ffilm wreiddiol yn dwyn y teitl *The Life Story of David Lloyd George.*

Roedd yn syndod llwyr. Ffilm fud oedd y cofiant hwn a wnaed ym 1918 ac a gafodd ei atafaelu yn ddirgel cyn ei dangos am y tro cyntaf. Aeth cyfreithiwr at y gwneuthurwyr, rhoi £20,000 mewn arian parod iddynt a mynd â'r ffilm gydag ef. Ni welodd neb y gwaith fyth wedyn.

Roedd y ffilm yn epig. Roedd y gwaith cyfarwyddo gan Maurice Elvey, gwneuthurwr ffilmiau mwyaf toreithiog Prydain, ac roedd ymhell o flaen ei amser. Y cynhyrchwyr oedd Harry a Simon Rowson o'r cwmni Ideal Film Company. Yn wreiddiol, roedd Lloyd George wedi cefnogi'r ffilm. Portreadai ei daith o fod yn blentyn bach y wlad i fod yn wleidydd radical ac yn arweinydd rhyfel. Roedd golygfeydd anhygoel o dorfeydd ac roedd y ffilm yn mawrygu arweinydd yn anterth ei yrfa. Ond ychydig cyn ei dangos am y tro cyntaf ym 1919, daeth neges at y brodyr Rowson yn dweud bod Lloyd George ei hunan yn ei gwrthwynebu. Efallai ei fod yn ofni na fyddai'r cyhoedd yn ymateb yn ffafriol i ffilm boblogaidd. Efallai mai gweld yr oedd nad oedd ffilm yn portreadu arweinydd rhyfel yn briodol yn y cyfnod ar ôl y gyflafan. Efallai nad oedd dangos torfeydd mewn cyfnod pan oedd y gwleidyddion yn ofni gwrthryfel ymhlith y gweithwyr yn syniad da. Ac efallai bod gwleidyddion yn ofni dylanwad y cyfrwng newydd. Yn sicr, nid oedd cariad Lloyd George, Frances Stevenson, o blaid y ffilm. Roedd hi'n gweld y darlun o deulu cytûn Lloyd George yn rhagrith ac erfyniodd arno i beidio â gadael i'r ffilm gael ei dangos.

Beth bynnag oedd y gwir reswm, 'collwyd' y ffilm ac aeth y negatif yn ddiogel i'r 'sgubor. Doedd gan Arglwydd Tenby ddim syniad beth oedd yn y blychau a bu gweithwyr yr archif wrthi'n ddyfal am ugain mis yn trwsio ac yn golygu'r 137 rholyn, gan sicrhau bod y ffilm yn gydnaws â gweledigaeth Maurice Elvey. Roedd Elvey ei hunan wedi dweud mai honno oedd y ffilm orau iddo ei gwneud erioed. Ym 1996, saith deg ac wyth o flynyddoedd wedi iddi 'fynd ar goll', dangoswyd y ffilm am y tro cyntaf yng Nghaerdydd. Roedd y ddrama'n fyw o hyd.

MAB HONEST DAVE A MADAME

Enw bedydd Ivor Novello oedd David Ivor
Davies. Fe'i ganed yng Nghaerdydd ym 1893,
yn unig fab i gasglwr rhent a gâi ei adnabod
fel 'Honest Dave' ac i fam gwbl uchelgeisiol
ac anghyffredin o liwgar. Cafodd hithau ei
henw, Clara Novello Davies, ar ôl *diva* a
edmygid gan ei thad. Galwai ei hunan yn
'Madame' ac arferai roi gwersi canu o gartref
y teulu – 'Llwyn yr Eos' – yn Cowbridge
Road. Byddai'n gwisgo gemau a chlogynnau
mawreddog ac aeth ar daith o gwmpas
America gyda'i chôr, y 'Royal Ladies Choir'.
'Roedd gan Mam bob amser syniadau mawr,'
meddai Ivor Novello amdani.

Ym 1914, ar ôl gadael ysgol gorawl Coleg
Magdalen yn Rhydychen, ysgrifennodd ei
gân boblogaidd 'Keep the Home Fires
Burning', a dyma ddechrau ei yrfa fel
diddanwr. Yn ystod ei gyfnod yn Awyrlu
Brenhinol y Llynges goroesodd ddwy
ddamwain awyren. Ysgrifennodd ddwsin
o ddramâu, ond ei lwyddiant mawr oedd
y sioeau cerdd Ruritanaidd rhamantus,
*Glamorous Night, Careless Rapture, The
Dancing Years, Perchance to Dream* a *King's
Rhapsody*, a chaneuon fel 'We'll gather
Lilacs' a 'Someday My Heart Will Awake'.
Bu Ivor yn seren dros ugain o ffilmiau ac
fe ddaeth yn arwr y 'pictiwrs prynhawn' i
gannoedd o edmygwyr. Ond ei wir gariad
oedd cerddoriaeth a theatr. Mae'n debyg
nad oedd pawb gartref yn llawn sylweddoli
maint ei ddawn yn ystod ei fywyd. Bu farw
rai oriau ar ôl perfformiad llwyfan ym 1951.

*265.
Ivor Novello,
tua 1930.*

*266. Mam:
neu Madame
Clara Novello
Davies; 'Does
dim y fath
beth â "fedra i
ddim"' oedd ei
hoff ddywediad;
tua 1894.*

*267.
Eosiaid Mam:
Côr Merched
Brenhinol Cymru,
Chicago, 1893.*

268. *Cymru a'i hieuenctid:*
Ifan ab Owen Edwards.

269. *I gannoedd o blant yng Nghymru,*
roedd gwyliau haf yn gyfystyr ag wythnosau
bythgofiadwy yng ngwersyll yr Urdd.

CHWARAE O DDIFRI

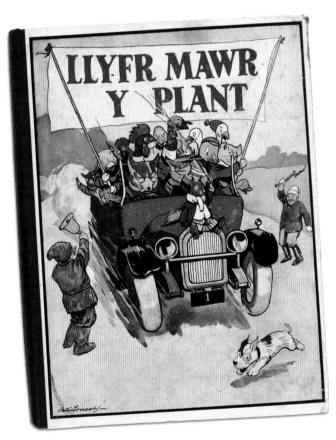

270. *Atgofion melys: cyhoeddwyd* Llyfr Mawr
y Plant, *y cyntaf o'i fath, ym 1931. Mae Wil*
Cwac Cwac, Siôn Blewyn Coch a'u cyfeillion wedi
diddanu cenedlaethau o Gymry bach. Awduron y
gwaith oedd Jennie Thomas a John Owen Williams;
yr arlunydd oedd Peter Fraser.

Drwy gyfrwng ei gylchgrawn *Cymru'r*
Plant dechreuodd O.M. Edwards glwb
plant a phobl ifanc. Mabwysiadodd ei fab,
Syr Ifan ab Owen Edwards, y syniad ac
ym 1922 sefydlodd Urdd Gobaith Cymru,
mudiad i hyrwyddo diddordeb ymhlith
pobl ifanc yn eu hiaith a'u gwlad a'u
diwylliant. Ers y cychwyn cyntaf, mae'r
Urdd wedi rhoi pwyslais ar weithgareddau
awyr agored, gwibdeithiau a gwersylla ac,
wrth gwrs, ar waith yr Eisteddfod; mewn
gair, ar chwarae a mwynhau, a hynny er
mwyn cadw'r iaith Gymraeg yn fyw. Mae'r
mudiad yn parhau i gyhoeddi cylchgronau
ac yn rheoli canolfannau awyr agored ar
hyd a lled Cymru. Dyma un o fudiadau
ieuenctid mwyaf llwyddiannus Ewrop ac
mae ganddo dros 51,000 o aelodau.

Y DYN CYFLYMAF
AR WYNEB Y DDAEAR

GWEINYDDIAETH
LLAWENYDD

Rhwng 1924 a 1927 llwyddodd Malcolm Campbell a'r Cymro J.G. Parry Thomas i dorri record cyflymder y byd bum gwaith, a hynny ar draethau llyfn Pentywyn ar arfordir Sir Gaerfyrddin. Roedd Thomas yn beiriannydd penigamp a fu unwaith yn brif gynllunydd gyda chwmni Leyland. Torrodd y record ddwywaith ym 1926. Curodd Campbell y record yn gynnar ym 1927, gan gyrraedd cyflymder o 175 milltir yr awr. Dychwelodd Thomas i Bentywyn ym mis Mawrth i herio Campbell eto, mewn car glas a gwyn saith ar hugain litr o'r enw Babs. Roedd e'n agos at gyflymder y record pan dorrodd y gadwyn yrru a'i daro ar ei ben. Bu farw'n syth. Yn eu galar, aeth y bobl leol ati i gladdu Babs ger y traeth. Ond ym 1969 fe godwyd y car a'i adfer.

Gydag awr gyfan o straeon plant dechreuodd hanes darlledu yng Nghymru ar 13 Chwefror, 1923, yn stiwdio arloesol 5WA, Caerdydd. Dechreuodd gyda cherddorfa'n canu 'Entrance of the Gladiators' a Lloyd George yn darllen neges o gyfarchiad. Yna, cafwyd newyddion ac adroddiad am y tywydd. Croesawodd yr Arglwydd Faer ddyfodiad diwylliant aruchel i gartrefi'r tlawd. Darlledwyd y Gymraeg am y tro cyntaf wrth i Mostyn Thomas ganu 'Dafydd y Garreg Wen'. Ac wele'r *Western Mail* yn bedyddio'r orsaf yn 'The Ministry of Happiness'. Cyn bo hir, trodd y cywair yn llawer mwy anffurfiol a chyfarchwyd y gwrandawyr gyda'r geiriau 'Hullo Comradios'.

Roedd awyrgylch gynnes iawn yn y stiwdio, yn llythrennol felly. Gyda blancedi ar y muriau i atal sŵn a dim aer o gwbl, byddai'r cerddorion yn gadael yn chwys domen. Yn gyffredinol, roedd maes darlledu'n llawn dadleuon poeth. Hyd yn oed yn y dyddiau cynnar hyn roedd cadw'r ddysgl yn wastad rhwng dwy iaith yn destun cynnen.

271.
Cloddio am Babs: ddwy flynedd a deugain wedi claddu car Parry Thomas yn nhywod Pentywyn, dyma gloddio amdano a'i ailadeiladu ym 1969.

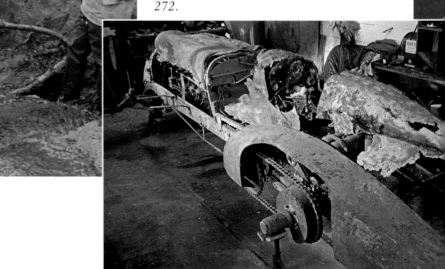

272.

Heb os, fodd bynnag, roedd rôl darlledu yn un bwerus iawn yn y broses o lunio hunaniaeth fodern Cymru.

O'r cychwyn cyntaf roedd BBC Llundain yn gwrthod ystyried Cymru. Bu'n rhaid i'r darlledwyr a'r cyhoedd yng Nghymru wasgu'n galed am arian a chydnabyddiaeth. Roedd cryfder teyrngarwch a dyheadau Cymru yn destun rhyfeddod yn y BBC. Ym 1927, mewn pwyllgor i ystyried yr iaith Gymraeg, dywedwyd mai polisi'r BBC oedd un o'r bygythiadau mwyaf i'r iaith Gymraeg. Roedd John Reith, pennaeth llym y BBC, yn casáu Cymru, y wlad a'i phobl, a chwynodd fod y cenedlaetholwyr Cymreig yn methu dal pen rheswm: 'Welsh nationalists are impervious to reason.' Er gwaethaf hyn, sefydlodd y BBC adran ar wahân ar gyfer Cymru ym 1935, a daeth darlledu i chwarae rhan bwysig ym mywyd Cymru, gan gynhyrchu dramâu, rhaglenni dogfen, a cherddoriaeth gyda cherddorfa newydd BBC Cymru. Ym 1937 cafwyd tonfedd arbennig i Gymru a dechreuodd rhaglen nodwedd Mai Jones, *Welsh Rarebit*, ym 1938. Ym 1940 darlledwyd 'We'll Keep a Welcome' am y tro cyntaf a chafodd y gân effaith fawr ar y gynulleidfa, y rhan fwyaf yn berthnasau i filwyr. Tyfodd y rhaglen i fod yn boblogaidd drwy Brydain a daeth yn rhan annatod o oes aur y radio yn y cyfnod wedi'r rhyfel.

273. Gwranda di: Iorwerth Thomas AS a Gwynfor Evans, 1951.

NEW PRESIDENT

BQMS DAVIES

SINCE his birth at Sebastopol, Monmouthshire, October 18, 1908, B.Q.M.S. Davies' main hobby has been rugby. From his school team he graduated into the Panteg team, of which he was secretary from 1925 to 1933.

As a nonplayer he has refereed local school games and coached schoolboys. In this camp his work as chairman of the Rugby Committee has gained for him a Y.M.C.A. award. His ambition is to be a Welsh Union senior referee.

In 1926 he joined the Territorials serving continuously in them until the outbreak of war, when he joined a training regiment in Exeter. Finally volunteering for the East he visited Egypt, Iraq, Palestine and Syria before going on the desert. July 1, 1942 and El Daba were the date and place of capture, and after three months in Derna and Caserto hospital he spent 3 weeks in P.G. 66 before finally settling down in P.G. 70, & then IV B.

He is a married man with one daughter and earned his living as a steelworker in Panteg steel works.

> Will any club member who is an instrumentalist with his own instrument please contact Emrys Evans, 49 B.

CLUB AFFAIRS

LOCAL BOY MAKES GOOD

OPPORTUNITY favours the few, and 15 year old Stanley Baker of Ferndale can thank the good fates that sent a London talent scout to the local Working Men's Hall, when he took part in a performance given there by his Secondary School Dramatic Society. That was in 1942.

As a result he was taken to London and trained in film work, eventually appearing in a film called "The Underworld" with John Clements and Mary Morris. After finishing this he returned to Ferndale and started work in an ammunition factory.

But again fortune was kind to Stanley. Emlyn Williams sent for him to take part in his new play & Stanley will thus act side by side with his famed countryman.

The Royal Visit

During their visit to South Wales on March 30 the King and Queen were accompanied by Princess Elizabeth. A tour of the Trading Estates was a feature of their trip.

Note

THE purpose of this supplement is mainly to deal with those items of sport and social activities that cannot be adequately dealt with in the hand magazine. Members who cannot attend general meetings will thus be kept in touch with club news.

New President appointed and Working Committee formed

AT the special meeting held on Monday, May 29, the Club administration was drastically reorganised. BQMS Davies was elected President after RSM Tooze had resigned for personal reasons. The latter subsequently accepted the newly established post of Vice-President.

An assistant secretary was appointed to help E. Evans, and for this post Trevor Hodges was elected. In addition three extra members were appointed to form, with the five other officials, a working committee to handle all club affairs.

Two Sub-Committees

This committee is composed as follows:– B.Q.M.S Davies (Pres), R.S.M Tooze (V. Pres), E. Evans (Sec), Mark Grant (Treas.) Trevor Hodges (Ass. Sec) George Evans, Harry Hopkins and Idwal Davies.

Since then it has been divided into halves, one consisting of the President, Vice President, Treasurer and Ass. Secretary, to handle club sports and the other composed of E. Evans, Id. Davies, Harry Hopkins and G. Evans to take care of the Social side of activities.

General Meeting

In future all General Meetings will be run on a social basis. Club business will be dealt with and finished at the beginning and the latter period will be devoted to things of an interest nature – lectures, singsongs, etc. Anyone willing to give a talk, dance, or stand on his head please contact E. Evans 49 B.

Club Badges

At present 70 badges have been produced, but lack of material is holding up further supplies. The President has suggested that the badges already made be issued to huts on a percentage basis.

Members going out on Kommandos will be issued with a badge and if possible a gift of cigarettes.

Welsh Classes

Welsh classes commenced on Friday, June 9, at 6.30 pm in the Rec. Hut. Names for enrolment are to be given to Id. Davies or E. Evans, both 49 B.

Authority has been given to the Central Committee to deal with urgent matters without referring to the Club.

The Choir

ON Wednesday night, May 31, a number of the boys met together in the Rec. Hut for a Sing-Song, and before the evening was out, a Welsh choir had been born.

Subsequent singing practices have seen a steady increase in the number of voices, and great keenness is being shown by each of its 45 members.

The first function will be to sing at the Social Evening being held shortly. A lot of hard work is still required of its members so that the items may be rendered in a way worthy of Welsh voices.

When they are, it is hoped to see the choir takes its place in Camp Entertainment.

CYMRAEG YN Y CARCHAR

Roedd y carcharorion rhyfel yn gwybod yn iawn mai'r unig ffordd i oroesi oedd ceisio cadw'n llon eu hysbryd ac roedden nhw'n enwog am greu cyfleoedd i ddiddanu ei gilydd, yn ogystal â dyfeisio ffyrdd o ddianc. Bu milwyr o Gymru a garcharwyd yn Stalag IVB, saith deg milltir i'r de o Ferlin, yn brysur yn ystod 1944–45 yn cynhyrchu deg rhifyn o'u cylchgrawn *Cymro*. Roedd wedi ei ysgrifennu'n daclus yn null llawysgrif ganoloesol ac yn cynnwys darluniau dyfrlliw. Fel gyda holl gylchgronau carcharion rhyfel, dim ond un copi o bob rhifyn a gynhyrchwyd a hwnnw'n cael ei basio o filwr i filwr. Roedd y tudalennau'n llawn hanesion a newyddion o gartref, darnau o farddoniaeth, straeon, erthyglau am rygbi ac arwyr, weithiau yn Gymraeg, weithiau yn Saesneg. Mewn un adroddiad o 1944, dan y pennawd 'Local Boy Makes Good', roedd sôn am Stanley Baker o Ferndale yn ennill rhan mewn ffilm ar ôl iddo gael ei ddarganfod gan sgowt yn perfformio ar lwyfan yn Neuadd y Gweithwyr. Cyhoeddodd y 'Cymric Club' adroddiad ariannol, a'r hyn a ddefnyddid fel arian oedd sigarennau a siocled! Yn y Llyfrgell Genedlaethol hefyd mae taflenni newyddion y Gymdeithas Gymreig yng ngwersyll cadw Ruhleben, Berlin. Fe gadwyd pedair mil o ddynion a bechgyn o Brydain yno yn ystod y Rhyfel Byd Cyntaf.

274. Ar y chwith: atodiad i rifyn cyntaf Cymro.

275. Newyddion o bell ac agos. Adroddodd papur newydd y carcharorion hanes marwolaeth cyn-gapten y tîm rygbi cenedlaethol, Maurice Turnbull, a gollodd ei fywyd wrth iddo ymladd yn Normandi ym 1944.

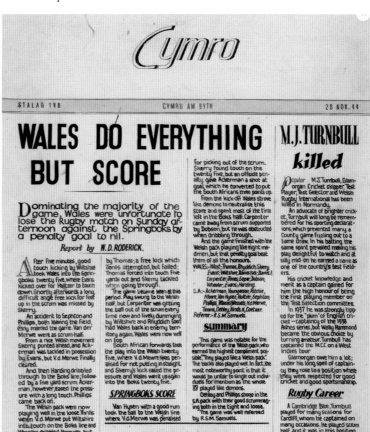

TRYSOR YR OGOF

276. *Ar y dde: Trysor y mynydd: oherwydd ei bod yn anghysbell a diogel, roedd chwarel Manod yn lloches berffaith ar gyfer lluniau yr Oriel Genedlaethol yn Llundain yn ystod y rhyfel. Ehangwyd agoriad y twnnel er mwyn gwneud lle i lorïau fynd â'r lluniau'n syth i'r storfa danddaearol ym 1941.*

277. *Tu mewn i ogof Bryn Grogythan o dan y Llyfrgell Genedlaethol, a'r fynedfa wedi'i chau ar ôl y rhyfel.*

Ym 1939, pan oedd cymylau'r Ail Ryfel Byd yn crynhoi ar y gorwel, aeth yr Amgueddfa Brydeinig, yr Oriel Genedlaethol a nifer o sefydliadau Llundeinig eraill ati i anfon eu trysorau i guddfannau yng Nghymru. Gadawodd y lluniau cyntaf sgwâr Trafalgar ar 23 Awst a'r olaf ar 2 Medi. Rhaid oedd gostwng lefel y ffordd o dan rai pontydd er mwyn caniatáu i'r lorïau fynd oddi tanynt. Mae'n debyg bod llun enfawr Van Dyck o Siarl I wedi llwyddo i fynd o dan bont gyda dim ond tri chwarter modfedd dros ben.

Aeth y rhan fwyaf o luniau'r galeri i chwarel Llechwedd ger Blaenau Ffestiniog, ac mewn ogof dair mil o droedfeddi o dan y ddaear bu'n rhaid chwythu pum mil tunnell o graig er mwyn gwneud mwy o le. Roedd pedwar ar ddeg o bobl yn gofalu am y lluniau yno. Bu'n rhaid creu stordy tanddaearol mewn craig ger y Llyfrgell Genedlaethol hefyd, a chadwyd nifer o luniau a gwrthrychau mewn tai bonedd ar hyd a lled y wlad, a phawb yn gwneud eu gorau i sicrhau nad oedd tamprwydd a phryfed yn cael gafael yn y gwrthrychau gwerthfawr. Mewn un plasty ger Aberystwyth aethpwyd ati i wlychu blancedi mewn nant gerllaw a'u crogi yn yr un ystafell â'r lluniau er mwyn ceisio cadw'r tymheredd yn gyson. Ym 1945 cludwyd y trysorau yn ôl o'r ogofâu a'r cuddfannau yng Nghymru a'u harddangos eto yn Llundain.

Y BOCS YN Y CORNEL

Ym 1953, daeth miloedd o gynigion i law mewn cystadleuaeth ar gyfer bathu gair Cymraeg am 'television'. 'Teledu' a ddaeth i'r brig. Daeth y cyfrwng hwn wedyn yn fodd i drosglwyddo syniadau gwleidyddol a diwylliannol. Bu brwydr yn y 1920au a'r 30au i sicrhau tonfedd radio i Gymru, ac ailadroddwyd y frwydr yn y 50au wrth ymgyrchu am donfedd ar gyfer y teledu. Roedd Llundain yn anfodlon fod Cymru'n ffafrio'r datganoli hwn mewn darlledu. Dechreuodd BBC Cymru ym 1964, a dwysaodd y ddadl.

Roedd y Gymraeg a'r Saesneg yn rhannu sianel, trefniant a oedd yn wrthun i lawer.

Ni lwyddodd dyfodiad teledu annibynnol yn y 1950au i ddatrys y broblem. Roedd rhai'n dweud fod gormod o Gymraeg, eraill yn dweud fod gormod o Saesneg. Roedd y tirwedd mynyddig hefyd yn cymhlethu'r sefyllfa. Parhaodd y dadlau gan y câi darlledu ei weld fel modd i achub yr iaith. Sicrhaodd darlith enwog Saunders Lewis, 'Tynged yr Iaith', ym 1962 fod llawer o Gymry'n gweld gwerth mewn brwydro i gadw'r iaith. Canlyniad y ddarlith oedd sefydlu Cymdeithas yr Iaith Gymraeg. O 1963 ymlaen, llwyddodd y Gymdeithas i bwyso am fwy o ddefnydd o'r Gymraeg mewn addysg, bywyd cyhoeddus a gweinyddiaeth.

278.
Ryan Davies, yr actor, y canwr, ac athrylith byd comedi, oedd seren llwyfannau Cymru tan ei farwolaeth annhymig yn ddeugain oed ym 1977. Hydref 1965.

279. Protest heddychlon, tua 1971.

281. Tedigarlibwns! Crëwyd SuperTed gan Mike Young o Gaerdydd wrth iddo adrodd stori nos da i'w fab Richard. Daeth anturiaethau'r tedi hwn yn seren cyfresi teledu S4C ym 1982 ac yna, y flwyddyn ganlynol, yn ffefryn yn Saesneg, i'r BBC. Cyfieithwyd y straeon i nifer o ieithoedd, a daeth yn boblogaidd gan blant dros y byd i gyd.

Mynnai ymgyrchwyr gael arwyddion ffyrdd a ffurflenni swyddogol dwyieithog.

O'r 1970au cynnar, y teledu oedd prif faes y frwydr. Y gred oedd y byddai cael sianel Gymraeg yn sicrhau dyfodol i'r iaith. Ym 1977, rhannwyd darlledu radio yng Nghymru yn ieithyddol rhwng Radio Wales a Radio Cymru. Ym 1979, ar ôl i ddatganoli gael ei wrthod, gwelodd y llywodraeth Geidwadol ei chyfle i fynd yn ôl ar ei gair i sefydlu sianel Gymraeg i Gymru. Penderfynodd Gwynfor Evans, llywydd Plaid Cymru, y byddai'n ymprydio i farwolaeth oni byddai Cymru'n cael y sianel. Newidiodd y llywodraeth ei meddwl. Ym 1982, dechreuodd Sianel Pedwar Cymru, S4C, ddarlledu o dan arweiniad Owen Edwards, mab Syr Ifan, ŵyr O.M., a pharhad, felly, yn ymrwymiad y teulu nodedig hwn. Trwy ddyfalbarhad a phenderfyniad, fe ddaeth y freuddwyd yn ffaith.

281.

Y GWIR YN GRYNO

Ychydig eiriau. Ergyd. A'r gwir yn gryno: dyna yw celfyddyd y cartwnydd. Roedd Leslie Illingworth yn un o brif gartwnwyr yr ugeinfed ganrif. Roedd yn ddychanwr praff a allai fwrw goleuni ar ryfel a heddwch, ar y gwladweinydd a'r unben gormesol, ac ar bobl gyffredin yn ymdopi â bywyd o ddydd i ddydd. Fe'i ganed yn y Barri ym 1902 a gweithiodd i'r *Western Mail* cyn ymuno â'r *Daily Mail* ym 1939, lle bu'n gweithio am ddeng mlynedd ar hugain. Ef hefyd oedd prif gartwnydd *Punch*. Mae dros 4,500 o'i gartwnau yn y Llyfrgell Genedlaethol.

282. Portread Illingworth o Michael Foot fel 'marchog gwyn yr adain chwith', yn dal tarian CND, ar ôl ennill isetholiad Glyn Ebwy ym 1960.

283. … a hunanbortread.

*284. Gobaith gwan:
tîm achub yn gweithio
yn Ysgol Pantglas.*

Y GENHEDLAETH GOLL

Ar fore 21 Hydref, 1966, ychydig wedi naw o'r gloch, dechreuodd y mynydd o wastraff glo a oedd uwchben pentref Aberfan symud. Yn ei ffordd yr oedd Ysgol Gynradd Pantglas, ac yno lladdwyd 116 o blant a 28 oedolyn.

Dywedodd un glöwr fod marw wedi bod yn rhan o fynd i'r gwaith erioed, ond nid yn rhan o fynd i'r ysgol.

Cyfarfu'r tribiwnlys am 76 o ddiwrnodau. Roedd y Bwrdd Glo Cenedlaethol dan arweiniad yr Arglwydd Robens yn gwadu unrhyw gyfrifoldeb am y drychineb. Roedd pobl yn ofni y byddai'r ymchwiliad yn cuddio'r gwir, ond nid felly y bu. Roedd yr adroddiad yn beio'r Bwrdd Glo, gan ddweud y gallai ac y dylai'r drychineb fod wedi ei hosgoi. Nododd nad oedd camau diogelwch priodol wedi eu cymryd i sefydlogi'r domen wastraff. Dywedodd yr adroddiad 'na fu yna ysgelerder, ond y bu yna anwybodaeth, diffyg dealltwriaeth a methiant i gyfathrebu'.

Yn dilyn y drychineb, dechreuwyd ymgyrch i wneud y tomennydd yn ddiogel, neu gael gwared ohonynt yn gyfan gwbl; roedd y tomennydd hyn yn ganlyniad mwy na chanrif o gloddio am lo. Daeth y bobl o hyd i'w llais. Un canlyniad cadarnhaol i drychineb Aberfan oedd bod y bobl yn benderfynol o gael gwared ar yr apathi swyddogol ynglŷn â'r tirwedd a'r gwastraff peryglus. Dechreuwyd ar y gwaith ailadeiladu, a phlannu coed, glanhau afonydd, a chreu parciau ar dir a fu unwaith yn ddiffaith. A dyma ddechrau gwneud iawn am ffaeleddau'r gorffennol. Mae'r gwaith yn parhau.

Arhosodd nifer helaeth o'r trigolion yn Aberfan, yn agos at ei gilydd, ac yng ngolwg y bryn lle y gorwedd eu plant a'u cyfeillion. Mae eu hanes nhw yn hanes am ddyfalbarhad ac ymdeimlad o werth cymuned.

WESTERN MAIL

THE NATIONAL NEWSPAPER OF WALES

for COMMERCIAL PHOTOGRAPHY

WESTERN MAIL & ECHO STUDIOS
CARDIFF 33022

SATURDAY, OCTOBER 22, 1966   4d.   SOUTH WALES EDITION

83 KILLED, 60 STILL LOST

The two-million-ton black avalanche which slid half-a-mile down from the coal tip above Aberfan and engulfed a farm, crushed Pantglas Junior School and swept away a row of cottages in Moy Road is clearly shown in this aerial picture by a Western Mail photographer. The main rescue operation is centred just behind and to the right of the remains of the school building in the centre of the picture. The houses in the path of the creeping slurry were evacuated during the late afternoon and other houses in the area showed cracks because of the pressure.

Wilson promises inquiry of the highest order

Duke of Edinburgh to visit Aberfan

THE Duke of Edinburgh is flying to Wales today to visit the disaster area, it was announced late last night. Lord Snowdon arrived in Cardiff early today and drove straight to the disaster scene.

Among the messages of sympathy received was one from the Queen, and another from the people of Wales.

● Water board officials appealed to housewives to board water. The slip smashed through the trunk mains, but supplies were restored later by using supplementary mains.

● More than 1,000 miners, 150 specially picked Civil Defence officers and the NCB's entire rescue team rushed to the area. Thousands of volunteers, fleets of lorries and earth-moving equipment and 15 South Wales regiments stood by. Almost 100 soldiers from Cardiff were ready to move in if needed.

● Miss Jane Morgan, a 21-year-old teacher from the adjoining secondary school, said she watched helplessly as the boys drowned. "After they were dead you could hear them screaming," she said. "Then as they opened their mouths torrents of water from the burst water mains seeped through and drowned them."

● Two years ago a former Mayor of Merthyr, the danger from the tip. "We have a lot of trouble escaper from the tip. "We have a lot of trouble from slurry, causing flooding," she said. "If the tip moves it could threaten the whole school."

Disaster fund set up

EARLY this morning the bodies of 75 children and eight adults had been found under the massive avalanche of colliery waste which engulfed a school, farmhouse and row of houses at Aberfan in the Merthyr Vale yesterday. Between 50 and 60 were still missing.

A medical spokesman at the demolished Pantglas School said, "We are still checking on these provisional figures."

Thirty-six children were taken to hospital during the day.

As rescuers toiled through the night under the blaze of arc lights, several collapsed. Eighteen were taken to hospital and eight detained.

Men digging into the 40ft. deep mound of debris last night found the bodies of the deputy head teacher, Mr. D. Beynon, and five children.

A rescuer said, "He was clutching five little children in his arms as if he had been protecting them. He and five children died clutching each other.

WESTERN MAIL REPORTERS

area last night the Prime Minister, Mr. Harold Wilson, promised an inquiry at the highest level into the tragedy.

An NCB spokesman said a preliminary investigation showed that recent abnormal rainfall had caused the tip to move.

Mr. John Beale, Merthyr's Director of Education, said last night, "We can now say that approximately three Classes, totalling 88 in number, came out safe in totality."

He said that it had been established at seven o'clock that out of the 190 children on the roll at the adjoining secondary school, 194 were known to be safe.

"The picture is still in the

on the Prime Minister's visit to police headquarters at Merthyr, said that Mr. Wilson had been given a full report from each of the emergency services involved, and had expressed his satisfaction at the manner in which things had been carried out.

Sympathy

Mr. Wilson has appointed Mr. Cledwyn Hughes, Secretary of State for Wales, to take charge of all operations.

The chief constable said the tip was, at the moment, under control, and water had been diverted.

the Queen and from all parts of the world poured into South Wales.

Parents were still filing into the town's small Welsh chapel at eight o'clock last night to identify the bodies of their children, but only a few of the 30, lying one to a pew, had been identified.

Mothers were advised not to enter the temporary mortuary, and only fathers were allowed to view the bodies.

Tragedy struck at about 9.15 a.m. yesterday just after the children at Pantglas School began their morning lessons—the last before they broke-up for a half-term holiday.

Luckiest schoolchildren were those of between five and seven who, because they start school later in the morning, missed the disaster. Some others were saved because a bus bringing them to school was late, and 20 others were rescued and rushed to hospital at Merthyr Tydfil.

AR DIR A DAEAR CYMRU

Mae'r Eisteddfod Genedlaethol yn unigryw i Gymru. Mae'n ddathliad o bopeth sy'n dda ynghylch diwylliant yng Nghymru. Mae'n ddathliad o ganu, llenyddiaeth, drama, dawns, celf a llawer mwy. Hanfod pob eisteddfod, o'r rhai lleiaf i'r Eisteddfod Genedlaethol ei hun, yw rhoi cyfle i berfformwyr berffeithio'u crefft, ac i blant fagu hyder i wynebu cynulleidfa.

'Eistedd' yw bôn y gair, ac mae'n deillio o arferiad beirdd a cherddorion i gyfarfod yn y canol oesoedd i ddiddanu a diddori cynulleidfaoedd. Y cofnod llawn cyntaf sydd gennym o eisteddfod yw'r un a gynhaliodd yr Arglwydd Rhys yn Aberteifi ym 1176. Roedd beirdd yn haneswyr, yn achyddwyr, yn diwtoriaid ac yn storïwyr, ond, yn bennaf oll, yn rhai a oedd wedi ymdrwytho yn nhraddodiad barddol Cymru, ac yn feistri ar Gerdd Dafod. Yn y cyfnod

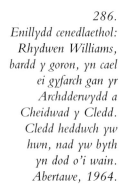

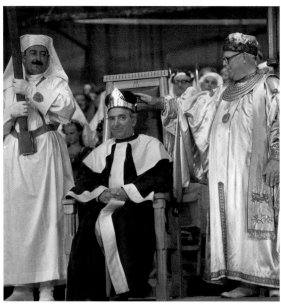

*286.
Enillydd cenedlaethol:
Rhydwen Williams,
bardd y goron, yn cael
ei gyfarch gan yr
Archdderwydd a
Cheidwad y Cledd.
Cledd heddwch yw
hwn, nad yw byth
yn dod o'i wain.
Abertawe, 1964.*

*Ar y dde nes draw:
287. Y dorf yn gwylio
gorymdaith yr Orsedd yn
Eisteddfod Genedlaethol
Aberystwyth, ger castell
y dref, ym 1952.*

288.
Yn llygad haul, 1964: roedd Syr Albert Evans-Jones, neu Cynan, yn gymeriad cryf ar lwyfan seremonïau'r Orsedd. Enillodd y goron deirgwaith, y gadair unwaith, bu'n archdderwydd ddwywaith, yn llywydd Llys yr Eisteddfod, ac roedd wrth ei fodd ar faes yr Ŵyl. Yng nghefn y car hefyd y mae Brynallt, ac mae'r cyn-Archdderwydd William Morris yn y blaen.

hwn, barddoniaeth oedd yr unig ffordd i gelfyddyd gyfleu ofnau a dyheadau'r genedl. Os câi tywysog ei alw'n fardd, byddai hynny'n glod mawr iddo. Heddiw, fel ar hyd y canrifoedd, mae i farddoniaeth le canolog mewn eisteddfodau. Yn yr Eisteddfod Genedlaethol, mae'r tyrfaoedd yn heidio i weld beirdd yn cael eu hanrhydeddu ym mhrif seremonïau'r wythnos. Dyfernir y goron am bryddest, neu gerddi yn y mesurau rhydd, a'r gadair am awdl, sef cerdd yn y mesurau caeth traddodiadol.

Wrth i nawdd yr uchelwyr leihau yng nghyfnod y Tuduriaid, cilio a wnaeth y beirdd. Ymhen rhai canrifoedd wedyn, dywedodd Iolo Morganwg ei fod yn rhan o hen draddodiad barddol a derwyddol, gan gynnal seremoni gyntaf Gorsedd Beirdd Ynys Prydain yn Llundain ym 1792.

O'r flwyddyn 1858, daeth yr Orsedd yn rhan annatod o'r Eisteddfod Genedlaethol, gyda'r archdderwydd, y cyrn gwlad, cleddyf, corn hirlas a'r gwisgoedd gwyrdd, glas a gwyn yn wledd i'r llygad yn ogystal ag i'r glust. Yn y 1860au cyhoeddodd *The Times* erthygl yn bwrw sen ar yr eisteddfod. Ond o aralleirio Dafydd Iwan, er gwaethaf pawb a phopeth, mae hi yma o hyd.

Caiff eisteddfodwyr eu denu, nid yn unig gan y cystadlu, ond hefyd gan y gwmnïaeth flynyddol. Does dim cartref sefydlog iddi. Mae'n teithio'r wlad, gan ymweld â'r Gogledd a'r De am yn ail. Bob Awst, mae'n blodeuo yn nhir a daear Cymru, gan harddu un ardal yn ei thro, cyn symud ymlaen i fwrw'i gwreiddiau yn rhywle arall ymhen y flwyddyn.

Y SGRIN FAWR

Ivor Novello oedd y Cymro cyntaf erioed i fod yn seren y sgrin. Dilynodd eraill yn y 1950au a'r 60au, yn eu plith Richard Burton, Stanley Baker, Hugh Griffith, Siân Phillips, Meredith Edwards, Donald Houston a Rachel Roberts. Ganed Richard Jenkins ym Mhontrhydyfen, y deuddegfed plentyn mewn teulu glofaol o dri phlentyn ar ddeg. Roedd ganddo lais cyfoethog a phresenoldeb llwyfan lledrithiol. Newidiodd ei enw o Jenkins i Burton, ac mae ei ddawn fawr i'w gweld mewn ffilmiau megis *Look Back in Anger*, *Becket*, *The Spy Who Came in from the Cold* a *Who's Afraid of Virginia Woolf?* Roedd yn enwog am fwy nag actio. Carai'r bywyd bras, priododd ag Elizabeth Taylor ddwywaith, ac ymhyfrydai yn ei gefndir Cymreig. Ei gyfaill, Stanley Baker, a aned yn y Rhondda, oedd seren y ffilmiau

289.
Stanley Baker, tua 1958.

290. *Cesar y cricedwr: Richard Burton yn chwarae gêm fach ar set ffilmio* Cleopatra.

291.
Richard y Llais: Dan y Wenallt.

The Cruel Sea, Violent Playground, The Guns of Navarone a Zulu.

Enillodd Hugh Griffith Oscar am ei rôl yn Ben Hur. Ymddangosodd hefyd yn A Run for Your Money, Lucky Jim, Mutiny on the Bounty ac Oliver. Roedd Kenneth Griffith, a aned yn Ninbych-y-pysgod, hefyd yn actor enwog. Ymddangosodd ef yn Only Two Can Play, Wild Geese, A Night to Remember a The Prisoner. Methwyd dangos nifer o'r ffilmiau a gyfarwyddodd am eu bod yn rhy herfeiddiol. Chwaraeodd Siân Phillips y brif ran ar lwyfan nifer o weithiau, ac ymhlith ei ffilmiau mae Goodbye Mr Chips ac Under Milk Wood. Ymddangosodd Meredith Edwards yn The Blue Lamp, The Cruel Sea,

Dunkirk, The Trials of Oscar Wilde ac Only Two Can Play. Cafodd Donald Houston rannau pwysig yn The Blue Lagoon, A Run for Your Money a Room at the Top. Cafodd Rachel Roberts, o Lanelli, sylw mawr yn dilyn ei hymddangosiadau yn Saturday Night and Sunday Morning, a This Sporting Life.

Cafodd Anthony Hopkins, a aned ym Margam, ei ysbrydoli gan Richard Burton, ac ymhlith ei ffilmiau ef y mae Young Winston, The Bounty, The Bunker, The Silence of the Lambs, A Bridge Too Far a The Remains of the Day.

292. Emlyn Williams, tua 1975.

293. Siân Phillips, tua 2001.

294. Shirley Bassey, tua 1957.

295. Anthony Hopkins, tua 1993.

Y SŴN CYMREIG

Mae'r sŵn Cymreig a darddodd yn oes Fictoria yn sŵn a gysylltir â chorau capeli a phyllau glo, yn lleisiau a fireiniwyd ac a aeddfedwyd gan lu o fân eisteddfodau'r ardal. Bu'r traddodiad cerddorol a chymdeithasol hwn yn rhan hollbwysig o fywyd cymunedau yng Nghymru. Dyma fan cychwyn Opera Genedlaethol Cymru. Yn wir, corws amatur oedd gan y cwmni am ddwy flynedd ar hugain cyntaf ei fodolaeth. Cafodd ei sefydlu gan Idloes Owen ym 1946, a chafwyd darlun o lwyddiant arloesol y cwmni yn y blynyddoedd cynnar, gyda chefnogwyr yn teithio ar gefn ceffyl i weld perfformiad mewn pabell yng ngorllewin Cymru.

Erbyn hyn, mae gan Opera Genedlaethol Cymru enw da ar hyd a lled y byd. Mae hyn yn rhannol oherwydd brwdfrydedd pobl Cymru dros gerddoriaeth a chantorion. Mewn gwlad fach, mae'r traddodiad eisteddfodol wedi dangos ei gryfder trwy gynhyrchu cantorion o safon Geraint Evans, Stuart Burrows, Gwyneth Jones, Margaret Price, Kenneth Bowen, Della Jones, Gwynne Howell, Robert Tear, Catrin Wyn Davies, Dennis O'Neill, Rebecca Evans a Bryn Terfel. Mae'r Cwmni Opera'n llwyfan ardderchog ar gyfer cantorion mawr, ac mae'n teithio'n helaeth gyda'i gerddorfa a'i gorws. Gwireddu breuddwyd oedd i'r cwmni gael cartref newydd yng Nghanolfan y Mileniwm. Mae gan y Llyfrgell Genedlaethol archif sylweddol sy'n dogfennu ymdrechion a llwyddiannau'r Cwmni Opera.

Parhau â'r traddodiad cerddorol oedd y syniad y tu ôl i sefydlu cystadleuaeth Canwr y Byd yng Nghaerdydd ym 1983. Mae bellach wedi ennill ei phlwyf ymhlith cystadlaethau cerddorol eraill y byd. Mae Cerddorfa Symffoni Gymreig y BBC, a enwir bellach yn Gerddorfa Genedlaethol Cymru y BBC, yn lledu ei henwogrwydd trwy deithiau tramor, ac mae'n gyfrannwr pwysig i ddiwylliant cerddorol Cymru a thu hwnt.

Cewri'r byd opera:
Syr Geraint Evans
a Bryn Terfel,
dau bortread gan
David Griffiths.

296.

297.

DYRCHAFAF
FY LLYGAID

Trwy ei ddarluniau dramatig o ogledd Cymru a phortreadau byw o gymeriadau cefn gwlad, daeth Kyffin Williams yn ffigwr cenedlaethol pwysig. Mae bri mawr ar ei waith, gyda llawer yn casglu ei ddarluniau. Pan gafodd ei daflu allan o'r fyddin ym 1941, dywedodd y meddyg ei fod yn 'abnormal', ac y dylai ddechrau arlunio! Bu'n athro celf yn Highgate yn Llundain, ond dibynnai'n drwm ar Gymru am ei ysbrydoliaeth, ac Ynys Môn ac Eryri yn arbennig. Roedd ganddo'i arddull nodweddiadol ei hun, yn darlunio caledi bywyd yn llawn clogwyni, mynyddoedd, waliau cerrig, bugeiliaid, defaid, cŵn, a ffermwyr yn pwyso'n drwm ar eu ffyn.

Cafodd ei feirniadu am barhau gyda'r ddelwedd ramantaidd hon o Gymru, ond eglurodd ei fod yn ffodus i ddarlunio byd yr oedd ef ei hun yn teimlo mor agos ato. Dywedodd nad oedd yn gweld unrhyw bwrpas peintio dim byd arall, ac nad oedd wedi gweld yr un teimlad pruddglwyfus yn unman arall yn y byd, teimlad a ddeilliai o'r bryniau, y cymylau trymion a niwl y môr.

Serch hynny, ym 1968-9, teithiodd i Batagonia a darlunio disgynyddion yr ymfudwyr Cymreig, a'u tir hyfryd o wahanol. Roedd yn drobwynt yn ei yrfa, gan iddo arbrofi gyda lliwiau a thechnegau newydd. 'Roedd delweddau a oedd yn ymddangos ar y cynfas yn wahanol i unrhyw beth a beintiais cyn hynny,' meddai.

Cynhyrchodd ddeugain a phedwar o luniau nodedig iawn. Mae nifer o'r rhain

298. *Lle Cul, Patagonia.*

299.
*Teulu'r Reynolds
yn Lle Cul.*

yn rhan bwysig o'r casgliad a roddodd Kyffin Williams i'r Llyfrgell Genedlaethol dros y blynyddoedd. Mae'r casgliad hefyd yn cynnwys brasluniau a dyfrlliwiau, ynghyd â nifer o'i bortreadau gonest; roedd yn ddadansoddwr craff o gymeriad. Dychwelodd Syr Kyffin i'w gynefin ar Ynys Môn ym 1973. Bu farw yn 2006, yn wyth deg ac wyth oed.

300. *Cyff gwawd
Kyffin: ar ôl aros gyda
ffrind yn Nhremadog,
arferai Kyffin anfon gair
o ddiolch ar ffurf cartŵn,
gan addasu arddull
penillion digrif
Crawshay Bailey.*

Crawshay Bailey's sister Alice
was the cook at Lambeth Palace
But she burnt the Bishop's haddock
So was sent home to Llangadog.

301.
Caerfyrddin, allan o
Six Views in South Wales
gan Thomas Jones, Pencerrig.

GALERI

Fel gyda phob agwedd o fywyd cymdeithasol a diwylliannol Cymru, mae gan y Llyfrgell Genedlaethol hefyd ymrwymiad i weithiau celf. O'r dechrau, rhoddwyd pwyslais ar gasglu darluniau o bobl, tirluniau, pentrefi, eglwysi, capeli a phontydd. Heddiw mae'r casgliad yn cynnwys dros 5,000 o ddarluniau a phrintiau, gyda gwaith arlunwyr fel Augustus John, Gwen John, Kyffin Williams, David Jones, Will Roberts, Josef Herman, John Elwyn, Evan Walters, John Piper, Charles Tunnicliffe, Gwilym Prichard, John Petts, Peter Prendergast, Vincent Evans, Hywel Harries, Ceri Richards, Donald McIntyre, Claudia Williams, Arthur

302.
Yr Ystafell
Ddarllen,
Will Roberts.

Giardelli, Ivor Davies ac Aneurin Jones. Mae yno waith cynharach gan Paul Sandby, Penry Williams, Thomas Rowlandson, John Ingleby, John Parker, Thomas Jones Pencerrig, Peter de Wint a Richard Wilson. Richard Wilson, a aned ym 1713, oedd tad tirluniau Cymreig. Dychwelodd i Gymru wedi cyfnod yn yr Eidal, ac mae rhyw wawr Eidalaidd i'w luniau. Cawsant ddylanwad mawr ar arlunwyr y blynyddoedd a fu'n dilyn. Ymwelodd J.M.W. Turner â Chymru, ac mae'r casgliad yn cynnwys ei luniau ef o gastell Dolbadarn a melin Aberdulais.

Acwatintau Paul Sandby o ganol y ddeunawfed ganrif oedd y rhai cyntaf i gael eu cyhoeddi ym Mhrydain, a'r cyntaf i ddangos golygfeydd o Gymru i gynulleidfa ehangach. Daeth William Daniel i sylw gyntaf gyda'i ewythr Thomas yn India, ac yn ddiweddarach cynhyrchodd acwatintau o arfordir Cymru ym 1813. Ceir hefyd yn y casgliad ysgythriadau cain a wnaed yn y 1740au o gestyll ac abatai gan y brodyr Samuel a Nathaniel Buck. Mae yna chwe deg a thri o olygfeydd Cymreig gan yr arlunydd rhamantaidd o'r Swistir, Samuel Hieronymus Grimm, a luniodd yn ystod ei daith ym 1777. Yn ogystal ceir argraffiadau arbennig o deithiau Thomas Pennant wedi cael eu darlunio'n goeth gan Moses Griffith a John Ingleby. Hefyd yn y casgliad mae nifer o bortreadau o gymeriadau cyhoeddus, yn rhai gwleidyddol a llenyddol. Mae'r rhain yn cynnwys portread Augustus John o Lloyd George.

303. In the Isle of Capri, ger Napoli, Thomas Jones, Pencerrig, 1782.

304. John Williams, Yr Hen Syr, William Roos, 1827.

305. Melin Aberdulais, J.M.W. Turner, c.1796–7.

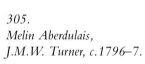

306. Alarch Tryweryn, John Meirion Morris, 1998.

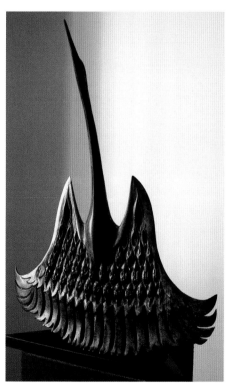

307. Tre'r Ddôl, John Piper, 1954.

308. Cynnal y to wedi ffrwydrad, Vincent Evans, 1935.

309.

310.
*Dylan
Thomas,
tua 1930.*

(Shadows.)

There are <u>shadows</u> in bright sunlight.
Shadows of tall trees on dusty roads
Of Village bright church towers, the bells ringing.
Of cattle drinking, their shadows on the midged and
hazy, lazy summer water,
Of sheep angled on white cliffs
Of lambs about their mothers
Of cows in shallow streams, drinking
Of peasant lovers in deep and idle early evening lanes,
Of the jutting and hanging roofs of old houses in 4
narrow sunbaked streets,
Of childrens hoops bowling along the cobbles of sunny squares,
Of the piled fruit and striped canvas of open-air
markets, the balloons of street vendors, the awnings
over little shops.
Of large cottage loaves, and large tea pots on white
tea cloths spread on tressel tables under garden trees,
Of the wheels of carriages rolling along a sunlit quay.
Of fishermen making sails on the strand.
Of the sails of boats and ships on sparkling water.
Of the sails and masts and masts of one slowly moving
three masted ship.
And now that ship with its great white sails is rounding
a cliff point towards us.   The high cliffs stand white
against a cloudless sky.   There are long white beeches.

311.

AR WAITH

Mae archif lenyddol y Llyfrgell Genedlaethol
yn cynnwys gwaith y rhan fwyaf o ysgrifenwyr
amlycaf Cymru. Drwy gyfrwng eu llythyrau,
eu llawysgrifau a'u teipysgrifau, cawn olwg
ryfeddol ar y modd y mae eu cerddi a'u
gweithiau rhyddiaith wedi ymffurfio. Mae
sgribliadau ymyl-y-ddalen, newidiadau a
llinellau drwy'r gwaith yn dangos ymdrech
a chrefft, a'r gwaith terfynol yn ymddangos
fel campwaith o law cerflunydd.

Pan oedd Dylan Thomas wrthi'n
cyfansoddi *Under Milk Wood*, lluniodd fap
bras o Lareggub i'w gynorthwyo i ddod â'r
pentref yn fyw. Yn y Llyfrgell, gwelir llawer
o sgriptiau Dylan Thomas yn archif radio
helaeth y BBC. Roedd gan yr artist a'r

312.
Penddelw Gwyn Thomas,
y bardd o Fangor, gan John
Meirion Morris, 2005.

313. Bygythiad y bomiau:
llythyr T.S. Eliot at Idris Davies uchod.

314. Un a gadwai ei hunan i'w hunan:
R.S. Thomas gan Kyffin Williams.

315. Gwyn Thomas,
1913–81, tua 1975.

bardd David Jones lawysgrifen fawr, ac ynddi
gwelwn ei gerdd fawr 'In Parenthesis' bron â
chael ei chwblhau. Cafodd ei chyhoeddi ym
1937 ar ôl blynyddoedd o waith ynghanol
ei salwch. Mae'r archif fawr hon hefyd
yn cynnwys cardiau Nadolig hyfryd a
ddarluniodd pan oedd yn blentyn, ynghyd
â nifer o'i frasluniau. Roedd yn arfer cymryd
gofal mawr gyda'i lythyrau, ac yn aml ceir
nifer o fersiynau cyn cyrraedd y gwaith
gorffenedig.

Mae yma lyfrau sy'n llawn o lawysgrifen
daclus Islwyn Ffowc Elis, unig ddrafft ei
straeon a'i nofelau. Gwelir yn y Llyfrgell
hefyd archif Idris Davies, y bardd o'r
Rhymni, archif sy'n cynnwys llythyr o
gyfnod y rhyfel gan T.S. Eliot. Roedd

yn gweithio i gwmni cyhoeddi Faber ar y
pryd, ac yn cynghori Idris Davies i gopïo'i
gerddi rhag iddyn nhw gael eu dinistrio gan
y bomiau. Yn ôl y llythyr, mae'n amlwg
fod gan Eliot feddwl mawr o Idris Davies.
Ymhlith papurau llenyddol eraill y Llyfrgell
mae rhai gan Saunders Lewis, W.J. Gruffydd,
T.H. Parry-Williams, R.Williams Parry, T.
Gwynn Jones, Marion Eames ac Angharad
Tomos; a'r ysgrifenwyr Eingl-Gymreig
Vernon Watkins, Brenda Chamberlain,
Edward Thomas, Gwyn Thomas, Glyn
Jones, Roland Mathias, Alun Lewis, John
Cowper Powys a Harri Webb. Mae yna
archif helaeth hefyd o waith Emyr
Humphreys, llenor blaenllaw sy'n
ysgrifennu yn y ddwy iaith.

316. Alun Lewis,
gan John Petts.

YN Y LLE HWN

Nid oedd yna lyfrgell genedlaethol yng Nghymru yn ystod cyfnod Iolo Morganwg. Er hynny, nododd yn ei ysgrifen ei hun ei fod yn gadael ei bapurau i'r llyfrgell pan fyddai honno'n cael ei sefydlu. Ym 1873, bedwar deg a saith o flynyddoedd wedi ei farwolaeth, dechreuwyd ymgyrch yn yr Eisteddfod Genedlaethol yn yr Wyddgrug i gael llyfrgell i Gymru gyfan. Dyma'r cam cyntaf tuag at wireddu'r freuddwyd. Cyhoeddodd y brenin Edward VII y siarter ar 19 Mawrth, 1907. Gosodwyd y garreg sylfaen gan Siôr V a'r Frenhines Mary ym 1911 ar y safle ugain erw. O dan y Ddeddf Hawlfraint, mae gan y Llyfrgell yr hawl i dderbyn pob llyfr, papur newydd a chylchgrawn a gyhoeddir ym Mhrydain, a derbyniwyd y copïau cyntaf ym 1912. Agorwyd rhannau cyntaf yr adeilad i staff a darllenwyr ym 1916. Agorwyd prif ran yr adeilad gan y Frenhines Elizabeth II ym 1955.

317. Gosod y garreg sylfaen: Siôr V a Mary, ynghyd â'u merch a'u mab, mewn seremoni ar safle'r Llyfrgell Genedlaethol, 15 Gorffennaf 1911. Gosodwyd y garreg gyntaf gan y brenin, a'r ail gan y frenhines.

318. Y brenin yn gosod y garreg sylfaen.

319. John Ballinger, y Llyfrgellydd, Sidney Greenslade, y pensaer, Evan Davies Jones, cadeirydd y pwyllgor adeiladau a Syr John Williams, Llywydd y Llyfrgell, gyda'r llysgennad Americanaidd, Whitelaw Reid, yn nodi cynnydd y gwaith adeiladu ym mis Tachwedd 1912.

O'r dechrau, mae'r Llyfrgell wedi bod yn datblygu ac yn tyfu. Heddiw, mae'r datblygiadau digidol yr un mor gyffrous â sefydlu gwasg Gutenberg bum canrif yn ôl. Mae pwrpas y cyhoeddwyr traddodiadol yn newid yn gyflym gyda dyfodiad y we fyd-eang, lle gall unrhyw un gyhoeddi unrhyw beth. Mae pob llyfrgell bellach yn gorfod wynebu'r broblem o beth i'w gofnodi o'r dewis helaeth o wybodaeth ddigidol, a sut i'w gadw i'r oesoedd a ddêl.

Mae Llyfrgell Genedlaethol Cymru hefyd yn gorfod wynebu sawl her ychwanegol: cynigir gwasanaeth llawn mewn dwy iaith, darperir gwasanaeth oriel cenedlaethol ynghyd â'r angen i arddangos y gwaith helaeth yn effeithiol, ac, yn ogystal, gweithredir gwasanaeth casglu llun a sain. Ganrif wedi sefydlu'r Llyfrgell, mae'r her wedi tyfu'n gynyddol; mae'n fwy cymhleth ac eto'n fwy cyffrous. Er hyn, mae'r nod sylfaenol wedi aros yr un, sef adrodd ein stori ni.

320. Dau yn unig oedd yn y ras: Cartŵn J.M. Staniforth yn dangos Caerdydd ac Aberystwyth yn cystadlu am y Llyfrgell Genedlaethol.

Cronoleg

c. 589   Marw Dewi Sant.

878   Marw Rhodri Mawr.

950   Marw Hywel Dda.

1176   Eisteddfod yn Aberteifi.

1188   Gerallt Gymro ar daith drwy Gymru.

1282   Marw Llywelyn II mewn brwydr.

1283   Edward I yn dechrau codi cestyll pwysig.

1284   Statud Rhuddlan.

*c.*1320   Geni Dafydd ap Gwilym.

1400   Gwrthryfel Owain Glyn Dŵr.

1485   Harri Tudur yn glanio yng Nghymru ac yn cipio'r goron yn Bosworth.

1530   Poblogaeth Cymru *c.* 230,000.

1536   Y Deddfau Uno, ymgorffori Cymru'n rhan o Loegr.

1536   Dechrau diddymu'r tai crefyddol.

1546   Argraffu'r llyfr cyntaf yn y Gymraeg.

1567   Cyhoeddi'r Testament Newydd a'r Llyfr Gweddi yn y Gymraeg.

1573   Map Humphrey Llwyd o Gymru.

1588   Beibl Cymraeg yr Esgob Morgan.

1682   Crynwyr Cymreig yn ffoi i Pennsylvania.

1695   Codi'r cyfyngiadau ar y wasg argraffu.

1731   Cychwyn ysgolion cylchynol Griffith Jones.

1735   Tröedigaeth Howel Harris.

1744   Cyhoeddi emynau cyntaf William Williams, Pantycelyn.

1751   Sefydlu Anrhydeddus Gymdeithas y Cymmrodorion yn Llundain.

1751   Poblogaeth Cymru *c.* 490,000.

1782   Arglwydd Penrhyn yn cychwyn diwydiant llechi yng ngogledd Cymru.

1792   Gorsedd gyntaf Iolo Morganwg yn Llundain.

1797   Glaniad y Ffrancwyr yn Abergwaun.

1801   Y Cyfrifiad cyntaf: poblogaeth Cymru yn 587,000.

1804   Richard Trevithick yn rhedeg locomotif stêm ym Merthyr.

1805   Cyhoeddi emynau Ann Griffiths.

1811   Datgysylltiad y Methodistiaid Cymreig oddi wrth Eglwys Loegr.

1819   Eisteddfod yng Ngwesty'r Llwyn Iorwg, Caerfyrddin.

1826   Telford yn cwblhau pont grog Menai.

1831   Gwrthryfel y gweithwyr ym Merthyr.

1839   Y Siartwyr yn gorymdeithio i Gasnewydd.

1839   Terfysgoedd Beca.

1839   Agor doc Ardalydd Bute yng Nghaerdydd.

1841   Agor rheilffordd Dyffryn Taf.

1847   Adroddiad y Llyfrau Gleision ar addysg.

1851   Poblogaeth Cymru yn 1.16 miliwn.

1855   Mynd â'r glo stêm cyntaf o Gwm Rhondda i Gaerdydd.

1856   Evan a James James yn cyfansoddi 'Hen Wlad Fy Nhadau'.

1865   Sefydlu gwladfa Gymreig ym Mhatagonia.

1868   Buddugoliaeth i'r Rhyddfrydwyr yn yr 'etholiad mawr'.

1869   Sefydlu'r *Western Mail*.

1872   Agor Prifysgol Cymru yn Aberystwyth.

1881   Sefydlu Undeb Rygbi Cymru.

1883   Agor Coleg Prifysgol Caerdydd.

1886   Rhyfel y Degwm.

1889   David Davies yn agor dociau'r Barri.

1890   Ethol David Lloyd George yn AS Bwrdeistrefi Caernafon.

1893   Sefydlu Plaid Lafur Cymru.

1896   Cwymp Cymru Fydd.

1898   Sefydlu Ffederasiwn Glowyr De Cymru.

1900   Dechrau streic fawr chwarel y Penrhyn.

1900   Ethol Keir Hardie ym Merthyr, yr AS Llafur Annibynnol cyntaf.

1904	Evan Roberts yn arwain diwygiad crefyddol.	1955	Enwi Caerdydd yn brifddinas Cymru.
1905	Cymru yn trechu Seland Newydd 3-0.	1961	Poblogaeth Cymru yn 2.64 miliwn.
1905	Caerdydd yn ennill statws dinas.	1962	Darlith radio Saunders Lewis yn cychwyn ymgyrch yr iaith.
1907	Sefydlu Llyfrgell Genedlaethol Cymru a'r Amgueddfa Genedlaethol.	1962	Yr ysgol uwchradd ddwyieithog gyntaf.
1913	480 o ddynion yn cael eu lladd yn nhrychineb Senghennydd.	1964	Dechrau BBC Cymru.
1914	Poblogaeth Cymru yn 2.52 miliwn.	1964	Penodi James Griffiths yn Ysgrifennydd Gwladol cyntaf Cymru.
1916	Lloyd George yn dod yn Brif Weinidog.	1966	Agor y bont Hafren gyntaf.
1917	Eisteddfod y Gadair Ddu.	1966	Gwynfor Evans yn AS Plaid Cymru cyntaf.
1920	Datgysylltu Eglwys Loegr yng Nghymru.	1966	Trychineb Aberfan yn lladd 144.
1921	Poblogaeth Cymru yn 2.65 miliwn.	1969	Arwisgo Tywysog Cymru.
1922	Llafur yn ennill hanner seddau seneddol Cymru.	1979	Cymru yn pleidleisio yn erbyn cael cynulliad etholedig.
1922	Sefydlu Urdd Gobaith Cymru.	1981	Poblogaeth Cymru yn 2.75 miliwn.
1925	Sefydlu Plaid Cymru.	1982	Dechrau S4C, y sianel Gymraeg.
1926	Y Streic Genedlaethol.	1984	Dechrau streic y glowyr.
1932	38 y cant o ddynion yn ddi-waith.	1991	Poblogaeth Cymru yn 2.89 miliwn.
1934	Trychineb glofa Gresford yn lladd 434 o ddynion.	1993	Deddf yr Iaith Gymraeg.
1937	Dechrau darllediadau Cymraeg y BBC.	1996	Agor ail bont Hafren.
1946	Sefydlu Opera Genedlaethol Cymru.	1997	Cymru'n pleidleisio o blaid cynulliad etholedig, gyda mwyafrif o 6,721.
1947	Gwladoli glo.	1999	Agor Cynulliad Cymru.
1947	Dechrau Eisteddfod Ryngwladol Llangollen.	2001	Poblogaeth Cymru yn 2.9 miliwn.
		2006	Agor y Senedd yng Nghaerdydd.

Diolch

Carwn ddiolch am y fraint o gael bod yn rhan o ddathliadau canmlwyddiant y Llyfrgell Genedlaethol. Cefais gyfle i ddysgu cymaint am drysorau'r Llyfrgell ac am Gymru wrth addasu gwaith ymchwil Trevor Fishlock. Diolch arbennig i'r Llyfrgellydd, Andrew Green, a'i holl staff, am eu cymorth a'u hawddgarwch. Mae hefyd wedi bod yn bleser cyd-weithio gydag Olwen Fowler. Diolch yn ogystal i Dewi Morris Jones ac Elin Meek am eu gwaith gofalus yn golygu a chynghori, ac i William Howells am ei amynedd a'i waith graenus a manwl yn llunio'r Mynegai.

Cyfeirnodau casgliad ar gyfer delweddau yn y gyfrol

Mae Llyfrgell Genedlaethol Cymru yn cydnabod yn ddiolchgar y caniatâd hawlfraint a roddwyd gan ddeiliaid yr hawlfreintiau. Gwnaed pob ymdrech i gysylltu â deiliaid yr hawlfraint yn achos pob eitem a restrir. Ymddiheurwn os atgynhyrchwyd unrhyw ddelwedd heb ganiatâd deiliad yr hawlfraint a byddwn yn cywiro'r diffyg mewn unrhyw argraffiad a wneir yn y dyfodol. Ac eithrio lle nodir yn wahanol, mae hawlfraint y delweddau a ddefnyddiwyd yn perthyn i Lyfrgell Genedlaethol Cymru.

JT = Casgliad John Thomas
GC= Casgliad Geoff Charles
AGSSC= Archif Genedlaethol Sgrin a Sain Cymru

Gyferbyn â'r wynebddalen: 'Tir y Blaenau' David Jones c.1924-5, PB8681 ©Anthony Hyne;

Wynebddalen: Ffotograffydd Anhysbys John Ballinger (ar y dde), Sir John Williams (yn eistedd) a dau berson anhysbys yn Ystafell Ddarllen y Gogledd. Rhif Derbyn LlGC 7452;

Tudalen gynnwys: Te parti, Capel Tabernacl, Porthmadog, Llyfr Ffotograffau LlGC 2107, PG5966/90; Delwedd o'r gyfres 'Jerry the Troublesome Tyke' (Pathe, 1925–27), drwy garedigrwydd British Pathe plc. AGSSC;

Gyferbyn â'r Rhagair: T.H. Parry-Williams, PE 832; Y Parchedig Francis Kilvert, PG1074/76; R. Williams Parry, PB8855(2); Waldo Williams, PB7904; 'Bwlch Aberglaslyn' Thomas Prydderch, 1920, 199600048;

Gyferbyn â'r Rhagymadrodd: Blaenolwg Llyfrgell Genedlaethol Cymru; Cafwyd Siarter Frenhinol 19 Mawrth 1907;

Llun 1. Rhif Derbyn NLW PG3749, © Ystad Syr Kyffin Williams / Trwyddedwyd gan DACS 2007; **2.** Rhif Derbyn NLW PE3093, © Ystad Syr Kyffin Williams / Trwyddedwyd gan DACS 2007; **3.** Rhif Derbyn NLW PE3733; **4.** Llyfr Ffoto NLW 858; **5.** Llyfr lluniadu NLW 56, rhif 11; **6.** Rhif Derbyn NLW PB 3066a; **7.** Llyfr lluniadu NLW 300, rhif 85 i; **8.** Rhif Derbyn NLW CE590/49; **9.** Casgliad Arian Papur NLW; **10.** Rhif Derbyn NLW PA3416; **11.** *Illustrated London News*, 20 Chwefror 1875; **12.** Ffotograff gan Stephen Timothy Llyfr Ffotograffau NLW 1826; **13.** A Duncan, L Godfrey, Rhif Derbyn NLW PB7527; **14.** Rhif Derbyn NLW PB2533; **15.** Rhif Derbyn NLW PA9325; **16.** Llsgr. Peniarth 28, f. 15v; **17.** Llsgr. Peniarth 28, f. 21v; **18.** NLW BV 407, p. 50; **19.** Rhif Derbyn NLW 199804702; **20.** Llsgr. Peniarth 481, f. 51v; **21.** Llsgr. Peniarth 20, t. 292; **22.** Rhif Derbyn NLW PB 9246; **23.** Llyfr Ffoto NLW 2002; **24.** Llun allan o *Owain Glyndwr*, 2000,© cyhoeddwyd gan Y Lolfa; **25.** Llun allan o *'Land of My Fathers'* Hodder & Stoughton, 1915; **26.** Rhif Derbyn LlGC PB8119; **27.** Map NLW 1003; **28.** Sesiwn Fawr 94/17/15; **29.** Rhif Derbyn NLW P783; **30.** Rhif Derbyn NLW P506; **31.** Rhif Derbyn NLW PG399 © Keith Bowen; **33.** Llyfr lluniadu NLW 56, rhif 1; **34.** JT/J18; **35.** Rhif Derbyn NLW 200306685; **36.** JT/BB52; **39.** Rhif Derbyn NLW PG 471; **40.** Rhif Derbyn NLW 199700099; **41.** Rhif Derbyn NLW PD6886; **42.** Rhif Derbyn NLW CB6254; **43.** Rhif Derbyn NLW PE288 © Ystad John Petts; **44.** JT/H70; **45.** Rhif Derbyn NLW PB3508; **46.** Cyhoeddwyd gan W. Owen, 1849, Rhif Derbyn NLW PB2528; **47.** Llyfr Ffoto NLW 1862; **48.** Llyfr Ffoto NLW 1861; **49.** Llyfr Ffoto NLW 1862; **50.** Llyfr Ffoto NLW 3003; **51.** Ffotograff gan Francis Frith, Rhif Derbyn NLW PG5125/642, Llyfr Ffotograffau NLW 2009; **52.** Llyfr Ffoto NLW 936;

53. Rhif Derbyn NLW PE4434 © Ronald H.J Lawrence; **54.** Llyfr Ffoto NLW 990; **55.** Llyfr Ffoto NLW 1863; **56.** Llyfr Ffoto NLW 1863; **57.** Ffotograffydd anhysbys, Llyfr Ffoto NLW 1323; **58.** Rhif Derbyn NLW PZ617/12; **59.** Llyfr Ffoto NLW 2101; **60.** Cyhoeddwyd gan R E Jones & Bros, Conwy, Llyfr Ffoto NLW 2306; **61.** Llyfr Ffoto NLW 102; **62.** JT/E84; **63.** Llyfr Ffoto NLW 2435 © Paul White; **64.** Llyfr Ffoto NLW 2433 © Paul White; **65.** Ffotograffydd anhysbys, Llyfr Ffoto NLW 2100; **66.** Ffotograff gan ffotograffydd *Weekly Illustrated*, 11 Ionawr 1936, t.13; **67.** Llyfr Ffoto NLW 3684; **68.** Rhif Derbyn NLW PG5920/107, Llyfr Ffoto NLW 2100; **69.** GC/C1507; **70.** GC/A39/47/E28; **71.** GC/A39/45/B31; **72.** Rhif Derbyn NLW PA8087, Llyfr Ffoto NLW 875 © *South Wales Evening Post*; **73.** GC/T22; **74.** GC/T63; **75.** Ffotograff gan Raymond Daniel, Llyfr Ffoto NLW 3898; **76.** Ffotograff gan Julian Sheppard, Llyfr Ffoto NLW 4151; **77.** Ffotograff gan Raymond Daniel, Llyfr Ffoto NLW 3898; **78.** Ffotograff gan Raymond Daniel, Llyfr Ffoto NLW 3898; **79.** Rhif Derbyn NLW 13599069/9 © Ron Davies; **80.** Llyfr Ffoto NLW 1065 © Ken Davies, Caerfyrddin; **81.** Llyfr Ffoto NLW 588 © Martin Shakeshaft; **82.** GC/A/49/17/F35; **83.** Rhif Derbyn NLW PE 3584 ©Valerie Ganz; **84.** Llyfr Ffoto NLW 4529 © David Williams/ Photolibrary Wales; **85.** Rhif Derbyn NLW 020001827/29, Llyfr Ffoto NLW 3139 © Jeremy Moore; **86.** NLW Map 1002, Rhif Derbyn NLW PB1129; **87.** Llsgr. Peniarth 1, f. 4r; **88.** Llsgr. Peniarth 1, ff. 1r, 9r, 24r, 53r; **89.** Llsgr. Peniarth 1, f. 29v; **90.** Llsgr. Peniarth 23, f. 75v; **91.** Rhif Derbyn NLW PB8678 © Anthony Hyne; **92.** Rhif Derbyn NLW PG2488; **93.** Llsgr. Peniarth 4, f. 1r; **94.** Llsgr. Peniarth 28, f. 6v; **95.** Llsgr. Peniarth 28, f. 20v; **96.** Llsgr. Peniarth 28, f. 1v; **97.** Llsgr. Peniarth 28, f. 6r; **98.** Llsgr. Peniarth 28, f. 5r; **99.** Llsgr. Peniarth 2, f.3v; **100.** Llsgr. NLW 6680B, f. 121r; **101.** Llsgr. NLW 7006D, t. 198; **102.** Llsgr. NLW 7006D; **103.** Llsgr. NLW 3024C, ff. 3v-4r; **104.** Rhif Derbyn NLW PG79; **105.** Ffotograffydd anhysbys, Llyfr Ffoto NLW 863; **106.** Llsgr. Peniarth 392, f. 2; **107.** Llsgr. NLW 17520A, ff. 4v; 3r; 2r; **108.** Rhif Derbyn NLW 1855, P5712; **109.** Llsgr. NLW 22631C, f. 96; **110.** Llsgr. NLW 735C, ff. 21r, 19v, 10v; f14v; **111.** Llsgr. Peniarth 1, f. 36r; **112.** Llsgr. NLW 20541E, f. 204; **113.** Llsgr. Peniarth 135, t. 60; **114.** Llsgr. NLW 3026C, t. 26; **115.** Llsgr. NLW 3026C tt. 28, 11, 16; **116.** Llsgr. Peniarth 194; **117.** Bettisfield 202; **121.** Llsgr. Peniarth 267, f. 11; **122.** Llsgr. NLW 9095B, t. 29; **124.** NLW Map Ab1043, wynebddalen wedi ei llingerfio; **125.** NLW Map Ab1043, rhif 18; **126.** NLW Map 1003; **127.** Sesiwn Fawr 14/14, f. 161; **128.** Sesiwn Fawr 4/617/2/23; **130.** Llsgr. NLW 21834B, f. i; **132.** Rhif Derbyn NLW PA10022; **133.** Ffotograff gan Elwyn Jenkins, Llanymddyfri, Llyfr Ffoto NLW 1496: **134.** Llsgr. NLW 77A; **135.** Portread Rhif Derbyn PZ6210; cadair arddangosfa CMA eitem 3; **136.** Rhif Derbyn NLW PB8962; **137.** Llsgr. NLW 694D; **138.** Rhif Derbyn NLW PA6243; **139.** CMA 16234, ff. 57-8; **140.** Rhif Derbyn NLW PG 881; **141.** NLW BV 407, t.12; **142.** Rhif Derbyn NLW CR4672ii; **143.** Rhif Derbyn NLW CR4672ii; **144.** Rhif Derbyn NLW PD9867; **145.** Llsgr. NLW 12706E; **146.** Rhif Derbyn NLW CR4672ii; **147.** Casgliad Posteri NLW; **148.** Rhif Derbyn NLW P1142; **149.** Rhif Derbyn NLW P5283; **150.** Rhif Derbyn NLW P8839; **151.** Rhif Derbyn NLW PA5328; **152.** Llsgr. NLW 21420E; **154.** NLW Box 28 (Port.A); **155.** NLW Rolls 108; **157.** Rhif Derbyn NLW PB2471; **158.** Casgliad Posteri LlGC; **159.** JT/KK56; **160.** JT/B064; **161.** Casgliad Arian Papur LlGC; **162.** Glansevern 14059;

Mynegai

Abaty Glyn-y-groes, 86
Abaty Talyllychau, 89
Abaty Tyndyrn, 22, 92
Abaty Ystrad-fflur, 79, 89
Aberdaugleddau, 31, 64
Aberfan, 64, 71, 186–7
Abertawe, 54, 61, 64, 138
Ablett, Noah, 56, 69
achau, 97, 98–9
addysg, 37, 38, 40, 53;
    adroddiadau 1847, 47–8; addysg
    cyfrwng Cymraeg, 68, 70–1
almanaciau, 108
Amgueddfa Genedlaethol Cymru,
    11, 53, 135, 159
Aneirin, 20, 84
Anrhydeddus Gymdeithas y
    Cymmrodorion, 40, 104
argraffu, 34, 89, 94, 100, 103
arian, 42
Arthur, brenin, 77, 78–9, 80, 86
astroleg, 93, 97
Astronomeg y Canol Oesoedd, 93
Attlee, Clement, 64
aur, 42

Baker, Stanley, 181, 190–1
Banc y Ddafad Ddu, 125
Banc yr Ychen Du, 125
Baner ac Amserau Cymru, 151
Banks, Syr Joseph, 117
barddoniaeth, 89, 97, 108,
    110–11, 113, 188–9
Barri, Y, 53, 134
BBC Cymru, 68, 179, 184
Beibl, Y, cyfieithiadau, 35–6; Beibl
    Bach, 35, 100; Beibl Tyndyrn, 92
Beirdd y Tywysogion
    (Y Gogynfeirdd), 85
Beirdd yr Uchelwyr, 89
Benedictiaid, 22
Benton, William, 168
Beuno, sant, 15

Bevan, Aneurin, 61, 62, 64
Blaenafon, 42
bocsio, 170–1
Bowen, Kenneth, 192
Bracchi's (caffi), 167
Brad y Llyfrau Gleision, 48
Breese, Madge, 144
Brunel, Isambard Kingdom, 50, 132
Brut y Tywysogyon, 79, 102
Buck, Nathaniel a Samuel, 194
Burgess, Thomas, esgob Tyddewi, 47
Burrows, Stuart, 192
Burton, Richard, 190, 191
Bute, Ardalydd, 50, 53

Cadog, sant, 15
Caerdydd, 16, 53, 54; Cyfnewidfa
    Lo, 53; dociau, 42, 50, 52, 61, 71
Caernarfon, 28
Callaghan, James, 64
Cambrian, The, 151
Cambrian News, 151
camlesi, 42–3
Campbell, Malcolm, 178
Cân o Senn i'w hen feistr Tobacco,
    159
Canolfan y Mileniwm, 192
Capel Celyn, 64–5
capeli, 47, 49, 53, 55, 59, 192
Carmarthen Journal, 151
Carnarvon and Denbigh Herald,
    151
Carneddog (Richard Griffith), 141
Carter, Isaac, 159
cartwnau, 118, 185
Casnewydd, 54
Castell-nedd, 54
Catrin o Ferain, 36–7
Caxton, William, 34–5
cenedlaetholdeb, 53, 65, 179
cenhadon, 114
cenhinen, 26–7
Central Labour College, 56, 62

Cerddorfa Symffoni Gymreig y
    BBC, 192
cestyll, 21; adeiladu, 14, 15, 25–6,
    29; Aberystwyth, 25, 28;
    Biwmares, 25; Llanfair-ym-
    Muallt, 25; Caernarfon, 25, 26;
    Conwy, 25, 26; Y Fflint, 25;
    Harlech, 25, 28; Penfro, 31;
    Rhaglan, 30; Rhuddlan, 25
Chamberlain, Brenda, 197
Charles, Geoff, 141
Charles, Thomas, 39
Chaucer, Geoffrey, 35, 91;
    Chwedlau Caergaint, 91
Churchill, Syr Winston, 55, 67, 164
Clark, William, 123
Clough, Richard, 36
Cook, Capten James, 117, 123
Cook, Thomas, 133
Coombes, Bert, 61
copor, 16, 42, 116, 138
corau, 192
Cranmer, Thomas, 35
Crawshay, Richard, 42, 143
Crawshay, Robert, 143
Crawshay, Rose, 143
Crawshay, William, 43, 131
Crecy, brwydr, 26
crefydd, 16, 43, 52, 53, 108–11,
    113; Anghydffurfwyr, 37, 38–9,
    47–9, 60; Anglicaniaid, 35, 47;
    Catholigion, 35, 37, 100, 103;
    Crynwyr 37–8; datgysylltu'r
    Eglwys, 59; Diwygiad
    Protestannaidd, 33, 35; diwygiad
    1904, 54–5, 160, 161
Cromwell, Oliver, 37
Cromwell, Thomas, 32, 33
Cwm Rhondda, 50–1, 55–6,
    59–61, 69, 134
Cwm Tryweryn, 64–5, 141
Cwmni Opera Cenedlaethol
    Cymru, 192

Cydweli, 28
Cymdeithas Pêl-droed Cymru, 53
Cymdeithas y Gwyneddigion, 40
Cymdeithas yr Iaith Gymraeg, 66, 184–5
Cymro (Stalag IVB), 181
Cymru, O. M. Edwards, 141, 158
Cymru'r Plant, 158, 177
Cynulliad Cenedlaethol Cymru, 68, 70, 71, 152

chwareli, 16, 50, 54, 64, 162

Dafydd ap Gruffudd, 25
Dafydd ap Gwilym, 27, 85, 89, 121
Daguerre, Louis, 139
Daniell, William, 194
darlledu, 178–9, 184–5, 196
datganoli, 67, 70
Davies, Catrin Wyn, 192
Davies, Arglwydd David, 134
Davies, David, Llandinam (Top Sawyer), 50, 53, 134
Davies, Gwendoline, 85, 134–5
Davies, Idris, 61, 197
Davies, Ivor, 194
Davies, John, Tahiti, 114
Davies, John Humphreys, 159
Davies, Margaret, 85, 134–5
Davies, William, 103
de Wint, Peter, 194
Deddf Goddefiad 1689, 38
Deddf y Tlodion, 46
Deddfau Uno 1536, 32, 98
Dee, Dr John, 122
Derfel, R. J., 48
Descriptio Kambriae, Gerallt Gymro 89
Desperate Poaching Affray, A, 169
Dewi Sant, 15, 22, 27, 95
Dic Penderyn (Richard Lewis), 43, 131
diweithdra, 46, 60–1, 62, 68
Drenewydd, Y, 64, 129
Driscoll, Jim, 170
Drych Cristionogawl, Y, 103
dur, 60, 64, 68–9
Dyfrig, sant, 15

Eames, Marion, 197
Edward I, 24–6
Edward VII, 198
Edward, y Tywysog Du, 14, 26
Edwards, Syr Ifan ab Owen, 177, 185
Edwards, Meredith, 190, 191

Edwards, Owen, 185
Edwards, Syr Owen Morgan, 141, 158, 177, 185
Edwards, William, 115
Eingl-Sacsoniaid, 19–20, 78
Eisteddfod Genedlaethol Cymru, 11, 120, 172, 188–9, 198
Eliot, T. S., 197
Elis, Islwyn Ffowc, 197
Elis-Thomas, Arglwydd Dafydd 67
Elizabeth I, 35, 36, 98, 103, 122
Elizabeth II, 198
Ellis, Tom, 158
Elvey, Maurice, 175
Elwyn, John, 194
enwau, 98, 118
Eryri, 12
etholiadau cyffredinol, 1859, 52; 1868, 52; 1918, 59; 1922, 60; 1929, 61; 1965, 64; 1974, 67
Evans, Caradoc, 59
Evans, Y Parchg Christmas, 113
Evans, Geraint, 192
Evans, Gwynfor, 67, 68, 185
Evans, John, Waunfawr, 123
Evans, John Gwenogvryn, 158, 159
Evans, Rebecca, 192
Evans, Vincent, 194

Faner, Y, 151
felwm, 91, 94
Fictoria, Y Frenhines, 129
Foot, Michael, 68
Foster, Thomas Campbell, 130

Ffederasiwn Glowyr De Cymru, 55
Fflemiaid, 21
ffotograffiaeth, 139–43, 168

Gabe, Rhys, 160
Gee, Thomas, 52, 151
Gerallt Gymro, 88–9
Giardelli, Arthur, 194
Gilpin, Y Parchg William, 117
glo, 16, 36, 42, 55, 137; dirywiad y diwydiant, 59–61, 64, 68–9, 71; gwladoli'r diwydiant, 64; twf y diwydiant, 50–1, 55–6, 134–5, 168
Gogynfeirdd, Y, 85
gorsafoedd semaffor, 137
Gorsedd Beirdd Ynys Prydain, 40, 120, 189
Gould, Arthur, 160
Greenslade, Sidney, 159
Gregynog, 135

Griffith, Hugh, 190, 191
Griffith, Kenneth, 191
Griffith, Moses, 117, 194
Griffith, Madam Sidney, 109
Griffiths, Ann, 113, 114
Griffiths, James, 61–2, 64, 67
Grimm, Samuel Hieronymus, 194
Gruffudd ab yr Ynad Coch, 25
Gruffydd, W. J., 197
Guest, Charlotte, 80
Guest, Syr John, 80
Gutenberg, Johannes, 34, 199
Gutun Owain, 97
Gwasg Gregynog, 135
Gwenhwyfar, 86
gwlân, 128–9
Gwilym o Normandi, 20
Gwyn, Robert, 103

haearn, 16, 22, 42, 43, 80
Haggar, William, 169
Hall, Augusta, Arglwyddes Llanofer, 121, 148
Hall, Benjamin, 148
Hamilton, William ac Emma, 42
Hardie, Keir, 55
Harri II, 14, 88
Harri IV, 14, 29
Harri V, 29, 30
Harri VII, 30–2, 40, 78, 97, 98
Harri VIII, 32, 33, 35, 77, 92, 95, 98
Harries, Hywel, 194
Harris, Howel, 38, 108, 109, 110, 115
Heath, Edward, 68
Hedd Wyn (Ellis Humphrey Evans), 56, 172; ffilm 172
Hen Wlad fy Nhadau, 48, 144
Herald Cymraeg, Yr, 151
Herman, Josef, 194
Hirwaun, 42
Historia Regum Britanniae, Sieffre o Fynwy, 86
Hopkins, Anthony, 191
Houston, Donald, 190, 191
Howell, Gwynne, 192
Hughes o Wrecsam, cyhoeddwr, 108
Hughes, John, Pontrobert, 114
Hughes, T. Rowland, 61
Humphreys, Emyr, 197
Huntingdon, Iarlles, 109
Hywel Dda, 20; cyfreithiau 82–3, 102

Iago I, 36

Iago o Sain Siôr, 25–6
iaith Gymraeg, yr, 11, 20, 32–3,
40, 43, 51; adfywiad, 68, 70–1;
cyfrifiadau, 1851, 51; 1901, 51;
1911, 51; 1961, 65; 1971, 67–8;
Deddf Iaith, 1967, 67
Illingworth, Leslie, 185
In Parenthesis, David Jones, 197
inc, 86, 94, 100
Ingleby, John, 194
Iolo Morganwg (Edward Williams),
40, 120–1, 122–3, 189, 198
Itinerarium Kambriae, Gerallt
Gymro, 89
Iwan, Dafydd, 66, 189

James, Evan, 48, 144
James, James, 144
Jefferson, Thomas, 123
Jenkins, Y Parchg Evan, 80
John, Augustus, 135, 194
John, Elizabeth, 144
John, Gwen, 194
Jones, Aneurin, 194
Jones, Y Parchg Calvert Richard, 139
Jones, David, artist a bardd, 194,
198
Jones, Della, 192
Jones, Dickie, 160
Jones, Glyn, 197
Jones, Y Parchg Griffith,
Llanddowror, 38
Jones, Gwyneth, 192
Jones, John 'Tegid', 80
Jones, John, Gellilyfdy, 102
Jones, Y Parchg Michael D., 145, 158
Jones, T. Gwynn, 197
Jones, Thomas, almanaciwr, 108
Jones, Thomas, cenhadwr, 114
Jones, Thomas, Pencerrig, 194

Kilvert, Y Parchg Francis, 153

Lewis, Alun, 197
Lewis, Meriwether, 123
Lewis, Saunders, 66, 173, 184, 197
Lewys Morgannwg, 97
Livingstone, David, 156
Lloyd George, David 158, 178, 194;
cwrdd â Hitler, 165; cwymp, 60;
cyllideb y bobl, 55, 164; ffilm,
175; llythyron, 164–5, 166–7;
prif weinidog, 164–5; Rhyfel Byd
Cyntaf, 56–8, 134
Lloyd George, Margaret, 164, 166,
167

Lloyd, John, Caerwys, 117
Lusitania, 174

Llafur, y blaid, 55, 60, 61, 64, 67
Llanelli, 54
Llanidloes, 43, 129
Llantrisant, 64
Llawysgrif Hendregadredd, 84, 85
llongau a llongwyr, 12, 54, 93,
116, 136–8, 162
Llundain, 32, 40, 120, 123
Llwyd ap Iwan, 145
Llwyd, Humphrey, 104
Llychlynwyr, 20, 138
Llyfr Aneirin, 84
Llyfr Antiffonau Penpont, 95
Llyfr Coch Hergest, 80, 84, 85
Llyfr Du Basing, 86, 97
Llyfr Du Caerfyrddin, 76–7, 84, 99,
102
Llyfr Gwyn Rhydderch, 80, 84, 102
Llyfr Oriau Llanbeblig, 91
Llyfr Taliesin, 84, 102
Llyfrgell Genedlaethol Cymru, 11,
40, 53
Llyfrgell Hengwrt, 77, 102
Llyfrgell Peniarth, 77, 159
Llynges Frenhinol, Y, 42, 59, 116
Llysoedd y Sesiwn Fawr, 33
Llywelyn ab Iorwerth (Llywelyn
Fawr), 24
Llywelyn ap Gruffudd, 24–5, 79

Mabinogion, Y, 77, 80, 91;
addasiad Charlotte Guest, 80;
addasiad Dafydd a Rhiannon
Ifans, 80; addasiad Gwyn Jones
a Thomas Jones, 80
McIntyre, Donald, 194
Macsen Wledig, 91
Machynlleth, 28
Madog, 122
Maerdy, 69
Malory, Syr Thomas, 35
mapiau, 104
Mary, Y Frenhines, 198
Mathias, Roland, 197
Mercator, Gerardus, 104
Merched Beca, 43, 130
Mers, Y, 20–1
Merthyr Express, 151
Merthyr Guardian, 151
Merthyr Tudful, 42, 43, 47, 60;
terfysg 1831, 43, 131
Methodistiaid, 39, 48–9
Monmouthshire Merlin, 151

môr-forynion, 107
Morgan, Teddy, 160
Morgan, William, esgob Llandaf a
Llanelwy, 35, 100
Morris, Lewis, 104
Morris, Richard, 104
Morris, William, 104
Morte d'Arthur, Thomas Malory, 79
mudo, 43, 51, 60, 145–7, 162, 167
Myddelton, Syr Thomas
(1550–1631), 36
Myddelton, Syr Thomas
(1586–1667), 37
mynachlogydd, dymchwel, 16, 33,
76, 77, 92, 95
mynachod, 15, 22, 33, 84, 94
Mynydd Parys, 42, 116
Myrddin, 77, 80, 86

Nelson, Arglwydd, 43
Nicholls, Gwyn, 160
Niclas, Jemeima, 124
Nightingale, Florence, 129
Normaniaid, 14, 20–2, 88, 138
North Wales Gazette, 151
Novella Davies, Clara, 176
Novello, Ivor, 176, 190

O'Neill, Dennis, 192
Offa o Fersia, 20
olew, 64
Ortelius, Abraham, 104
Owain Glyndŵr, 27, 28–9, 30, 71,
78, 96, 117
Owen, Dickie, 160
Owen, Idloes, 192
Owen, William, smyglwr, 107

papurau newydd, 151–2
papyrus, 94
Parker, John, 194
Parry, Joseph, 149
Parry, R. Williams, 197
Parry-Williams, T. H., 197
Patagonia (Y Wladfa), 51, 145–7,
193
peithynen 121
Pennant, Thomas, 26, 117–18, 194
Penrhyn, Arglwydd, 54, 162
Petts, John, 194
Phillips, Siân, 191
Piper, John, 194
Pla Du, Y, 27
Plaid Cymru, 66, 67, 70
Plas Power, Sir Ddinbych, 93
plwm, 36, 42

Pontypridd, 51, 54, 115
Port Talbot, 64
porthmyn, 16, 125, 133
Powys, John Cowper, 197
Prendergast, Peter, 194
Price, Margaret, 192
Price, Y Parchg Thomas, 80
Price, Dr William, 155
Prichard, Gwilym, 194
Prichard, Rhys (Yr Hen Ficer), 100
Prifysgol Cymru, 11, 40, 53, 134
Pryce-Jones, Syr Pryce, 129
Prys, Syr Siôn, 77, 99, 159
Ptolemy, Claudius, 104

radio, 178–9, 184–5, 196
Raynold, Thomas, 107
Richard, Henry, 52
Richards, Ceri, 194
Robens, Arglwydd, 186
Roberts, Evan, 161
Roberts, Kate, 61, 173
Roberts, Kate (Miss Vulcana), 156
Roberts, Rachel, 190, 191
Roberts, Will, 194
Rowland, Daniel, 38, 109
Rowlandson, Thomas, 194
Rowson, Harry a Simon, 175
rygbi, 53, 54, 144, 160

rheilffyrdd, 16, 129; estyn, 50–1,
    125, 132–3, 162; streic Llanelli
    1911, 55
Rhisiart I, 78, 88
Rhisiart III, 31
Rhodri Mawr, 20
Rhondda, Arglwydd (D. A. Thomas),
    151, 174
Rhufeiniaid, 14, 19, 42, 78
Rhyddfrydwyr, 52, 55, 60, 61
Rhyfel Byd, Ail, 62; papurau
    newydd, 181; storio celf, 182
Rhyfel Byd, Cyntaf, 56, 58, 169,
    172, 173; papurau newydd, 181
Rhyfel Cartref Lloegr, 37
Rhyfel y Degwm, 46, 52
Rhyfeloedd y Rhosynnau, 30
Rhys ap Tomos, Dinefwr, 31

S4C, 68, 70, 185
Salesbury, William, 35
Samwell, Dr David, 123
Sandby, Paul, 194
Saxton, Christopher, 104
Scargill, Arthur, 69
Senghennydd, trychineb, 56, 168

Seren Gomer, 151
Shakespeare, William, 91, 96
Siarl I, 37
Siartwyr, 43, 155
sinema, 169, 175, 190–1
Siôr V, 198
Sistersiaid, 22, 79, 92
smyglwyr, 107
Speed, John, 104
Stanley, Syr Henry Morton, 156
Statud Rhuddlan, 32
Stephenson, Robert, 50
Stevenson, Frances 167
streiciau 55; streic gyffredinol
    1926, 60; Streic Fawr y Penrhyn,
    54, 163; Streic y Glowyr, 1972,
    68; 1984, 68
Swyddfa Gymreig, Y, 67

Talbot, William Henry Fox, 139–40
Taliesin, 20, 84
Tate, William, 124
Tear, Robert, 192
Teilo, sant, 15
teledu, 68, 184–5
Telford, Thomas, 43
Teml Heddwch, 134
Terfel, Bryn, 192
Thatcher, Margaret, 68
Thomas, Dylan, 196
Thomas, Edward, 197
Thomas, George, 64
Thomas, Gwyn, 197
Thomas, J. G. Parry, 178
Thomas, John, Ceredigion, 140–1
Times, The, 48, 60, 130, 189
Tomos, Angharad, 197
Tonypandy, terfysg 1910, 55
Trefeca, 109
Treforys, 115
Trevithick, Richard, 43
Tudur, Siasper, Iarll Penfro, 30
Tudur, Owain, 30, 97
Tudur, Rhys, 30
Tunnicliffe, Charles, 194
Turner, J. M. W., 194
Tŵr, glofa, 69
twristiaid, 14, 117, 133
Tynged yr Iaith, Saunders Lewis,
    66, 184
Tyndale, William, 35

theatrau teithiol, 169

Undeb Rygbi Cymru, 53
Urdd Gobaith Cymru, 177

Vaughan, Robert, 77, 85, 91, 102
Villiers, Alan, 136

Walters, Evan, 194
Watkins, Vernon, 197
Watson, Richard, esgob Llandaf, 47
Webb, Harri, 197
Welsh Rarebit, 179
Welsh, Freddie, 170
Welshman, The, 151
Western Mail, 151, 185
Whitgift, John, archesgob
    Caergaint, 100
Wigley, Dafydd, 67
Wilde, Jimmy, 170
Wilkinson, John, 42
Williams, Claudia, 194
Williams, John, Conwy, archesgob
    Efrog, 37
Williams, Syr John, 77, 158–9
Williams, Syr Kyffin, 193, 194
Williams, Penry, 194
Williams, Thomas, Mynydd Parys,
    42, 116
Williams, William, Pantycelyn,
    38–9, 109, 110–11
Williams, William, AS, 47
Williams Wynn, Syr Watkin, 162
Wilson, Harold, 67
Wilson, Richard, 115, 194
Wrecsam, 54
Wynne, William Watkin Edward, 77
wyrcws, 46

Yny lhyvyr hwnn, 99, 159

Zeta-Jones, Catherine, 138